BRAD THOR

É formado pela Universidade da Califórnia do Sul. Trabalhou no Departamento de Análise de Segurança Interna e é autor dos *best-sellers* *The Lions of Lucerne*, *Path of the Assassin*, *State of the Union*, *Blowback*, *Takedown*, *The Apostle*, *Foreign Influence*, *O Primeiro Mandamento* e *O Último Patriota*. As suas obras encontram-se publicadas em mais de vinte países. Fundador da Thor Entertainment, uma empresa premiada e que exporta conteúdos para todo o mundo, Thor é presença regular em vários canais noticiosos como a CNN, ABC, Fox News ou a CBS na qualidade de comentador especialista em terrorismo. Todos os seus livros figuram na lista de *best-sellers* do *New York Times*.

O ÚLTIMO PATRIOTA

BRAD THOR

O ÚLTIMO PATRIOTA

Tradução de
VICTOR ANTUNES

Título original: *The Last Patriot*
Autor: Brad Thor
© 2008 by Brad Thor

Todos os direitos para a publicação desta obra reservados por
Bertrand Editora, Lda.
Rua Prof. Jorge da Silva Horta, 1
1500-499 Lisboa
Telefone: 21 762 60 00
Fax: 21 762 61 50
Correio electrónico: editora@bertrand.pt

Paginação: Fotocompográfica
Revisão: Alexandra Martins
Design da capa: Rui Rodrigues

Execução gráfica: Bloco Gráfico, Lda.
Unidade Industrial da Maia

1.ª edição: Setembro de 2010
Reimpresso em Abril de 2014
Depósito legal n.º 314 747/10

ISBN: 978-972-25-2215-1

Para Jeff e Jennifer, Jean e Dan
— quatro das pessoas mais corajosas que conheço

«Que nenhum de nós diga que adquiriu todo o Alcorão, pois como sabe que é todo? Muito do Alcorão se perdeu; por conseguinte, deve antes dizer: "Adquiri o que estava disponível."»

— Ibn Umar al-Khattab, companheiro de Maomé no século VII e 2.º califa muçulmano

PRÓLOGO

JEFFERSON MEMORIAL
WASHINGTON, D. C.
DOMINGO À NOITE

Andrew Salam saiu de trás da estátua de bronze de Thomas Jefferson e perguntou:

— Estás sozinha?

Nura Khalifa, de vinte e três anos, confirmou com um aceno de cabeça.

O cabelo espesso e escuro caía-lhe por cima dos ombros, quase a alcançar-lhe o peito. Por debaixo do casaco fino, Andrew percebeu-lhe os contornos curvilíneos do corpo, a estreiteza da cintura. Quase acreditou que lhe cheirava o perfume, mas devia ser o aroma das cerejeiras em flor, empurrado pela brisa ligeira que atravessava o estuário. Não fazia bem em encontrar-se com ela de noite e num local isolado como aquele. Era um erro.

Um erro que permitia que o desejo que sentia por ela interferisse com a clareza do seu raciocínio. Salam sabia que não estava certo. Ela era uma mulher esplêndida e atraente, mas também era uma colaboradora. Tinha-a recrutado e era responsável pela natureza da relação. Por muito que julgasse que eram perfeitos um para o outro, por muito que ansiasse por lhe sentir, nem que fosse uma só vez, a candura dos lábios e o calor do corpo encostado ao seu, de lhe aspirar a fragrância dos cabelos, não podia ceder à tentação. Os agentes do FBI tinham de dominar as suas emoções e não deixar-se dominar por elas.

Andrew Salam abafou o desejo e assumiu uma atitude profissional:

— Qual foi o motivo para entrares em contacto?

— Porque precisava de te ver — respondeu Nura, a aproximar-se dele.

Andrew ainda pensou em levantar a mão para a impedir, com medo de não se controlar, caso ela se aproximasse mais. Foi então que distinguiu o rosto marcado pelas lágrimas e, sem pensar, abriu-lhe os braços.

Nura chegou-se a ele, a soluçar, e ele puxou-a contra o peito, encostando a cara aos seus cabelos. A brincar com o fogo.

De imediato se apercebeu do erro e afastou-a suavemente, segurando-a pelos ombros, à distância dos braços estendidos.

— O que aconteceu?

— O alvo é o meu tio — gaguejou ela em resposta.

Salam ficou estarrecido.

— Tens a certeza?

— Penso que já contrataram o assassino.

— Espera aí, Nura. As pessoas não andam por aí a contratar assassinos...

— Disseram que a ameaça era demasiado séria e que tinha de ser resolvida de imediato — atalhou ela.

Salam baixou a cabeça para poder olhá-la nos olhos.

— Falaram no nome do teu tio?

— Não, nem precisavam. Eu *sei* que o alvo é ele.

— Como sabes?

— Têm andado a fazer imensas perguntas acerca dele e sobre o seu trabalho. Andrew, temos de fazer qualquer coisa. Temos de falar com ele, temos de o avisar. *Por favor.*

— Vamos tratar disso — respondeu Salam, a relancear os olhos em redor. — Prometo. Mas antes disso preciso que me contes tudo quanto ouviste, por mais insignificante que pareça.

Nura tremia da cabeça aos pés.

— Como foi que chegaste aqui? — perguntou ele, tirando o casaco para lho colocar sobre os ombros.

— Vim de metro. Porquê?

Àquela hora da noite, o monumento estava deserto, mas Salam sentia-se inseguro, a descoberto, com a estranha sensação de que estavam a ser observados.

— Era melhor se fôssemos para outro lado qualquer. O meu carro está parado aqui perto. Estás disposta a uma pequena caminhada?

Nura assentiu, Salam passou-lhe o braço sobre os ombros e abandonaram o recinto da estátua.

Enquanto caminhavam, Nura foi-lhe dando conta do que sabia. Salam ouvia-a, mas não conseguia concentrar-se.

Se estivesse atento a mais qualquer coisa para além do contacto do corpo dela contra o seu, teria tido tempo de reagir aos dois homens que saltaram da escuridão.

ROMA, ITÁLIA
SEGUNDA-FEIRA À NOITE

O Centro Italiano de Microfilmagem, Encadernação e Restauro dos Arquivos do Estado (CFLR), estava localizado num discreto edifício pós-modernista, no n.º 14 da Via Costanza Baudana Vaccolini, a três quarteirões de distância do Tibre. Orgulhava-se de ser uma das mais avançadas instituições de todo o mundo no domínio da conservação arquivística, e o técnico assistente, o jovem Alessandro Lombardi, estava ansioso pela chegada da noite.

— *Dottore, mi scusi* — disse Lombardi.

O doutor Marwan Khalifa, reputado especialista do Alcorão, na casa dos sessenta e poucos anos, ergueu o rosto simpático, emoldurado por uma barba bem talhada.

— Que foi, Alessandro?

O italiano arvorou um sorriso cativante e perguntou:

— Esta noite podemos acabar mais cedo?

O doutor Khalifa soltou uma gargalhada e pousou a caneta.

— Não me diga que tem *outro* encontro esta noite?

Lombardi aproximou-se e mostrou-lhe uma fotografia no telemóvel.

— Então e a loira?

— Isso foi na semana passada — respondeu Lombardi, encolhendo os ombros.

O doutor Khalifa voltou a pegar na caneta.

— Penso que isto estará pronto dentro de uma hora.

— *Uma hora?* — repetiu Lombardi, de mãos erguidas num simulacro de prece. — *Dottore,* se não sair agora, não consigo encontrar uma mesa de jeito. Por favor. Quando o tempo está bom como hoje, os italianos não estão autorizados a trabalhar até tarde. É uma política oficial do Estado.

Khalifa não se deixou enganar. Fizesse o tempo que fizesse, havia sempre alguém a trabalhar até tarde no edifício do CFLR, talvez não propriamente no Departamento de Pesquisa e Conservação, mas havia sempre uma luz acesa algures.

— Deixe ficar as chaves, que eu fecho o gabinete quando sair.

— E o cartão de ponto? — insistiu Lombardi, a abusar da sorte.

— Recebe conforme as horas que trabalhar, meu caro.

— *Va bene* — respondeu o jovem em tom de resignação, ao mesmo tempo que tirava do bolso um molho de chaves que depositou na secretária. — Encontramo-nos amanhã de manhã.

— Divirta-se — atirou-lhe Khalifa como despedida.

O rosto de Lombardi voltou a iluminar-se num sorriso e encaminhou-se para a saída, apagando pelo caminho as luzes desnecessárias.

A secretária do doutor Khalifa era uma espécie de enorme estirador, iluminada por dois candeeiros ajustáveis. Tanto ele como Lombardi estavam ao serviço do Departamento de Antiguidades do Iémen.

Em 1972, os operários iemenitas tinham feito uma descoberta espantosa. Durante os trabalhos de reconstrução da Grande Mesquita de Saná, que segundo se dizia era um dos grandes projectos arquitectónicos dos primeiros tempos do Islão, encomendado pelo próprio profeta Maomé, descobriram um sótão entaipado entre o tecto e o telhado da mesquita. Lá dentro, haviam encontrado um montão de pergaminhos e de textos avulsos em árabe, que em determinado momento foram postos de parte e agora se encontravam aglutinados por séculos de exposição à humidade. No jargão dos arqueólogos, estes locais eram conhecidos como «túmulos de papel».

Os exames preliminares concluíram que o acervo era constituído por dezenas de milhares de fragmentos de, pelo menos, uns mil códices primitivos do Alcorão.

Nunca tinha sido permitido o acesso à totalidade do achado, embora ao longo dos anos alguns fragmentos dispersos fossem entregues a diversos especialistas, mas, por respeito à natureza sacra da documentação, a nenhum fora facultada a possibilidade de estudar o conjunto. Pelo menos até ao doutor Marwan Khalifa.

Khalifa era um dos mais conceituados especialistas do Alcorão de todo o mundo, e passara a maior parte da sua carreira profissional a construir uma boa relação com as autoridades iemenitas que tinham à sua responsabilidade as antiguidades, junto de quem vinha a insistir com delicadeza no sentido de se estudar devidamente o despojo. Por fim, verificou-se uma mudança dos responsáveis, e o novo titular do Departamento de Antiguidades, bastante mais novo e de espírito mais aberto, tinha convidado Khalifa para estudar a totalidade do material encontrado pelos operários em Saná.

Não tardou muito para que Khalifa se desse conta da extraordinária importância do achado.

Como no Iémen não existiam equipamentos nem instalações adequados ao estudo e à preservação do valioso espólio, e dado que as autoridades iemenitas se tinham oposto em absoluto à ideia de Khalifa levar o material para os Estados Unidos, chegara-se a um acordo de compromisso para a transferência do acervo para o CFLR, em Roma, onde deveria ser preservado, estudado e posteriormente devolvido ao Iémen.

Com a concordância do novo responsável pelo Departamento de Antiguidades do Iémen, Khalifa supervisionava o processo, incluindo os aspectos técnicos, como a definição de margens, degradação dos documentos, processamento de imagens, etc.

À medida que foi juntando as peças do quebra-cabeças, a ansiedade de Khalifa foi aumentando. Grande parte dos pergaminhos datava dos séculos VII e VIII, os dois primeiros séculos de vida do Islão. Os fragmentos na posse de Khalifa faziam parte dos mais antigos exemplares do Alcorão jamais encontrados.

Para mil e quinhentos milhões de crentes disseminados por todo o mundo, o Alcorão era a palavra de Deus, perfeita e inviolada — uma transcrição *exacta,* palavra por palavra, do livro original existente no Paraíso, transmitida sem o mais pequeno erro por Alá ao profeta Maomé, por intermédio do Anjo Gabriel.

Enquanto historiador, Khalifa sentia-se fascinado pelas inconsistências. Como muçulmano moderado, que respeitava a sua religião mas que acreditava piamente na necessidade de a reformar, não podia sentir-se mais extasiado. O facto de ter encontrado, e de continuar a encontrar, desvios em relação ao dogma islâmico, significava que finalmente se poderia considerar a hipótese de uma reapreciação do Alcorão, inserida num contexto histórico.

Marwan Khalifa desde sempre considerara que o Alcorão fora escrito pelos homens e não por Deus. Se isso pudesse ser demonstrado, os muçulmanos de todo o mundo teriam de reexaminar os esteios da sua fé numa perspectiva do século XXI, em substituição do obscurantismo antiquado da Arábia do século VII. E agora parecia-lhe ter nas mãos a prova de que necessitava.

A descoberta era de tal modo portentosa, que Khalifa mal conseguia dormir. Coadunava-se tão perfeitamente com outro projecto em que o seu colega Anthony Nichols estava a trabalhar na América, que sentia que era o próprio Alá quem lhe guiava as investigações, que estava a cumprir a Sua divina vontade.

Quando não estava a trabalhar, Khalifa só pensava em regressar ao CFLR para continuar a pesquisar os fragmentos.

Embora, em noites como aquela, sentisse a falta da companhia de Lombardi e da sua destreza no manejo dos equipamentos técnicos, a verdade é que mal deu pela saída do jovem italiano. Em boa verdade, estava tão absorvido no trabalho, que mal dera pela presença de Lombardi, mesmo quando o tivera diante da secretária.

Voltado para o computador, Khalifa escolheu uma das trinta e duas mil imagens já digitalizadas pelo CFLR. Podia ter atravessado a sala e usar o original, mas preferia utilizar as imagens digitais por considerar o processo muito mais simples.

Tentava agrupar seis pequenos fragmentos de escrita hejazi quando uma sombra se alongou sobre o estirador.

— De que se esqueceu desta vez, Alessandro? — perguntou o académico sem levantar a cabeça.

— Não me esqueci de nada — respondeu-lhe uma voz desconhecida. — Foi você quem se esqueceu.

O doutor Khalifa levantou os olhos e viu um homem vestido com uma sotaina preta comprida, com colarinho branco. Era uma imagem comum na cidade de Roma, especialmente nas imediações do Vaticano, mas, embora o CFLR se encarregasse de alguns serviços para a Santa Sé, Khalifa nunca tinha visto um padre dentro do edifício.

— Quem é você?

— Isso não tem importância — retorquiu o padre, que se aproximou. — Preferia falar sobre a sua fé.

— Deve estar enganado, padre — respondeu Khalifa, que se endireitou na cadeira. — Não sou católico, sou muçulmano.

— Eu sei — respondeu o sacerdote sem elevar a voz. — É por isso que aqui estou.

Num brusco roçagar de tecido negro, o padre colocou-se atrás de Khalifa. Com uma das mãos, grandes e grossas, agarrou a nuca do cientista, com a outra do lado da cabeça, aplicou uma torção violenta e partiu-lhe o pescoço. Deixou-se ficar uns instantes a segurar o corpo contra o peito, deu um passo atrás e largou-o.

A cabeça de Khalifa embateu no estirador antes de o corpo cair no chão.

O padre arrastou o cadáver e colocou-o junto da escada de acesso à pequena biblioteca, à qual não tardou a atear o fogo.

Duas horas mais tarde, depois de ter tomado duche e mudado de roupa, o assassino sentou-se no quarto do hotel a pesquisar no computador de Khalifa. Ligado a um servidor remoto, não levou quinze minutos para descobrir a *password* do especialista em estudos alcorânicos. A leitura de um *e-mail* deu-lhe todas as informações que pretendia.

> Marwan:
> Finalmente, temos boas notícias! Parece que localizámos o livro. Um antiquário chamado René Bertrand vai levá-lo a Paris, à Feira de Livros Antigos. Vou encontrar-me com ele para negociar a compra. Como sabes, os meus fundos são bastante limitados, mas tenho esperança de que, se evitarmos um leilão, acabaremos por ficar com ele!
> Como combinado, conto encontrar-me contigo na próxima segunda-feira às nove horas na Sala de Leitura do Médio Oriente da Biblioteca do Congresso — teremos por fim o livro e poderemos começar a decifrar a localização da revelação final!
>
> Anthony

O assassino, que já espiava Khalifa há bastante tempo, sabia muito bem quem era o remetente e a que livro se referia. Era um projecto paralelo e potencialmente ainda mais perigoso, que até àquele momento tinha permanecido estagnado. Era evidente que a situação se alterara, e não para melhor.

O assassino fechou o computador portátil e passou várias horas a ponderar as implicações do que acabava de saber e gizando um plano. Tendo analisado todas as hipóteses, voltou a ligar o computador.

Elaborou um relatório, ao qual anexou as mensagens importantes trocadas entre Khalifa e Anthony Nichols, e enviou-o aos seus superiores hierárquicos.

A resposta chegou vinte minutos mais tarde, escondida na caixa de rascunhos da conta de correio electrónico que partilhavam. Era a autorização para a operação de Paris.

No fim da mensagem, os seus superiores informavam-no de que todas as diligências seriam efectuadas e de que o dinheiro seria transferido para Paris, para além de o felicitarem pelo êxito da missão levada a cabo em Roma.

O assassino apagou a mensagem da caixa de rascunhos e cortou a ligação. Depois de fazer as suas orações, desligou o telefone e pendurou na porta o sinal «Não incomodar». Sairia de manhã cedo e precisava de descansar. Os próximos dias iam ser muito trabalhosos. Os seus superiores entendiam que as revelações perdidas do profeta Maomé deviam continuar perdidas — para sempre.

2

PARIS, FRANÇA
SEXTA-FEIRA

O americano Scot Harvath, de trinta e sete anos, olhou para a mulher sentada a seu lado na mesa do café. Tinha pintado de negro os cabelos loiros, que cortara à altura das orelhas.

— Temos de tomar uma decisão — disse ela.

Ora aí estava o assunto que andava a evitar desde que tinha liquidado o homem que disparara contra ela nove meses antes.

— Só quero ter a certeza de que estás inteiramente... — começou a dizer, mas calou-se.

— Recuperada? — acudiu ela, acabando a frase por ele.

Harvath assentiu com um gesto de cabeça.

— Scot, a partir do momento em que saí dos Estados Unidos, isto nada tem a ver com a minha recuperação. Sinto-me bem. Posso não estar a cem por cento, mas se calhar nunca virei a estar melhor.

— Não podes ter a certeza disso.

Tracy Hastings sorriu. Antes de ser o alvo de um assassino que se queria vingar de Harvath, Tracy fora especialista em explosivos da Marinha, até ter ficado sem um dos seus belos olhos azuis, quando um dispositivo que tentava desarmar explodira antes de tempo. Embora tivesse ficado com o rosto raiado de cicatrizes, os cirurgiões plásticos haviam feito um magnífico trabalho para disfarçar os estragos.

Sempre se mantivera em boa forma, e depois do acidente regressara aos exercícios de manutenção. Possuía o corpo mais escultural que Harvath alguma vez tinha visto. Consciente do rosto desfigurado e do olho azul-claro implantado pelos cirurgiões, Tracy costumava gracejar que tinha um corpo pelo qual valia a pena morrer, e uma cara para o proteger.

Uma piada que Harvath se esforçara por eliminar do repertório dela. Era a mulher mais bela que jamais conhecera, e a pouco e pouco os seus esforços foram dando resultado. Quanto mais se aproximavam e Tracy se sentia mais segura, menos cáustico e autodepreciativo era o seu sentido de humor.

O mesmo se poderia dizer de Harvath. Dez anos mais velho do que Tracy, tinha o hábito de recorrer ao sarcasmo para conservar o mundo à distância. Agora, usava-o para fazê-la rir.

De rosto um tanto irregular, mas bem proporcionado, cabelos castanhos cor de areia e um metro e oitenta de corpo bem musculado, formavam um casal magnífico.

— Queres saber o que penso? — perguntou ela. — Acho que isto tem mais a ver com a tua recuperação do que com a minha. E para mim está bem.

Harvath tentou objectar, mas ela pousou a mão em cima da dele e rematou:

— O que lá vai, lá vai, temos de continuar as nossas vidas.

Estavam juntos há menos de um ano, mas conhecia-o melhor do que qualquer outra pessoa. Sabia que ele nunca seria feliz a viver uma existência vulgar. Aquilo que era e a maneira como se via a si mesmo dependiam em grande parte do que fazia. Harvath tinha de voltar ao trabalho, ainda que para isso ela tivesse de o espicaçar.

Harvath retirou a mão. Não era capaz de esquecer o que acontecera. Por mais que tentasse, não conseguia afastar a imagem de Tracy deitada numa poça de sangue com uma bala na nuca, nem a memória do Presidente que se tinha atravessado no seu caminho enquanto o criminoso responsável continuava a alvejar os que lhe estavam próximos. Alguns amigos deram a entender que talvez sofresse de síndrome pós-traumática, mas, segundo um coronel do exército com quem havia trabalhado, Harvath não era vítima de SPT, Harvath *causava-a*.

— Não podemos continuar eternamente nesta vida de vagabundagem — insistiu Tracy. — Já chega de termos a vida em suspenso. Temos de voltar ao mundo real e tu precisas de regressar ao trabalho.

— As minhas hipóteses de voltar a trabalhar com o Jack Rutledge são tantas como as de ingressar numa organização terrorista. Estou arrumado.

Harvath tinha feito parte do corpo especial da Marinha, os SEAL, e fora integrado na segurança do Presidente com o objectivo de ajudar a Casa Branca a prevenir e a reagir a ataques terroristas. Algum tempo depois, tornara-se o mais importante operacional a colaborar com o Presidente na área do contraterrorismo, e a sua competência era extraordinária.

Tão extraordinária, que o Presidente criara para ele um gabinete ultra-secreto denominado Projecto Apex, cujo objectivo era descer ao nível operacional dos terroristas internacionais que procuravam sabotar os interesses americanos dentro do país e no exterior. As regras eram simples — como os terroristas não obedeciam a nenhuma, Harvath também não estaria sujeito a elas.

O Projecto Apex foi integrado num departamento pouco conhecido da DHS, o Gabinete de Investigações Internacionais, GII. A missão declarada do GII era prestar auxílio às polícias, forças armadas e serviços secretos estrangeiros na prevenção de atentados terroristas. Neste aspecto, a função de Harvath coincidia em absoluto com o mandato oficial do GII. Mas, na realidade, era um agente super-secreto, recrutado depois do 11 de Setembro, que o Presidente podia lançar contra os inimigos dos Estados Unidos a qualquer momento e em qualquer local, dotado dos meios que entendesse necessários para levar a operação a bom termo.

Mas essa parte da vida de Harvath tinha acabado. Precisara de vários anos para perceber que a luta contra o terrorismo era incompatível com aquilo que realmente queria — uma família, alguém que em casa esperasse pelo seu regresso e partilhasse a vida com ele.

Nunca tivera dificuldade em encetar uma relação, mantê-la é que era difícil. Tracy Hastings era a coisa melhor que já lhe acontecera e não tinha a menor intenção de deixá-la fugir. Não fazia ideia de quanto, mas há muito tempo que não se sentia tão feliz.

— Não temos de voltar já — continuou Tracy, cortando-lhe o fio às recordações. — Podemos esperar até Novembro, depois das eleições. Depois vem o Natal, e a tomada de posse em Janeiro. A menos que a Constituição seja alterada e o Rutledge se candidate a um terceiro mandato, vais encontrar um presidente diferente.

Harvath ia para responder quando olhou para o outro lado da rua e viu um árabe bem-vestido a sacar de um pequeno pé-de-cabra que trazia debaixo do casaco. O homem fez saltar a fechadura de um *Peugeot* azul-claro, abriu a porta, entrou no automóvel, baixou-se e deixou de ser visível pela janela.

Sem saber porquê, Harvath desconfiou que não se tratava apenas do roubo de um automóvel.

Em Paris, devia haver roubos de carros a toda a hora, mas Harvath nunca presenciara nenhum. Como também nunca tinha visto um pequeno meliante tão bem-vestido.

Por muito que tentasse afastar-se do passado, os seus instintos continuavam alerta para o mundo que o cercava. Lá porque um cão de guarda se farta de lutar contra os lobos, isso não queria dizer que os lobos se tivessem cansado de atacar o rebanho.

— O que se passa? — perguntou Tracy quando o apanhou a olhar para o outro lado da rua.

— Um tipo que acaba de arrombar aquele *Peugeot*.

Ouviram o arranque do motor e a cabeça do ladrão apareceu, vinda debaixo do painel de instrumentos. No entanto, em vez de arrancar, o homem ficou imóvel.

— O que está ele a fazer? — perguntou ela.

Harvath ia a responder quando viu aproximar-se um *Mercedes* prateado. O ladrão também o devia ter visto, pois ligou imediatamente o pisca-pisca e deixou o lugar junto ao passeio vago para o *Mercedes*. Harvath tinha vivido demasiado tempo em cidades como Nova Iorque para saber que as pessoas se davam a uma carga de trabalhos para arranjar um lugar de estacionamento, mas daí a roubar um carro? Era simplesmente ridículo.

Assim que o *Peugeot* se afastou, o *Mercedes* ocupou o lugar. Mal acabara de estacionar, outro árabe bem-vestido abriu a porta, olhou para um lado e para o outro, saiu e foi-se embora.

Tracy olhou outra vez para Harvath.

— Que raio foi aquilo?

— Não faço ideia — respondeu ele. — Não vi o tipo ligar o alarme do carro. Reparaste nisso?

Tracy abanou a cabeça.

Harvath olhou atentamente para o *Mercedes* durante um ou dois segundos. Depois retirou da carteira uma nota de vinte euros, que pôs em cima da mesa do café.

— Vamos embora.

Tracy não disse nada. Já no passeio, Harvath pegou-lhe no braço e acelerou o passo.

— Não devíamos fazer qualquer coisa?

— E estamos a fazer. A andar daqui para fora.

— Quero dizer, comunicar o que vimos.

Desde que se tinha afastado da arena do terrorismo que Harvath mantinha um perfil discreto. Alimentava um ódio feroz às burocracias, e nesse aspecto a polícia de Paris era das piores.

No entanto, Tracy tinha razão. O que acabavam de ver não fazia sentido. Podia não significar nada, mas Harvath tinha as suas dúvidas.

— Vou telefonar na próxima cabina que encontrar — concedeu.

Diante deles, abriu-se a porta de uma pequena livraria e saiu de lá um homem apressado, de cinquenta e poucos anos e cabelos ondulados grisalhos, vestido com um casaco azul. Com a pressa, o homem quase foi de encontro a Harvath e a Tracy, balbuciou uma desculpa em francês e continuou a andar em direcção ao café.

Em condições normais, Harvath não teria prestado mais atenção ao caso, mas nesse momento viu o condutor do *Mercedes* à esquina da rua. O homem, que parecia apreciar uma fotografia, levou o telemóvel ao ouvido.

O árabe não disse mais do que uma ou duas palavras, mas quando desligou Harvath apercebeu-se do que estava prestes a acontecer. Largou o braço de Tracy e correu atrás do homem do casaco azul, pedindo a Deus que ainda fosse a tempo.

CAPÍTULO

4

Harvath caiu-lhe em cima precisamente no momento em que o *Mercedes* estacionado à frente do café explodia. O ar encheu-se de fumo acre e os estilhaços incandescentes voaram pela rua.

A violência da explosão fez com que Harvath sentisse o corpo apertado como num torno. Fugiu-lhe o ar dos pulmões e os ouvidos zuniam-lhe com tanta intensidade, que se convenceu de que estavam a sangrar. Por instinto, levou a mão a um lado da cabeça, depois ao outro. Felizmente, não havia sangue. Avaliou com rapidez o seu estado e, quando viu que não tinha nenhum ferimento, concentrou-se no homem do casaco azul. A segurar-lhe a cabeça, Harvath rodou-o cuidadosamente para o deitar de costas, assegurando-se de que não lhe movia o pescoço. Tinha uma ferida na testa, perto da linha do cabelo. Harvath retirou-lhe o lenço da lapela e fez pressão sobre o ferimento. Sabia que tinha de ter cuidado para não agravar qualquer eventual lesão na coluna vertebral.

— Não se mexa — disse-lhe em francês. — Não se mexa. Dói-lhe em qualquer outro sítio?

O homem olhou para ele, sem expressão.

Harvath ia a repetir a pergunta quando Tracy chegou a correr.

— Estás bem? — perguntou ela, ofegante.

— Não estou ferido.

Com um gesto, indicou o homem do casaco azul e disse:

— Temos de lhe imobilizar o pescoço.

Tracy sabia que ele tinha razão, mas o seu treino com explosivos veio à tona.

— Temos de sair daqui. Pode haver uma segunda bomba. Temos de sair deste sítio antes que cheguem os primeiros socorros.

Harvath sabia bem que, muitas vezes, os terroristas esperavam a chegada dos socorros para fazer explodir outro engenho, possivelmente ainda mais mortífero.

— Mas ele precisa de uma ambulância.

— Não preciso — atalhou o homem em inglês. — Nada de ambulâncias nem de hospital — prosseguiu, tentando pôr-se de pé.

— Deixe-se estar quieto — ordenou Harvath.

— Scot, temos de sair daqui, já — insistiu Tracy.

Harvath olhou para o homem do casaco azul e tomou uma decisão. Deitou-lhe a mão ao braço e ajudou-o a levantar-se.

Mal se pôs de pé, os joelhos do homem cederam. Harvath agarrou-o pela cintura e, com a ajuda de Tracy, afastaram-se do café em chamas, em direcção à esquina da rua. Harvath manteve-se atento, tentando vislumbrar os dois árabes que preparavam o atentado. Se fossem espertos, já estariam longe, mas Harvath tinha a estranha sensação de que a coisa não ficaria por ali.

O passeio estava juncado de mortos e feridos, e o mesmo acontecia no interior do café. Embora quisessem ajudar, Harvath e Tracy sabiam que não havia tempo a perder.

Chegados ao fim da rua, viraram a esquina, já ao som das sirenes. Calcorrearam metade do quarteirão até arranjarem um sítio para instalarem o ferido. Estava em estado de choque, de olhos vidrados e a sangrar do golpe na testa.

Sentaram o homem nuns degraus de pedra bastante gastos e, depois de se certificarem de que não iria cair, deixaram-no de olhar perdido na rua e afastaram-se o bastante para que não os pudesse ouvir.

— Como soubeste que ia explodir uma bomba? — perguntou Tracy.

— Porque o árabe que trouxe o *Mercedes* estava do outro lado da rua. Quando o tipo do casaco azul passou por nós, o árabe olhou para uma fotografia e marcou um número no telemóvel.

— Então, não foi um atentado sem alvo definido. Andavam a vigiá-lo. O alvo era ele.

Harvath assentiu.

— Mas porquê? Quem será?

— É o que tenciono averiguar — replicou Harvath, a examinar a carteira que lhe tinha tirado.

— Mexeste-lhe nos bolsos?

— Podes chamar-lhe curiosidade profissional — disse ele, examinando a carta de condução do homem. — O nosso alvo tem cinquenta e três anos, chama-se Anthony Nichols e é de Charlottesville, Virgínia.

Tracy olhou por cima do ombro, para se certificar de que Nichols não podia ver o que faziam.

— *Virgínia?* Mas o que ele é? Da CIA?

— Segundo o cartão-de-visita, é professor jubilado e investigador residente do Departamento Corcoran de História da Universidade da Virgínia.

— O que quer dizer que pode ser qualquer coisa.

Harvath continuou a vasculhar a carteira. Continha tudo o que seria de esperar — cartões de crédito, cartões de membro de diversas instituições, um pequeno sobrescrito contendo um cartão-chave de hotel com indicação do número do quarto e uma série de cartões-de-visita de outras pessoas, bastante usados.

Estava prestes a desistir quando qualquer coisa lhe chamou a atenção num dos cartões. Retirou-o do monte e observou-o com cuidado. Era de um agente de seguros com morada em Washington, D. C., mas a parte importante não era essa. O que lhe chamara a atenção era o número de telefone.

Já vira antes aqueles dez números. Na realidade, até os tinha memorizado.

— Conheço este número de telefone — disse ele.

— É de quem? — quis saber Tracy.

— Uma caixa de correio de voz exclusiva do Presidente dos Estados Unidos.

E, assim, Harvath ficou a saber que, quem quer que fosse, Anthony Nichols era muito mais do que um simples professor de História da Universidade da Virgínia.

Era precisamente o que ia a dizer a Tracy quando esta fez um gesto na direcção do local onde haviam deixado o homem e disse:

— Olha, foi-se embora.

CAPÍTULO

5

WASHINGTON, D. C.

Com mais de um metro e oitenta de altura, cabelos escuros e um queixo quadrado, Aydin Ozbek, de trinta e cinco anos, mais parecia saído das páginas da revista *Esquire* do que um dos mais eficazes operacionais da CIA.

Americano de ascendência turca de segunda geração, Ozbek tinha crescido num subúrbio de Chicago, onde se distinguira no liceu como um lutador de capacidades bastante razoáveis. Dotado de um intelecto poderoso e com excelentes resultados nos testes, ingressara na Universidade do Iowa com uma bolsa de estudos, e durante quatro anos continuara a praticar luta, tendo conseguido alguns títulos nacionais.

Desejoso de servir o país depois de ter saído da universidade, Ozbek, «Oz» para os amigos, tinha-se alistado no Exército dos Estados Unidos com o intuito de ingressar no Quinto Grupo de Forças Especiais. Revelou-se excelente em todas as provas a que foi submetido e bateu vários recordes na Escola de Rangers.

Seguiram-se os cursos de qualificação e selecção para as Forças Especiais, uma experiência das mais exigentes em termos físicos e psicológicos. Receber a Boina Verde foi um dos momentos mais altos da vida de Ozbek.

Antes do 11 de Setembro, servira como sargento do corpo médico conhecido por Delta 18, inserido numa estratégia presidencial e de defesa nacional que não permitia aos membros das Forças Especiais desempenharem as missões para as quais tinham sido treinados. Em resumo, nunca tivera grandes oportunidades para entrar em acção.

Dada a sua formação nas Forças Especiais e os seus conhecimentos de árabe e de medicina, não foi difícil a Ozbek encontrar outra actividade mais empolgante. Trabalhou intensivamente para o Departamento de Estado, operou em embaixadas por todo o mundo e, durante um curto período, chegou mesmo a colaborar com o famoso Painter Crowe e a sua unidade de elite Sigma Force, antes de ingressar na CIA e no Serviço Nacional Clandestino.

A missão do SNC, anteriormente conhecido como Direcção de Operações da CIA, consistia em coordenar as acções de espionagem da CIA e de outras organizações como o FBI, o DIA, o DSS, o INSCOM, o Marine Corps Intelligence Activity e o Office of Naval Intelligence.

Para além de suprimir as rivalidades entre organizações como o FBI, o Departamento de Estado e o Departamento de Defesa, a missão do SNC incluía operações secretas e o recrutamento de agentes estrangeiros. Superintendia ainda a uma infinidade de empreendimentos secretos de índole política, económica e militar. Para além disso, também incluía um grupo de especialistas em contraterrorismo, conhecido por Divisão de Actividades Especiais.

Esta divisão era comandada e composta por antigos militares das Operações Especiais, altamente treinados em todo o tipo de armamento, técnicas de evasão, transporte secreto de armamento e de pessoal, tácticas de guerrilha, explosivos, contra-revolução e contra-espionagem.

Para Aydin Ozbek, essa área da CIA era a sua casa. O seu gabinete estava situado no coração do altamente secreto programa do SNC/Actividades Especiais, conhecido como o «Clube dos Poetas Mortos». A sua missão era capturar ou eliminar os agentes secretos perigosos transviados.

Se um agente secreto americano ou aliado passava a trabalhar por conta própria ou desaparecia da circulação, especialmente quando se tratava de alguém que estivesse na posse de informações vitais para os interesses dos Estados Unidos, o trabalho de Ozbek era descobri-lo e averiguar o porquê. Fora capturado? Passara-se para o inimigo?

Se o operacional tivesse de facto sido capturado, o respectivo processo era entregue a uma unidade das Actividades Especiais que se encarregava da sua «recuperação». Quando se chegava à conclusão de que o agente se tinha passado para o outro lado, a equipa de Ozbek elaborava dois processos, um azul e outro negro.

No processo azul, era traçado um plano para localizar o alvo e levá-lo para os Estados Unidos ou para outro local de confiança, a fim de ser interrogado e avaliados os danos eventualmente causados.

Do processo negro constavam os planos para a localização e o extermínio do indivíduo em causa.

Ambos os processos continham sugestões para controlo de danos e operações adicionais de limpeza, onde por vezes se propunha a eliminação de pessoas com as quais o agente traidor estivesse em contacto.

Não se tratava de um jogo. Ozbek não gostava de matar pessoas, mas às vezes tornava-se necessário.

Ao sair do elevador no quarto piso do edifício da CIA, em Langley, Virgínia, Ozbek estava quase a entrar no seu gabinete quando foi interceptado pelo seu colega de equipa, Steve Rasmussen, um homem vivo de perto de trinta anos, com mais de um metro e oitenta, olhos azuis e cabelos ruivos.

— Ora vejam quem acaba de chegar — saudou Rasmussen em tom jovial.

Ozbek não estava em maré de brincadeiras. *Shelby,* a sua velha cadela labrador de quinze anos, tinha um cancro. Passara a noite em grande sofrimento, pois os medicamentos já não surtiam efeito. Nem as doses reforçadas tinham dado resultado, de maneira que Oz acordara o veterinário e combinara uma consulta para as primeiras horas da manhã.

Para Ozbek, *Shelby* era o mundo inteiro, a única fêmea da sua vida que não se queixava dos seus horários impossíveis. O veterinário tinha ficado com ela para observação, mas Oz sabia que em breve teria de encarar a hipótese de a mandar abater. Rasmussen não gostava de cães, e Oz duvidava que ele fosse capaz de compreender.

— Na verdade, parece que as primeiras horas da manhã são os únicos momentos do dia em que eu e a tua mulher podemos estar juntos em sossego — retorquiu Ozbek sem se deter ao passar por ele a caminho do gabinete.

Rasmussen foi atrás dele e sentou-se no sofá.

— Isso não é verdade, Oz. Se apareceres por lá ao domingo, podem passar todo o dia juntos enquanto eu jogo golfe. Ficamos todos a ganhar.

Operacionais da CIA ou não, se Patricia Rasmussen os ouvisse, haveria de os correr a pontapé.

— Então, o que se passa? — quis saber Ozbek, mudando de assunto.

Steve Rasmussen ficou calado por momentos e colocou um processo negro em cima da secretária.

— Temos de tratar de um tipo do programa Transept.

CAPÍTULO

6

Ozbek adiantou-se e pegou no processo. O programa ultra-secreto Transept era responsável pelos assassinos mais eficazes na lista de pagamentos da CIA. Porém, como tanto o governo como a CIA não patrocinavam homicídios, o programa Transept não era oficialmente reconhecido.

— O Selleck quer que te encarregues pessoalmente do caso — disse Rasmussen, a mexer no intrincado quebra-cabeças de madeira que Ozbek tinha em cima da secretária.

Selleck era o director do SNC. Ozbek ergueu o sobrolho e examinou o processo.

— Porquê eu?

— Porque é complicado.

— Claro que é, mas complicado em que sentido?

—`No domingo à noite, houve um homicídio perto do Jefferson Memorial — disse Rasmussen.

Ozbek acabou o exame do processo e devolveu-o ao colega.

— E então?

— Parece que alguém deu cabo de uma funcionária da Fundação Americana para as Relações Islâmicas. Conheces?

Ozbek conhecia. A Fundação Americana para as Relações Islâmicas, financiada pelos sauditas, ironicamente conhecida por FAIR[1], era uma das maiores organizações islâmicas nos Estados Unidos. Com dependências espalhadas por todo o país, os seus representantes intervinham em público sempre que um muçulmano era acusado de qualquer crime. Reaccionários subservientes, que se queixavam em voz alta de perseguição aos muçulmanos mesmo antes de saberem do que se tratava.

Apareceram uns muçulmanos com bombas dentro de uma mala? Isso não passa de fogo-de-artifício, o que a polícia quer é perseguir os seguidores do islão.

Imãs muçulmanos, passageiros de uma companhia aérea, proclamam em árabe e em voz alta o seu ódio aos americanos junto da porta de embarque, trocam os seus lugares no avião para reproduzir a situação dos terroristas do 11 de Setembro e, embora não sejam gordos, pedem extensões dos cintos de segurança que podem usar como armas, deixando-as aos pés? Esses infelizes são unicamente culpados de voar e de serem muçulmanos. A FAIR ajudará a organizar os processos judiciais contra os passageiros que discriminaram estes muçulmanos e denunciaram à tripulação a sua conduta inteiramente normal, com base num medo irracional que nada justificava.

As actividades da FAIR exercem uma influência pérfida por todo o país. O FBI era abertamente censurado por publicar fotografias de homens do Médio Oriente procurados, na sequência da vigilância apertada que exerciam sobre os *ferry-boats* do estado de Washington. O *Chico Enterprise Record* recusava-se cobardemente a publicar qualquer descrição para além da idade dos numerosos indivíduos que se dedicavam a espiar as estações de caminho-de-ferro do

---

[1] A palavra inglesa *fair* significa «deal», «honesto». *(N. R.)*

Norte da Califórnia com máquinas fotográficas, câmaras de vídeo e blocos de desenho. Quando questionados pelos bombeiros sobre o que andavam por ali a fazer, esses indivíduos do Médio Oriente tinham fugido nas viaturas que os aguardavam.

Tanto quanto Ozbek sabia, a Fundação Americana para as Relações Islâmicas nada tinha de «americano», e nem tinha verdadeiramente direito à inclusão dessa palavra no nome. Era pura e simplesmente uma organização ao serviço da supremacia islâmica, que pretendia derrubar o governo americano e substituí-lo por um governo islâmico que seguisse a *Sharia*. O único sentimento que lhe inspirava era de nojo, como aliás acontecia com a maior parte dos cidadãos muçulmanos americanos que respeitavam a lei.

O pior de tudo eram as excelentes relações que mantinham em Washington. Embora Ozbek não o pudesse provar, tinha a certeza de que o presidente da organização, Abdul Waleed, estivera envolvido num dos maiores escândalos das últimas décadas registados no Pentágono.

Recentemente, o único conselheiro sobre a lei e o extremismo islâmicos do Departamento de Defesa fora afastado porque um funcionário altamente colocado do Pentágono, que por acaso também era muçulmano, o achava demasiado crítico do Islão. Era a mesma coisa que afastar o único conselheiro sobre o nazismo a meio da Segunda Guerra Mundial ou expulsar o único especialista em comunismo durante a Guerra Fria porque um alto funcionário de origem alemã ou russa se sentia incomodado com as suas opiniões sobre o inimigo.

Ozbek tinha visto demasiadas fotografias do presidente da FAIR em companhia de Imad Ramadan, o alto responsável muçulmano do Pentágono, para acreditar que o afastamento do conselheiro especial não se devia à sinistra ingerência daquela organização.

Tudo aquilo era uma verdadeira loucura, mesmo para o lodaçal político que era Washington. Mas, mesmo assim, Ozbek não percebia a relação entre a Divisão de Actividades Especiais, a FAIR e um homicídio no Jefferson Memorial.

— O que tem isto a ver com a CIA e o programa Transept?

— É aí que a coisa se torna complicada — respondeu Rasmussen. — Em primeiro lugar, porque o suspeito detido no local do crime, um tal Andrew Salam, diz que nada fez e que lhe montaram uma armadilha.

Ozbek rolou os olhos nas órbitas.

Rasmussen poisou o quebra-cabeças e levantou as mãos, com as palmas viradas para cima.

— Eu sei, eu sei. Mas ouve isto. Ele afirma que é um NOC e que trabalha para o FBI.

NOC pronunciava-se da mesma maneira que *knock*[1] e era um acrónimo usado pelo FBI que significava *agente secreto não oficial*. Designava um agente sem ligações oficiais ao governo que servia. O problema é que o FBI não os usava.

— Deixa ver se adivinho — atalhou Ozbek. — O FBI diz que não conhece o tipo, não é?

— Segundo eles, Andrew Salam nunca teve qualquer espécie de vínculo à organização.

— Pode ser que ele esteja a inventar. Não seria o primeiro agente falso a ser apanhado. Mas também pode ser que não regule bem.

---

[1] *Knock* significa «pancada», «choque». *(N. R.)*

— Não sei — replicou Rasmussen. — Trabalha na secção do Próximo Oriente da Biblioteca do Congresso e foi o primeiro do seu curso de Estudos Árabes, em Georgetown.

Ozbek conhecia o Programa de Estudos Árabes de Georgetown, um local privilegiado de recrutamento escolhido por muitas organizações, especialmente a CIA, mas isso não significava que o tipo não fosse desequilibrado.

— Onde é que o Transept entra nisto? — perguntou.

— Segundo o Salam, ele tem estado à frente de uma operação patrocinada pelo FBI para infiltrar espiões em mesquitas radicais e em grupos islâmicos por todo o país. Um dos grupos em que se infiltrou foi a Fundação Americana para as Relações Islâmicas. Conseguiu aliciar uma funcionária da organização e encontrou-se com ela junto do Jefferson Memorial.

— Onde ela apareceu morta — acrescentou Ozbek.

— O Salam afirma que foram atacados — replicou Rasmussen.

— Mas ele sobreviveu.

— Diz que, quando os assaltantes viram aproximar-se a polícia do parque, fugiram antes de acabarem com ele.

— Sorte a dele. E viu-os?

Rasmussen abanou a cabeça.

— Parece que usavam máscaras.

— E as câmaras de vigilância? A polícia do parque tem câmaras no Jefferson Memorial.

— Estavam desligadas. Estão a «investigar o assunto».

Ozbek estava cada vez mais interessado.

— Não existe nenhuma ligação romântica entre ele e a vítima?

— Isso também está a ser investigado.

— Tens mais algum elemento?

— A polícia do parque está convencida de que o apanhou em flagrante, havia sangue nas mãos, nas roupas, por todo o lado — respondeu Rasmussen. — Ele justificou-se dizendo que lhe tentou salvar a vida.

— Há alguma arma?

— Uma faca, mas foi limpa e não tem impressões digitais. A polícia tem estado a apertar com ele desde que foi preso, mas fechou-se que nem uma ostra e quando parecia prestes a ceder surgiu a história do NOC.

— Qual era o motivo do encontro com a presumível funcionária aliciada?

— A acreditar no Salam, parece que ela tinha descoberto uma coisa importante. Alegadamente, a FAIR teria contratado um assassino.

— E esse assassino foi formado no programa Transept?

Rasmussen confirmou com um movimento da cabeça.

— Não sei se o tipo está sujo ou não, mas a verdade é que falou no Transept e bem sabes que se trata de um segredo bem guardado. Não pode ser invenção dele.

— Não, não pode. É evidente que alguém tem andado a dar com a língua nos dentes.

— Agora ouve esta. Os polícias de Washington não se deixaram impressionar pelo tipo, mas olha que ele fala como um operacional autêntico.

— Pode ser que estivesse convencido de que realmente trabalhava para o FBI — retorquiu Ozbek a fitar o colega.

Rasmussen voltou a assentir com a cabeça.

— Falei com os nossos contactos no FBI e com um tipo que conheço na polícia metropolitana, que é quem dirige

a investigação. Uma vez que a CIA se intrometeu no interrogatório, não sabem a que conclusão chegar acerca do tipo,
de maneira que temos a porta aberta.

— Quando?

— Assim que quisermos.

— Está bem — respondeu Ozbek. — Entretanto, vamos reunir tudo o que temos sobre a Fundação Americana
para as Relações Islâmicas, sobre o Andrew Salam e sobretudo sobre o programa Transept.

Rasmussen agarrou no processo.

— Está tudo muito bem, mas para o FBI, para a polícia
metropolitana, e para esse tal Salam, nunca ouvimos falar
no programa Transept. São ordens lá de cima.

CAPÍTULO

7

PARIS

Sentado num estreito banco verde do Parc Monceau, a admirar as ruínas medievais, estava um fantasma de quarenta e tal anos vestido com umas calças escuras de bombazina e uma camisola de caxemira azul-marinho. Havia cinco anos que ninguém das suas antigas relações lhe punha a vista em cima.

O cabelo castanho de comprimento normal e os óculos de aros metálicos enquadravam um rosto que nada apresentava de especial, onde cintilavam dois olhos verdes e atentos. Em pé, e contando com os sapatos castanhos de couro, tinha cerca de um metro e noventa e a estrutura seca e musculosa de um atleta.

Escondido num bolso do casaco *Barbour* estava um passaporte com um nome falso. Um nome tão bom como outro qualquer, nem melhor nem pior que muitos outros que já assumira durante a sua carreira. Manifestamente anglo-saxónico, tal como o nome que assumira para a operação levada a cabo em Roma, assentava-lhe tão bem como o seu verdadeiro nome cristão, Matthew Dodd.

A esse, renunciara quando se convertera ao Islão. Sem dificuldade. Com tantos nomes que já havia assumido, quase perdera a memória da própria identidade.

As únicas coisas que o prendiam e conferiam razão de ser à sua vida eram a mulher e o filho, mas esses tinham desaparecido da sua vida ia já para dez anos, mortos num acidente com um automóvel conduzido por uma garota mimada, perdida de bêbeda, que se exibia com um *BMW* novinho em folha. Na ocasião, ele estava ausente, em cumprimento de uma missão, e os responsáveis nem se dignaram a comunicar-lhe o sucedido. A informação só lhe chegara depois da missão concluída, passado um mês sobre os funerais da mulher e do filho. Uma semana mais tarde, a adolescente que lhe tinha roubado a família abandonou o programa de reabilitação e o habilidoso advogado da família havia-se concertado com o tribunal para abafar o caso. A rapariga não chegara a passar um único dia na prisão, o que não só estava errado como era imoral.

Quando veio a saber, o assassino sentiu que lhe dilaceravam as carnes. Depois da dor, sobreveio uma atmosfera de nebulosidade mental. Num mundo cinzento, onde tudo se pode justificar, racionalizar e manipular para significar precisamente o oposto, sentiu a necessidade absoluta de uma linha de fronteira entre o preto e o branco. Mais do que isso, precisava de alguém que lhe explicasse como tudo aquilo fora possível. Houve quem atribuísse as culpas aos pais da adolescente, outros aos amigos dela, outros ainda à sociedade em geral. Dodd mergulhou cada vez mais fundo no abismo da depressão.

Os chefes dispensaram-no para que recebesse tratamento e, quando voltaram a precisar dele, submeteram-no a uma série de testes, deram-no como apto e mandaram-no outra vez para o terreno.

Dodd afogou as mágoas em bebida e sangue, e aceitou trabalhos que mais ninguém queria fazer. Para ele, nada mais existia. Ou pelo menos assim pensava.

Lembrava-se perfeitamente do dia em que se convertera ao Islão, quando optara pelo nome islâmico Majd al-Din — *Glória da Fé*. Um bom nome, que se coadunava com a nova vida que escolhera.

Durante o tempo em que vivera angustiado pela perda da mulher e do filho, dera-se conta de que os muçulmanos tinham em abundância uma coisa que cada vez mais escasseava no seu mundo. Essa coisa era a fé. Mais do que quaisquer outros, os muçulmanos seguiam um rígido código moral que determinava com clareza o que estava certo ou errado.

Até à década de 1950, os jovens americanos ansiavam por se tornar adultos. Quando esse momento chegava, deixavam a infância para trás e assumiam com orgulho o que lhes estava destinado, o peso da responsabilidade, da honra e da dignidade. Entregavam-se de corpo e alma aos ideais dos seus antecessores e enfrentavam com coragem os problemas que se colocavam à família e à nação, em resultado do advento de novas ideias. Mas esses tempos há muito que haviam desaparecido.

Agora, os americanos esquivavam-se a assumir responsabilidades de adultos e preferiam manter-se num estado de perpétua adolescência. Ao deixarem de viver com decência e dignidade, tinham criado um vazio na sociedade americana. Para eles, as relações humanas eram como isqueiros descartáveis, e desfaziam um casamento logo que desaparecia o enlevo dos primeiros tempos. As crianças cresciam sem família e, pior ainda, sem adultos que lhes pudessem dar o exemplo de um comportamento responsável.

Com esta falta de coragem para dar um passo em frente e assumir a idade adulta, a nação perdera de vista os seus ideais e valores essenciais, substituídos por uma mentalidade de *cada um por si,* em que o materialismo tinha prioridade sobre a vida espiritual e a submissão a Deus.

Na opinião de Dodd, grassava na sociedade americana uma falta de respeito e de ordem, e era precisamente esse o apelo do Islão. Céptico a princípio, quanto mais se debruçava sobre as vidas dos muçulmanos devotos com quem contactava no Afeganistão, no Paquistão e noutros lugares onde o levavam as suas missões, mais se convencia de que o Islão era a resposta que tanto procurava.

O Islão oferecia a honra. O Islão oferecia um código de conduta para viver com dignidade e em paz. O Islão não era o problema, era a solução, a única coisa que ainda poderia salvar os Estados Unidos.

Para apressar a salvação da América, Dodd devotou-se integralmente a Alá. Considerava-se um instrumento de precisão que Alá guiava a seu bel-prazer.

Essa orientação chegou-lhe depressa a Baltimore, onde Dodd vivia num pequeno apartamento, sob a forma de um imã de falas delicadas. A princípio, o imã mostrou-se desconfiado, mas, quando percebeu que Dodd se tinha realmente convertido, investigou o seu passado e apresentou-o a outro imã, a quem poderia vir a ser útil.

O nome deste imã era Mahmud Omar. Dodd nunca o vira antes, mas ficou imediatamente impressionado. Os olhos penetrantes e a corpulência do saudita conferiam-lhe uma figura imponente, mas, além disso, era um homem de grande saber, conhecedor do modo de vida ocidental, e do americano em particular.

Dodd estava decidido a disponibilizar as suas capacidades para tornar a América melhor, e o xeque Omar ficou muito satisfeito por dispor de um guerreiro tão experiente a combater pelo Islão.

Omar, que colaborava com a *jihad* internacional, começou por lhe confiar operações de importância menor, sempre fora dos Estados Unidos. À medida que a sua confiança na fé e nas capacidades de Dodd foi aumentando, assim foi crescendo a importância das tarefas que lhe foi entregando. De um modo geral, Dodd recebia o encargo de infligir castigos, por conta de Omar e dos seus apaniguados e patrocinadores no Médio Oriente.

Era um trabalho enfadonho, do qual Dodd se começou a cansar. Ao fim de algum tempo, começou a interrogar-se em que é que aquilo poderia beneficiar a América e como podia contribuir para espalhar nos Estados Unidos a fé do Profeta. Por muito corrupto e decadente que fosse, Dodd continuava a amar a América e gostava de lá estar. Ansiava por voltar a casa. Estava farto de morte e o que desejava era viver. Foi então que lhe entregaram o caso Khalifa.

Omar mandou-o para Roma e recorreu a dois outros homens para executar o serviço em Washington. Embora Dodd tivesse dado instruções para a acção no Jefferson Memorial, o atentado não tinha corrido como planeado.

Aparentemente, a polícia do parque alterara a rotina das patrulhas, pois os homens de Omar deviam ter disposto de vinte minutos, mas a verdade é que a patrulha lhes caíra em cima.

Se a eliminação de Nura e de Salam tivesse ocorrido em casa de um ou de outro, como Dodd sugerira, não estariam naquele momento a braços com um problema. Contudo, o xeque Omar tinha outros projectos. O seu ponto fraco era a apetência pelos gestos grandiosos para veicular uma mensagem.

Quando Omar soube que Nura e Salam se iam encontrar junto ao monumento a Jefferson, entendeu que seria o local ideal para os abater. Uma acção carregada de simbolismo irónico.

Na realidade, tinha sido uma carga de complicações, a menor das quais não eram as câmaras do sistema de vigilância. Salam escapara com vida e estava agora sob custódia da polícia, mas Omar não parecia muito preocupado com isso. A esperança de Dodd era que as provas deixadas no local fossem suficientes para condenar Salam pela morte de Nura.

O atentado à bomba à porta do café de Paris também fora uma carnificina inútil, tal como Dodd tinha previsto. Mais uma vez, Omar não se preocupou. Uma vez decidido o curso da acção, seguia-o escrupulosamente, sem olhar às consequências.

Teria feito mais sentido matar Anthony Nichols no quarto do hotel. Um trabalho eficaz e sem imprevistos, como essas coisas deviam ser. Mas o ponto forte de Omar não era a eficácia nem a discrição. O que ele queria era mandar mais uma mensagem ao mundo, uma mensagem retumbante e de grande repercussão. De facto, fora retumbante; o problema era que as explosões de automóveis não faziam parte da especialidade de Dodd.

Dodd era um assassino, não um bombista. E apesar das justificações de Omar, apoiadas em extensas citações do Alcorão e do Hadith, em que infiéis nunca podiam ser considerados inocentes, Dodd discordava. Não gostava de matar civis. E a bomba tinha sido um exagero, como usar um martelo pneumático quando bastaria um mata-moscas.

Para colocar a bomba, Dodd entrara em contacto com algumas pessoas que conhecia que tinham contactos em França. Mas os intermediários eram muitos, e desde o início a operação fora um fracasso.

O agente local de Omar só conseguira obter metade dos explosivos necessários. Quando estavam em condições de consumar o atentado, o encarregado da explosão enervara-se e detonara a bomba antes de tempo. A consequência disso era que Nichols tinha escapado.

Toda a operação fora um dispêndio inútil de tempo e de dinheiro, e Nichols, em vez de estar morto, desaparecera como um fantasma.

Mas pouco importava a incompetência evidenciada pelo grupo: o trabalho era de Dodd e ele assumia a responsabilidade. Era um homem de honra.

Começaram a cair umas gotas de chuva, e Dodd levantou a gola do casaco. Estava a considerar a hipótese de se recolher num dos cafés na orla do Parc Monceau quando o telemóvel pré-pago que tinha adquirido nessa manhã vibrou.

— Está lá? — articulou depois de ter premido a tecla.

A voz cava do xeque Omar ressoou no telefone como se estivesse sentado no banco ao lado de Dodd.

— Como estavam hoje as filas em Versalhes? — perguntou.

— Não tão más como no Louvre — respondeu Dodd.

Completada a identificação, Omar perguntou:

— O voo saiu a horas?

— Não — respondeu Dodd. — Saiu um pouco adiantado. *Antes* de todos os passageiros terem embarcado.

O imã não respondeu, mas mesmo a seis mil e quinhentos quilómetros de distância Dodd percebeu que se dominava para conter a fúria.

— Conta-me o que se passou — ordenou por fim o xeque.

De maneira tão ambígua quanto possível, sempre atento às escutas efectuadas pelo governo americano, Dodd deu a informação solicitada. Tanto um como o outro usavam telefones descartáveis, comprados expressamente para aquela ocasião, mas se a NSA tivesse os registos de voz e o sistema ECHELON acusasse uma coincidência, não seria bom para nenhum dos dois.

— Temos de garantir que os passageiros que perderam o voo embarquem o mais depressa possível — ordenou Omar.

— Na mesma companhia aérea ou pode ser num voo *charter,* como eu tinha sugerido?

Levou algum tempo, mas o imã cedeu.

— Pode ser um voo *charter.* O que é preciso é que os passageiros cheguem ao destino.

— Compreendido. Mais alguma coisa?

— Sim — respondeu o clérigo, como se acabasse de se lembrar de um pormenor. — Falaste num outro homem que ia a correr para o avião e que também não conseguiu embarcar.

— Sim. Estava com uma mulher. Também devemos preocupar-nos com eles?

— Não tenho a certeza. Deixo isso ao teu cuidado, mas se os voltares a encontrar deves dar-lhes um tratamento VIP.

— Muito bem — respondeu Dodd, levantando-se do banco. — Vou tratar de os meter também no próximo voo.

Desligou a chamada, tirou a bateria e o cartão SIM do telefone e partiu-o em bocados que atirou para os esgotos à saída do parque.

Dodd acabava de receber as suas ordens. Tinha de encontrar Anthony Nichols e terminar o serviço. Se o homem e a mulher do café se atravessassem outra vez no seu caminho, teria de os matar também. E desta vez seria à sua maneira.

CAPÍTULO

9

Harvath viu as horas no seu cronógrafo *Kobold*. Tinham gasto vinte minutos à procura de Anthony Nichols. Não faziam ideia se ele conseguira fugir ou se estaria caído em qualquer local, a esvair-se em sangue. Harvath não acreditava que fosse o caso.

Deteve-se e olhou para Tracy.

— É evidente que este tipo não quer que o encontrem. Estou tentado a concordar com ele.

— E agora, o que fazemos?

Começou a chover, e Harvath apontou para uma estação do metro ao fim da rua.

— Que tal uma sopa de cebola? Vou levar-te a um pequeno restaurante que é uma maravilha. Chama-se O Pé do Porco e fica nas Halles.

— Scot, temos primeiro de encontrar o gajo.

— Não, não temos. Se calhar, é mesmo da CIA. Seja lá quem for, já é crescidinho e pode tomar conta de si. Não é por acaso que tem o número do telefone privado do Presidente. Deve ter quem o ajude.

— E a nós, quem nos ajuda?

— Quem nos ajuda a fazer o quê?

— *A fazer o quê?!* — perguntou Tracy em tom incrédulo. — Então, sou eu a única a saber como se vão desenrolar as investigações ao atentado? Só naquele quarteirão ha-

56

via dois bancos com caixas ATM e um hotel. Assim que estabelecerem o perímetro de segurança, os agentes da polícia, ou mais provavelmente dos serviços secretos franceses, vão começar a examinar todas as imagens das câmaras de vigilância. Vão ver o tipo a roubar o carro, vão vê-lo a sair e o *Mercedes* a ocupar o lugar, e depois vão ver-nos a sair a toda a pressa do café, e tu a voltares para trás e a derrubares esse tal Nichols um segundo antes de a bomba explodir. E vão ver-nos a levá-lo dali para fora.

Tracy não disse nem mais uma palavra. Fechou a boca e ficou à espera.

— Merda para isto! — explodiu Harvath.

Não tinha nada a ver com o assunto e queria manter-se à distância, mas Tracy tinha razão. Mais tarde ou mais cedo, as autoridades francesas andariam atrás deles.

Não fizeram nada de mal, mas o seu comportamento era susceptível de levantar suspeitas e podia denotar um conhecimento prévio do atentado. Harvath não fazia ideia se em França os «pressentimentos» constituíam um argumento válido, e não estava muito interessado em saber.

A bomba era destinada a Nichols. Disso, tinha a certeza. E também sabia que tanto Nichols como ele e Tracy se veriam metidos num grande sarilho com as autoridades francesas.

Ainda pensou em meter-se num comboio e sair do país, mas não fazia sentido. Tinha sido um atentado de grande envergadura e havia cidadãos franceses mortos. Não iam parar até esmiuçar todos os pormenores.

Harvath conhecia a eficiência dos serviços secretos franceses. Podiam esconder-se em qualquer lado, mas nunca estariam a salvo. Além disso, fugir só serviria para dar a ideia de que eram culpados.

Precisavam de encontrar Nichols. Harvath olhou para Tracy.

— Quanto tempo achas que vão levar até isolarem as nossas imagens nas câmaras de vigilância?

Era uma pergunta retórica, e Tracy percebeu, mas mesmo assim respondeu:

— Primeiro, vão interrogar as testemunhas presenciais, tantas quanto puderem. Se alguém tiver achado estranho o nosso comportamento, vão imediatamente verificar os vídeos. Assim que conseguirem ver os nossos rostos, hão-de melhorar as imagens e inseri-las em todas as bases de dados a que tiverem acesso e distribuí-las por todos os agentes da autoridade, para cima e para baixo da cadeia de comando. Na melhor das hipóteses, temos duas horas, talvez três.

— E na pior?

— Nem quero pensar nisso. Faz-me dores de cabeça.

Harvath tirou da carteira de Nichols o cartão-chave do quarto e disse:

— Sendo assim, temos de nos mexer.

CAPÍTULO

10

O Hotel d'Aubusson ficava na Rue Dauphin, no bairro de St. Germain des Prés. Pararam numa loja ali perto e compraram diversas roupas, que já vestiam ao sair.

Na mão levavam as roupas velhas, metidas nos sacos fornecidos pela loja. Embora não fosse provável que o pessoal os interpelasse no átrio, Harvath entendeu que os sacos lhes davam mais ar de hóspedes.

Para maior segurança, pegou no cartão-chave de Nichols e com ele na mão atravessou o átrio em direcção ao elevador. Ninguém os interceptou, e o atarefado recepcionista atrás do balcão limitou-se a dirigir-lhes um sorriso simpático.

Saíram no terceiro andar e percorreram o corredor até ao quarto de Nichols. Tinham combinado que Tracy bateria à porta, a fingir ser uma empregada com um faxe para ele. Se Nichols viesse à porta, Harvath encarregar-se-ia dele. Se não respondesse, abririam a porta e entrariam no quarto.

Tracy parou um instante para se certificar se lá de dentro não vinha qualquer ruído e bateu à porta, três pancadas secas. Primeiro em francês, depois num inglês ligeiramente carregado de pronúncia francesa, anunciou que trazia um faxe. Não houve resposta. Repetiu o processo e deu um passo atrás.

Harvath introduziu o cartão na ranhura do leitor óptico. Ouviram-se dois cliques e a fechadura destrancou-se. Devagar, Harvath empurrou a porta e entrou.

A casa de banho ficava do lado direito e a porta estava entreaberta. Harvath abriu-a completamente com o pé e reparou logo no balcão de mármore polido. Em cima de um saco de primeiros socorros, estava um frasco de desinfectante, alguns pedaços de gaze, uma caixa de ligaduras e um pacote aberto com pensos rápidos. Era evidente que Nichols tinha voltado ao quarto, e não havia muito tempo.

Mas, se assim era, o cartão-chave não deveria ter funcionado. Qualquer cartão emitido pela portaria trazia consigo um novo código que tornava inútil o cartão anterior. Harvath dava voltas à cabeça para perceber como ele tinha entrado no quarto quando ouviu o grito de Tracy.

Harvath voltou-se mesmo a tempo de ver o candeeiro cair. Levantou o braço esquerdo para aparar o golpe e o candeeiro estilhaçou-se de encontro a ele. Instintivamente, recuou o braço direito e impeliu-o com violência para diante, desferindo um soco que apanhou Nichols no queixo e o atirou para o chão da casa de banho.

Ficaram os dois a olhar para ele.

— A lutar, é mesmo um professor de História — observou Tracy, enquanto amarrava as mãos de Nichols atrás das costas com o fio do candeeiro.

Levaram-no para uma cadeira, passaram-lhe os braços pelo apoio das costas e amarraram-lhe as pernas com os cortinados. Com o cinto de um roupão que encontrou pendurado na porta da casa de banho, Tracy improvisou uma mordaça.

Quando o tinham bem seguro, Harvath foi espreitar o corredor, para ver se alguém se apercebera do barulho. Tranquilizado por estarem a salvo, pendurou na porta o sinal «Não Incomodar», ligou a televisão e preparou-se para interrogar o homem que dava pelo nome de Anthony Nichols.

CAPÍTULO

11

Harvath puxou uma cadeira e colocou-a à frente de Nichols. Não estava propriamente satisfeito por ter de o interrogar, mas não tinha alternativa. Era como se tivesse regressado ao seu anterior modo de vida, aquele que deixara para poder começar de novo na companhia de Tracy. E, contudo, ali estava ele.

Embora se recusasse a admiti-lo, Harvath receava que a sua vida anterior nunca mais o largasse, que o perseguisse até à hora da morte como um zeloso cobrador de dívidas.

Durante algum tempo, conseguira ter sorte, ser feliz. Mas o fantasma da sua existência anterior viera ao seu encontro à mesa de um café de Paris, onde ele tratava de uma vida nova na companhia da mulher que amava, e resolvera fazer explodir um *Mercedes* com uma bomba lá dentro apenas para o cumprimentar.

Mesmo assim, Harvath não estava disposto a desistir. Assim que sacasse de Nichols as informações de que precisava para se ilibarem do atentado, voltaria a procurar uma vida diferente, onde pudesse ser feliz, o que significava distanciar-se o mais possível do passado.

Quando Nichols começou a dar sinais de recuperar os sentidos, Harvath deu-lhe uma bofetada ao de leve para o ajudar a despertar. Tracy, que conhecia o processo, sentou-se atrás de Nichols, onde este a não podia ver.

Quando viu que o homem dava acordo de si, Harvath disse:

— Vou dizer-lhe três coisas que são verdadeiras. Quero que ouça com atenção, pois a sua vida depende disso.

Os olhos semicerrados e vidrados de Nichols abriram-se e ganharam vida enquanto ele se dava conta do que estava a acontecer. Tentou mexer-se, mas estava bem amarrado à cadeira. Empalideceu e a sua respiração tornou-se ofegante.

— A primeira — começou Harvath — é que sei muito mais a seu respeito do que imagina. A segunda é que só faço as perguntas uma vez. Se em qualquer momento me mentir ou se recusar a responder, parto-lhe um osso à minha escolha. Terceira: se gritar a pedir auxílio, provoco-lhe uma dor tão intensa que há-de implorar-me que lhe parta mais ossos. Se percebeu o que lhe disse, acene uma vez com a cabeça.

Nichols acenou repetidamente.

Harvath pôs-lhe a mão na cabeça para o obrigar a parar.

— Eu disse *uma* vez. Preste atenção, ou as coisas podem começar já a correr mal.

Quando Harvath tirou a mão, Nichols acenou uma vez e parou.

— Bom. Agora, vou tirar-lhe a mordaça. Lembre-se de que os únicos sons que quero ouvir da sua boca são as respostas às minhas perguntas. Compreendeu?

Nichols assentiu de novo.

Com um gesto da cabeça, Harvath indicou a Tracy que podia tirar a mordaça. Nichols abriu e fechou a boca várias vezes e movimentou o maxilar para a esquerda e para a direita.

Ainda que Harvath lhe tivesse acertado em cheio, o maxilar não parecia partido.

— Como se chama? — perguntou Harvath.

O professor articulou lentamente as sílabas.

— Anthony Nichols.

— Onde nasceu?

— Nos Estados Unidos. Charlottesville, Virgínia.

Até aí, tudo bem.

— Como foi que entrou neste quarto?

Nichols olhou para ele, surpreendido, e respondeu:

— Com o cartão-chave!

— Esse cartão estava na sua carteira e você não a tem consigo.

— O hotel deu-me dois. Tinha o outro no bolso das calças.

Em silêncio, Harvath repreendeu-se pelo erro. Devia ter pensado nisso antes.

— Para quem trabalha?

Houve um curto silêncio antes de Nichols responder:

— Para a Universidade da Virgínia.

Durante o tempo passado nos serviços secretos, Harvath tinha aprendido a detectar ínfimas mudanças de expressão facial e movimentos corporais que denunciavam a tensão do interlocutor, se ele mentia ou se tencionava atacar.

Tanto a pausa como o brilho dos olhos de Nichols lhe indicaram que o homem não estava a ser totalmente sincero.

— E para quem mais?

— *Para quem mais?* Que quer dizer com isso?

Nichols tentava ganhar tempo enquanto o seu cérebro raciocinava veloz em busca da resposta adequada, e Harvath sabia-o. Aquele tipo não era um operacional. O mais inexperiente dos agentes seria capaz de fazer melhor. Aquele tipo era mesmo um civil.

Dirigindo-se a Tracy, Harvath disse:

— É evidente que o cavalheiro tem de ser convencido. Volta a pôr-lhe a mordaça, não quero que o ouçam berrar quando começar a trabalhar nele.

Nichols estrebuchou para se libertar e tentou virar-se para ver o que Tracy fazia atrás de si.

— Não, não, por favor, não me faça mal. Trabalho para a Casa Branca.

Baixou os olhos, envergonhado, e com um gesto Harvath indicou a Tracy que não lhe pusesse a mordaça.

— Trabalha em privado para o Presidente?

Nichols levantou a cabeça e olhou para ele, mas não disse nada.

— Trazia na carteira um cartão com o número do *voice-mail* dele.

— E como sabe?

— Porque só meia dúzia de pessoas conhece esse número, e eu sou uma delas — respondeu Harvath.

— Trabalha para o Presidente?

— Trabalhei. Agora estou afastado.

— Então, para que é tudo isto?

— É o que espero que me diga.

— Não posso fazer isso — respondeu Nichols.

— Então, terá de falar com a polícia francesa.

— Também não posso.

Harvath encheu as bochechas como um balão e deixou escapar o ar.

— Parece que está numa situação difícil.

O cérebro de Nichols trabalhava febrilmente para encontrar uma saída.

— Telefone ao Presidente. Responsabilizar-se-á por mim. E dir-lhe-á para me libertar.

— Tenho a certeza que sim — comentou Harvath com uma gargalhada. — O que acontece é que tanto eu como a minha amiga queremos ficar longe de toda esta trapalhada. Você vai dizer aos franceses que nem eu nem ela sabíamos da bomba antes de ela explodir.

— Se me libertarem, o Presidente há-de ajudar-vos. Podem crer.

O tom era de súplica.

— Em si, tenho a certeza de que acredito — respondeu Harvath, que lhe via a verdade no rosto. — No Presidente é que não tenho tanta confiança.

— E estão decididos a entregar-me à polícia francesa só para salvarem a pele?

— Deixe-me pensar no assunto — respondeu Harvath, que fez uma pausa quase imperceptível. — É, é isso mesmo.

Voltou-se para Tracy e disse:

— Não temos mais nada a falar com este tipo. Passa-me o telefone. Prefiro arriscar com a polícia francesa. Além disso, nada temos a esconder.

— Está a cometer um grande erro — implorou Nichols.

— Lamento, professor — retorquiu Harvath, já a marcar o número. — Teve a sua oportunidade.

Nichols tentou uma abordagem diferente. Recordou as circunstâncias em que o Presidente lhe dera o número, e tudo quanto lhe havia dito sobre a importância do serviço que prestava à nação. Por fim, ocorreu-lhe um pormenor. Olhou para Harvath e disse:

— Se era tão próximo do Presidente ao ponto de ter o telefone dele, devia ser uma pessoa em quem ele confiava, alguém que se preocupava com a segurança da pátria.

— E continuo a ser — respondeu Harvath, que começou a falar em francês com a pessoa que estava no outro extremo da linha.

Nichols entrou em pânico. Se o entregassem às autoridades francesas, tudo estaria perdido. Tinha de fazer uma opção — despejar tudo para o homem que tinha à sua frente ou fazê-lo à polícia francesa que certamente estaria interessada. Rogou a Deus que o inspirasse e atalhou:

— Pare com isso. Eu conto-lhe tudo. Desligue o telefone.

— Tem cinco minutos — disse Harvath a desligar a versão francesa automática do Moviefone. — Sugiro-lhe que não me faça perder tempo.

Nichols ficou à espera que os seus captores afrouxassem os laços que o prendiam, mas como não o fizeram começou a falar:

— O Presidente pediu-me que o ajudasse a combater o fundamentalismo islâmico.

Harvath olhou para Tracy com um sorriso nos lábios e voltou a fixar-se em Nichols.

— Você deve estar a brincar comigo.

Nichols abanou a cabeça.

— Como pode um professor de História fazer qualquer coisa que se assemelhe a contraterrorismo?

Nichols ia a responder quando a janela do quarto estourou, numa chuva de estilhaços de vidro.

Uma vez mais, os homens de Dodd tinham-se precipi-
tado. A sua missão era manter Nichols debaixo de olho até
que o assassino lhe pudesse chegar. Em vez disso, os terroristas dispararam sobre a janela, do outro lado da rua.

Através dos cortinados, aperceberam-se da presença de
três pessoas e, temendo que fossem as autoridades francesas, tinham resolvido entrar em acção. Se Nichols cedesse
e lhes contasse o que sabia, não haveria maneira de conter
os danos. Fora uma decisão imprudente, mais ainda do que
a explosão do carro-bomba, mas Dodd compreendeu que
não lhes restavam muitas alternativas. O que não queria dizer que a situação lhe agradasse. Agora, tinha de ir ver se
Nichols estava de facto morto.

Tanto quanto os homens de Dodd sabiam, não ficara
ninguém vivo no quarto do hotel. Dodd ordenou a um dos
homens que ficasse de atalaia, enquanto os restantes limpa-
vam o apartamento que haviam usado para vigilância.
A polícia francesa não demoraria muito a descobrir de onde tinham vindo os tiros e Dodd queria desaparecer dali
antes que ela chegasse.

Atravessou a rua e penetrou no átrio do Hotel d'Aubusson. Tudo parecia normal e o pessoal completamente alheio
ao que tinha acontecido lá em cima. Dodd não parou e

dirigiu-se ao elevador. Enquanto a cabina subia, sacou do coldre que trazia atrás das costas uma pistola *Heckler & Koch,* calibre .45. Do bolso do casaco *Barbour,* tirou um silenciador que enroscou no cano da arma.

Quando se abriram as portas do elevador, Dodd meteu a mão no bolso do casaco para esconder a pistola e saiu para o corredor. Se tivesse a arma pronta, teria podido disparar. Assim, a única coisa que conseguiu foi ver um vulto que lá ao fundo desaparecia pelas escadas. Dodd correu para a entrada mais próxima da escada e abriu impetuosamente a porta metálica corta-fogo. Desceu em grande velocidade, a saltar os degraus aos três e aos quatro. Quando chegou ao rés-do-chão, escondeu a pistola debaixo do casaco e dirigiu-se para o átrio. Com o olhar, procurou Nichols, mas não o viu. Já do outro lado do átrio, abriu a porta que dava acesso à outra escada, mas não viu ninguém. *Como é isto possível?*

Percebeu então que se precipitara. Quem quer que fosse que tivesse visto, podia ter *subido* a escada. *O que havia lá em cima?* Só o telhado inclinado do hotel. Subiu as escadas quase tão depressa como as tinha descido e parou no terceiro piso para verificar o quarto de Nichols. *E se Nichols ainda lá estivesse?* Podia ser que sim, mas duvidava. Dodd não acreditava em coincidências. Se encontrasse a pessoa que vira a fugir pelas escadas, também encontraria Nichols, disso tinha a certeza.

Sem parar, subiu as escadas cada vez mais depressa — a sua condição física era excelente. Quando chegou ao cimo, empunhou a arma e entrou de rompante no corredor. *Nada.*

Encontrou a porta que dava acesso ao telhado, mas estava trancada. Nichols só poderia ter escapado por ali se tivesse uma chave, o que não parecia provável.

Desceu as escadas e examinou todos os corredores em busca da sua presa. Por fim, chegou ao terceiro andar e ao quarto de Nichols.

Havia pedaços de vidro espalhados por todo o lado. No chão da casa de banho, encontrou um candeeiro espatifado e vestígios de sangue no lavatório, mas mais nada. Quem quer que fossem as pessoas que estavam no quarto, tinham desaparecido e levado Nichols.

Dodd começou a revolver o quarto, mas foi interrompido pelo uivo estridente de uma sirene.

13

Harvath reagiu depressa. O seu primeiro instinto fora agarrar Tracy e Nichols e levá-los para fora do hotel tão depressa quanto possível, mas, bem vistas as coisas, não era a melhor solução. Os tiros tinham sido disparados com um silenciador, de uma janela ou de um telhado do outro lado da rua.

Com os cortinados corridos, o atirador não podia ter visto muito bem o que se passava dentro do quarto. Mesmo assim, arriscara o tiro. Ou melhor, os tiros. Quem quer que fossem, aqueles tipos pareciam mesmo decididos a acabar com Nichols e com quem estivesse com ele.

Primeiro, a bomba dentro do automóvel, agora, os tiros. Alguém tentava desesperadamente matar Anthony Nichols, e Harvath queria saber porquê. Mas antes tinham de encontrar um lugar seguro.

Embora julgasse que o atirador já devia estar longe, Harvath actuou como se o perigo não se tivesse desvanecido e alguém pudesse estar-lhes no encalço. Para complicar a situação, não estava armado e a única ajuda com que podia contar era a de Tracy, que também não tinha nenhuma arma. Felizmente, nenhum deles fora atingido pelos disparos. Podia ter sido pior, muito pior.

Evitaram o elevador e correram para a escada que ficava mais perto do quarto de Nichols. Harvath teve de contrariar a ânsia de descer a toda a pressa para o átrio. Quem quer que os procurasse, podia ter colocado alguém lá em baixo. Em vez disso, desceu só um piso e entrou no corredor do segundo andar. Na parede havia sinais que indicavam a localização da sala de conferências do hotel, e foi para lá que Harvath se dirigiu.

Lá dentro, encontrou uma grande mesa em forma de U preparada para a sessão da tarde, com blocos de papel timbrado do hotel, esferográficas e jarros de água. Do outro lado da sala, um letreiro luminoso indicava *Sortie de Secours* — «Saída de Emergência». A porta dava para uma área de serviço com uma escada estreita que levava às entranhas do hotel. Quando chegaram à cave, atravessaram-na rapidamente. Durante todo o tempo, nenhum deles pronunciou uma palavra.

O pequeno elevador de serviço levou-os até à zona de descarga de mercadorias, no canto sul do edifício, o mais longe possível da portaria sem saírem do hotel. Perto da porta, Harvath descobriu um conjunto de cadeiras e pontas de cigarro espalhadas pelo chão. Por cima de um relógio de parede estava uma pilha de carteiras de fósforos do hotel. *Deve ser onde os empregados vêm fumar,* disse para consigo.

Inspeccionou a área e concebeu um plano que os poderia ajudar a fugir. Arrastou para o centro da sala um grande caixote de lixo, metálico, cheio de jornais e de outros papéis, e atirou lá para dentro uns trapos sujos de óleo que encontrou a um canto. Enrolou um trapo no cabo de uma vassoura, atirou os fósforos a Tracy e estendeu-lhe a tocha improvisada para ela acender. Quando o trapo pegou fogo, inclinou a vassoura para dentro do caixote e incendiou o conteúdo. Levou algum tempo, mas não tardou que uma fumarada cinzenta e espessa enchesse o compartimento. Pouco depois, o alarme contra incêndios do hotel disparou.

Deixaram-se ficar na zona de descargas enquanto lhes foi possível. Quando começaram a ter dificuldade em respirar, Harvath abriu a porta e saíram os três para a Rue Christine.

Havia pessoas a sair das lojas e dos escritórios, inquietas por causa do alarme.

Tracy pegou no braço de Nichols, virou à esquerda e afastou-se do hotel pela Rue des Grands Augustins. Harvath atravessou para o outro passeio e esperou, para ter certeza de que não eram seguidos.

Encontraram-se à esquina e dirigiram-se rapidamente para a Place St. Michel, onde se misturaram com os muitos turistas que atravancavam as ruas estreitas em redor da Rue St. Séverin.

Durante os vinte minutos que se seguiram, Harvath deixou-se ficar várias vezes para trás, enquanto Tracy e Nichols andavam sem descanso. Quando por fim se convenceu de que ninguém lhes vinha na peugada, comprou um cartão de chamadas internacionais e dirigiu-se a uma cabina. Era preciso que saíssem dali o mais depressa possível. Harvath não tinha intenção de voltar ao hotel onde estava hospedado, e alugar um quarto noutro qualquer era arriscado. Precisavam de um lugar seguro onde ninguém soubesse quem eram, nem por que razão ali estavam.

Para esse género de anonimato, havia uma única pessoa em quem Harvath confiava o suficiente para telefonar.

14

— Port de la Tournelle — disse a voz do outro lado do fio —, cais inferior, diante da Île Saint-Louis.

Ron Parker era director de operações de uma agência privada de investigações conhecida por Sargasso Intelligence Program, cujo presidente e fundador era um grande empresário de hotelaria e antigo campeão de luta-livre, Timothy Finney. Harvath conhecia-os há muito tempo e depositava neles uma confiança absoluta. Além disso, tomavam conta de *Bullet,* o cão de Harvath, de raça caucasiana de Ovcharka, deixado com eles seis meses antes, quando ele resolvera sair do país na companhia de Tracy.

Sargasso era um dos programas ciosamente guardados e altamente secretos que Finney dirigia em segredo a partir da Elk Mountain Resort, a sua estância de luxo nas imediações de Telluride, Colorado. À semelhança de outras organizações paramilitares privadas que reforçavam o poderio americano em diversas zonas agitadas do globo, Finney colaborava com o governo no domínio da espionagem. Durante muitos anos, tinha tentado convencer Harvath a trabalhar com ele.

A oferta era tentadora. A clientela de elite da Sargasso era um autêntico catálogo da nata da espionagem americana. A Sargasso não só recolhia e analisava informações, como também recrutava agentes infiltrados e operacionais, cobrindo praticamente todo o mundo. Uma organização de primeira, dirigida por dois patriotas que punham o seu amor à pátria acima de tudo e que, desse modo, eram mais eficazes do que alguém poderia ter imaginado.

A chave desse êxito assentava nas vantagens tácticas e operacionais que proporcionavam a quem trabalhava para eles. Para esse fim, a Sargasso montara por todo o mundo uma rede de locais seguros, e um desses refúgios era em Paris.

— Sei que te queres afastar da zona de St. Germain, mas foi o melhor que se arranjou — disse Parker.

Harvath memorizou o resto da informação, agradeceu ao amigo e desligou.

Quinze minutos mais tarde, Harvath, Tracy e Nichols estavam na margem do Sena, a olhar para o esconderijo da Sargasso. Era o que em francês se chamava uma *péniche,* uma barcaça comprida e desactivada, inteiramente pintada de negro-azeviche. Na rua, mesmo por cima, situava-se a sede do Arab World Institute, criado para difundir a cultura e os valores espirituais do Islão. Harvath não deixou de apreciar a ironia.

Harvath marcou um código no teclado oculto perto da casa do leme e a fechadura abriu-se com um silvo. A porta era muito pesada, pelo que Harvath concluiu que era blindada. Ao entrar, tamborilou com os dedos numa das janelas e viu que não eram de vidro como pareciam, mas sim de grossas camadas de *Lexan,* à prova de bala. Finney e Parker tinham feito um excelente trabalho na blindagem da barcaça.

75

Ao fundo de um pequeno lanço de escadas havia uma cozinha, três cabinas, todas com casa de banho, e uma sala comum com zona de refeições. Harvath pediu licença e dirigiu-se para a cabina principal, situada na popa da embarcação.

Entrou, fechou a porta e dirigiu-se a uma estante embutida. Correu dois dedos pela parte superior, encontrou a pequena argola escondida e puxou-a. Uma parte da estante avançou, articulada sobre calhas, e Harvath acabou de puxá-la para fora. Lá dentro estava uma caixa de plástico, hermética. Harvath pegou nela e colocou-a em cima do beliche.

No interior da caixa estava uma pistola *Taurus 24/7 OSS,* de calibre .45, equipada com silenciador e dois carregadores suplementares, juntamente com um sobrescrito de cânhamo-de-manilha com dez mil euros em notas. O programa Sargasso estava preparado para todas as eventualidades.

Harvath distribuiu o conteúdo da caixa pelos bolsos e voltou a colocá-la onde a encontrara.

Ligou o computador portátil da cabina, enviou uma mensagem em código a Finney e a Parker para que soubessem que tinha chegado são e salvo à barcaça e juntou-se a Tracy e a Nichols, na saleta.

Nichols estava sentado, a segurar um saco de gelo contra o queixo e com um copo de uísque do bem fornecido bar na outra mão. Tracy estava encostada ao balcão envernizado da cozinha, com um frasco de medicamentos cor-de-laranja na mão. Harvath deslizou para o lado dela e perguntou sem alterar a voz:

— O que é isso? Sentes-te bem?

— Estou bem, estou — respondeu ela a apertar o frasco dos analgésicos. — É por causa das dores de cabeça.

Despejou dois comprimidos para a palma da mão e meteu-os na boca.

— Desculpa — disse ela, empurrando Harvath para chegar ao frigorífico.

Tirou lá de dentro uma pequena garrafa de *Évian,* desenroscou a tampa e engoliu um grande gole.

— Desde quando andas a tomar comprimidos? — perguntou ele.

— Não te preocupes — retorquiu ela, passando novamente por ele para se dirigir à sala de estar. — Não tarda nada, estou em forma.

Desde que tinha saído do hospital que as dores iam e vinham, mas eram ligeiras e Tracy tinha uma grande resistência. O frasco estava meio vazio e Harvath interrogou-se há quanto tempo é que ela andaria a esconder-lhe a gravidade do caso.

Mas isso era conversa para outra ocasião. Agora, tinha de se concentrar em Nichols. Harvath tirou uma garrafa de *Évian* para si e reuniu-se a Tracy, sentada diante do homem que num só dia fora alvo de dois atentados, um à bomba e outro a tiro.

Como já tinham dito ao professor quem eram, não foram necessárias apresentações formais.

— Então, senhor Nichols, vamos lá a saber qual o assunto que o senhor e o Presidente têm em mãos e por que motivo alguém parece querer vê-lo morto.

— É uma história comprida.

Harvath olhou-o fixamente e retorquiu:

— Abrevie o mais possível.

— Não seria melhor começar pela maneira como travou conhecimento com o Presidente? — sugeriu Harvath.

Nichols percebeu que não tinha outro remédio senão colaborar. Recordou mentalmente a noite em que fora chamado à Casa Branca para um encontro com Rutledge.

— O Presidente disse que já tinha lido vários livros meus e que me escolheu por causa dos meus conhecimentos como historiador de Thomas Jefferson.

— Escolheu-o para quê?

— Para trabalhar como seu arquivista e ajudá-lo a organizar a documentação e outras coisas para a biblioteca presidencial.

— Não são os Arquivos Nacionais que tratam disso? — perguntou Tracy.

— É verdade, mas a maioria dos presidentes tem alguém de fora para analisar a documentação antes de ser entregue aos Arquivos Nacionais. Deu-me uma autorização para entrar e sair da Casa Branca e da residência sem levantar suspeitas.

— Suspeitas de quê? — inquiriu Harvath.

Nichols respirou fundo.

— Depois do 11 de Setembro, o Presidente procurou confortar a nação enlutada, mas a verdade é que também ele estava a precisar de alguém que o ajudasse. Sobretudo, precisava de orientação, foi o que me disse. E encontrou-a num diário que Thomas Jefferson redigiu durante a presidência. O presidente Rutledge pensava que o fundamentalismo islâmico era um inimigo que nunca antes se tinha deparado a outro presidente americano, mas estava enganado.

Harvath percebeu a alusão.

— Porque Jefferson foi o primeiro presidente dos Estados Unidos a entrar em guerra contra o fundamentalismo do Islão.

Nichols assentiu.

— A tradição de manter um diário privado foi iniciada por George Washington e era unicamente do conhecimento dos vários presidentes e dos seus secretários. Depois do 11 de Setembro, Rutledge foi remexer nos diários em busca de uma orientação e descobriu que Jefferson já fora uma experiência com o fundamentalismo islâmico. Jefferson estava convencido de que o Islão havia de voltar a constituir um perigo ainda maior para a América. Estava tão obcecado com o assunto, que resolveu aprender tudo o que podia a esse respeito.

Harvath espantou-se com a presciência de Jefferson.

— Foi ao examinar o diário de Jefferson que Rutledge deu com uma coisa extraordinária.

CAPÍTULO

16

A maior parte dos americanos não fazia ideia de que, havia mais de duzentos anos, os Estados Unidos, sob o comando de Thomas Jefferson, tinham declarado guerra ao Islão. Por essa razão, o professor Nichols sentia necessidade de explicar os antecedentes daquilo em que estava a trabalhar.

— No auge do século XVIII, os piratas muçulmanos assolavam o Mediterrâneo e uma área significativa das costas do Atlântico Norte. Atacavam todos os navios que encontravam e exigiam avultados resgates pelas tripulações. Os reféns eram submetidos a um tratamento bárbaro e escreviam cartas desesperadas a pedir aos respectivos governos e famílias que pagassem tudo o que os seus captores maometanos quisessem.

»Esses extorsionários do alto-mar eram naturais das nações islâmicas de Tripoli, Tunes, Marrocos e Argel — conhecidas como a Costa da Berbéria — e representavam um perigo não provocado para a jovem república americana.

»Antes da guerra revolucionária, os navios mercantes americanos estavam sob a protecção da marinha inglesa. Quando os Estados Unidos proclamaram a independência e entraram em guerra, os navios americanos passaram a ser protegidos pela armada francesa. Mas, quando a guerra acabou, a América teve de se encarregar da protecção da sua frota mercante.

— Foi essa a razão do nascimento da U. S. Navy — acrescentou Tracy.

Nichols confirmou com um gesto de cabeça.

— Mas não foi tão depressa como pode pensar. Em 1784, dezassete anos antes de se tornar presidente, Thomas Jefferson partiu para Paris como ministro plenipotenciário dos Estados Unidos. Nesse mesmo ano, o Congresso procurou apaziguar os seus inimigos muçulmanos seguindo o exemplo das nações europeias, que pagavam aos estados da Berbéria em vez de entrarem em guerra com eles. Mas, em Julho de 1785, os piratas argelinos capturaram dois navios americanos e o dei de Argel exigiu um resgate de perto de sessenta mil dólares.

»Era extorsão pura e simples, e Thomas Jefferson, ministro dos Estados Unidos em França, opunha-se veementemente a quaisquer pagamentos. Em alternativa, propôs ao Congresso a formação de uma coligação de nações para obrigar os estados maometanos a respeitar a paz.

O plano não era estranho a Harvath, que perguntou:

— Uma coligação de povos amigos?

— Claro — respondeu Nichols. — Mas o Congresso não quis saber do plano de Jefferson e resolveu pagar o resgate.

»Em 1786, Thomas Jefferson e John Adams reuniram-se com o embaixador de Tripoli em Inglaterra e perguntaram-lhe por que motivo a sua nação atacava os navios americanos e escravizava os seus cidadãos.

»A resposta do embaixador foi que isso radicava na lei do Profeta, e que estava escrito no Alcorão que todas as nações que não reconheciam a autoridade dele eram pecadoras e que estavam no seu direito e dever de fazer a guerra contra esses pecadores, onde quer que os encontrassem, e de reduzir os prisioneiros à condição de escravos, e que qualquer muçulmano morto em combate tinha garantida a entrada no Paraíso. Apesar desta espantosa confissão de violência premeditada contra as nações não islâmicas, e das objecções de numerosos notáveis americanos, entre eles George Washington, de que ceder não só era errado como incitava o inimigo a fazer ainda pior, o Congresso dos Estados Unidos continuou a pagar subornos e resgates aos muçulmanos da Berbéria. Ao longo dos quinze anos seguintes, pagaram mais de um milhão de dólares a Tripoli, Tunes, Marrocos e Argel, o que em 1800 representava vinte por cento da receita total do governo dos Estados Unidos. Jefferson estava indignado. Quando foi eleito terceiro presidente dos Estados Unidos, em 1801, o paxá de Tripoli escreveu-lhe uma carta a exigir um pagamento imediato de duzentos e vinte e cinco mil dólares, e mais vinte e cinco mil em cada ano seguinte. Foi então que tudo se alterou.

»Jefferson respondeu ao paxá que fosse para o diabo. O paxá reagiu mandando cortar o mastro da bandeira do Consulado americano e declarando guerra aos Estados Unidos. Tunes, Marrocos e Argel seguiram-lhe o exemplo. Ora, Jefferson, que sempre se opusera à construção de uma frota de guerra americana, salvo para defender a costa, ao ver a sua nação ameaçada pelos bandidos islâmicos, resolveu que era chegado o momento de responder à força com a força e enviou uma esquadra de fragatas para o Mediterrâneo, a fim de dar às nações muçulmanas da costa da Berbéria uma lição que nunca mais esquecessem. O Congresso outorgou a Jefferson o poder de ordenar aos navios americanos que apresassem todos os navios e mercadorias do paxá de Tripoli e ainda «para assumirem todos os gestos de precaução ou de hostilidade que o estado de guerra justificasse». Quando Argel e Tunes, que estavam habituadas à cobardia e à complacência dos americanos, viram que os Estados Unidos tinham a força e a coragem para reagir, abandonaram de imediato a aliança com Tripoli.

»Mesmo assim, a guerra contra Tripoli arrastou-se por mais quatro anos, e voltou a eclodir em 1815. A valentia evidenciada pelos marinheiros americanos levou a frente de combate «até às praias de Tripoli», como se diz no hino dos Marines, que desde então passaram a ser conhecidos por «pescoços-de-couro» por causa dos colarinhos de cabedal do uniforme, destinados a evitar que os muçulmanos lhes cortassem a cabeça com um golpe de cimitarra quando abordavam os seus navios.

»Tanto o Islão como aquilo que os seus seguidores berberes se achavam no direito de fazer em nome do Profeta foram causa de grande perturbação para Jefferson. A América tinha uma tradição de tolerância religiosa e o próprio Jefferson havia participado na redacção do Estatuto de Liberdade Religiosa da Virgínia, mas o islamismo fundamentalista era diferente de tudo quanto tinha visto. Uma religião assente na supremacia, cujo único livro não só não sancionava como instigava à violência contra os não-crentes, era algo que não podia aceitar. Como já disse, um dos grandes receios de Jefferson era que um dia esta vertente do Islão viesse a constituir uma ameaça ainda mais perigosa para os Estados Unidos.

— Estava bastante à frente do seu tempo — observou Tracy.

— Muito antes de sair de França — prosseguiu Nichols —, Jefferson prometeu a si mesmo aprender tudo o que pudesse sobre a religião islâmica e em que medida esta doutrina radical e belicista poderia ser derrotada sem disparar um único tiro.

— Era por isso que possuía um exemplar do Alcorão — acrescentou Harvath.

— Talvez — admitiu Nichols. — Mas há quem diga que esse exemplar foi comprado em 1765, quando estudava Direito no Colégio William & Mary. É possível que o tenha lido enquanto texto legal, ou para um estudo de religiões comparadas. Não sabemos ao certo.

— Não é o mesmo Alcorão que um congressista islâmico usou na cerimónia do juramento há alguns anos? — perguntou Tracy.

— É, sim. Veja bem. Jefferson não era contra o Islão, era contra o fundamentalismo. Há uma diferença. Não queria saber se o vizinho do lado afirmava que Deus não existia, ou que havia vinte deuses, desde que não lhe metesse as mãos no bolso ou lhe partisse uma perna. Mas o fundamentalismo islâmico mete as mãos nos bolsos dos outros *e* parte-lhes as pernas, e era por isso que Jefferson estava apostado em travá-lo. Afinal de contas, foi ele o pai da separação entre a Igreja e o Estado.

»O problema subjacente ao fundamentalismo islâmico é que é ao mesmo tempo político *e* religioso e ensina que a Igreja e o Estado não podem ser separados. Os islamitas acreditam que as leis feitas pelos homens são inferiores à lei islâmica revelada por Deus, ou *sharia,* à qual se deviam submeter todos os governos do mundo.

— Imagino como havia de ser em Washington — comentou Harvath.

— Era capaz de não correr muito bem — concordou Nichols. — Isto, adicionado ao mandamento para exercer violência sobre todos os infiéis até que se submetam ao jugo do Islão, fazia do fundamentalismo islâmico um anátema de tudo quanto Jefferson advogava. O que torna a sua descoberta ainda mais interessante.

— Acha então que ele descobriu qualquer coisa? — perguntou Harvath.

Nichols concordou com um gesto lento de cabeça.

QUARTEL-GENERAL
DA POLÍCIA METROPOLITANA
WASHINGTON, D. C.

Andrew Salam estava cansado e farto de falar. Ozbek leu isso na cara dele assim que entrou na sala de interrogatórios da Polícia Metropolitana de Washington. O homem havia sido sujeito a interrogatórios sucessivos desde que fora preso. Tinha os olhos inchados e raiados de sangue, estava exausto, furioso e faminto. Mas não tinha minimamente o ar de um assassino.

Parecia ser de ascendência paquistanesa, a julgar pela pele escura, cabelos negros e olhos castanhos. Devia medir um metro e sessenta e cinco, um metro e setenta, no máximo. Por cima do sobrolho esquerdo via-se uma cicatriz fina.

— Já comeu alguma coisa hoje? — perguntou Ozbek.

Salam sacudiu a cabeça.

— Só a porcaria de um café.

Com um gesto, Ozbek mandou avançar Rasmussen.

— Diga o que quer, que o meu companheiro vai buscar.

— A sério? — perguntou Salam, cujos olhos luziram.

Ozbek assentiu. Há muito tempo que aprendera que a melhor maneira de começar um interrogatório era estabelecer uma relação com o preso, dando-lhe uma coisa que ele quisesse.

Assim que Rasmussen saiu, Ozbek perguntou a Salam como o tinham recrutado.

O homem pensou um bocado antes de responder. Era evidente que não conseguia aceitar o facto de ter sido enganado. Por fim, disse:

— Pareceu-me verdadeiro. Tal e qual como nos filmes. Há três anos, a caminho do estágio que estava a fazer na secção do Próximo Oriente da Biblioteca do Congresso, fui abordado por um tipo que se identificou como agente do FBI e me perguntou se podia almoçar com ele.

— E você disse que sim.

Salam concordou.

— E depois, o que aconteceu? — perguntou Ozbek.

— Voltámos a encontrar-nos nesse dia. Eu comi, ele falou.

— Como se chama ele?

— Sean Riley.

— Falaram de quê? — quis saber Ozbek.

— Como já lhe disse, foi ele quem fez as despesas da conversa. Mas o assunto foi a ameaça crescente da ideologia islâmica extremada e da lei islâmica.

— Quer dizer, do islamismo político — corrigiu Ozbek.

— Isso. O Riley falou numa campanha dos extremistas islâmicos para destruir a civilização ocidental a partir do seu interior, devagar e sem sobressaltos. Legalmente, mesmo. Explicou-me que trabalhavam para desestabilizar a América e substituir a Constituição americana pela *sharia*.

— E isso incomoda-o?

— Claro que incomoda. Devia incomodar todos os americanos. E já está a acontecer. Conseguiram aulas e cursos de natação exclusivamente femininos em escolas públicas e universidades, financiadas pelos contribuintes. Os cristãos, os judeus e os hindus são excluídos dos júris quando um muçulmano é julgado. Até os mealheiros em forma de porco foram proibidos nos locais de trabalho, porque ofendem a sensibilidade islâmica. Em certos Burger Kings, foi interrompida a produção de gelados porque os invólucros se assemelhavam aos signos que em árabe representam Alá. As escolas públicas não podem incluir carne de porco no menu. Maridos, irmãos e pais têm espancado, estrangulado e morto mulheres porque elas «desonram» a família. É a morte dos mil golpes, ou *sharia* dedo a dedo, como também lhe chamam, e a maioria dos americanos nem faz ideia de que este combate se trava todos os dias por toda a América.

»Ao não reagir, ao permitir que grupos como a FAIR ofusquem o que de facto está a acontecer, e ao não insistir com os islamitas para que aceitem a nossa cultura, os Estados Unidos estão a cortar a própria garganta com a navalha do politicamente correcto e a promover a agenda islâmica.

— E era por isso que esse tal Sean Riley o queria recrutar? Para empreender a luta contra os islamitas? — perguntou Ozbek.

— Exactamente.

Ozbek tinha visto uma arrepiante série de provas antes de estas serem tornadas públicas durante o julgamento de um caso de financiamento ao terrorismo em Dallas, que pusera a descoberto o programa dos islamitas para controlar os Estados Unidos. Entre as provas, incluía-se um memorando pormenorizado da Irmandade Muçulmana — uma organização que estava na origem do Hamas e da al-Qaeda e intimamente ligada à FAIR — onde se expunham os passos a dar para que a Constituição dos Estados Unidos e a civilização ocidental fossem destruídas e substituídas pela *sharia*.

Ozbek recordava-se das palavras de uma gravação que tinha ouvido, onde se descrevia a paranóia da Irmandade quanto a «proteger o grupo» contra infiltrações dos «sionistas, da maçonaria... da CIA, do FBI, etc.», de modo a que fossem capazes de detectar essas movimentações e desembaraçar-se dos inimigos.

Segundo o que o FBI relatara a Ozbek e a Rasmussen, a missão de Salam era precisamente essa — descobrir os pontos fracos das organizações islamitas da América e infiltrar-se nelas para as consolidar. Mas Salam não o sabia. Propositadamente, tinham-no mantido no escuro.

— Por que razão o escolheram?

— Foi o que perguntei ao Riley — respondeu Salam. — Disse que a minha tese lhes havia chamado a atenção.

— E a tese era sobre quê?

— Como os islamitas estavam lentamente a criar um estatuto especial de vítimas, enquanto o debate sobre o Islão e as motivações da supremacia islâmica deixavam de ser assuntos de interesse. Dei-lhe o título de «Guerra Silenciosa» e debrucei-me em particular no modo como os islamitas exploravam, em seu proveito, a aversão natural dos americanos ao racismo. Para fazer isto, criaram uma palavra que denunciava preconceito e que podia ser aplicada a qualquer pessoa que questionasse as suas motivações, lealdades, textos religiosos e objectivos — *Islamofobia*.

— E quais foram as suas conclusões?

Salam olhou para ele.

— Não muito boas. Os Estados Unidos estão a ceder terreno aos islamitas. Preferem ser politicamente correctos a ganhar o combate e, enquanto se recusarem a defrontar o inimigo em todas as frentes, nunca poderão vencer.

— É uma acusação grave — replicou Ozbek.

— Pois é. Mas é verdadeira. Para a maior parte dos crentes, o Islão é uma religião de beleza. Não só não cometemos actos de violência, como não queremos que ninguém o faça, em especial em nome da nossa religião. Se estivesse na nossa mão, as passagens do Alcorão em que os extremistas se baseiam para justificar as suas acções seriam pura e simplesmente suprimidas.

»A maioria dos muçulmanos da América e do mundo inteiro são moderados *e* pacíficos. O Islão oferece conforto espiritual e um nobre caminho de vida para mais de mil milhões de pessoas deste planeta. É uma fonte de bem. Queremos viver em harmonia com os nossos vizinhos, independentemente das suas crenças. Todos querem que nós, os muçulmanos moderados, reformemos o Islão, mas ninguém faz nada para nos ajudar. Não parecem perceber que os moderados que têm a coragem de se opor são sistematicamente abafados pelos islamitas que dominam os média, que são mais bem organizados e mais bem financiados.

Ozbek olhou para os seus apontamentos.

— Foi a essa conclusão a que chegou a Operação Glass Canyon, sobre a qual falou ao FBI?

— Sim — respondeu Salam. — A intenção da Operação Glass Canyon era combater directamente os fundamentalistas.

— E o centro da acção partia da sua empresa, McAllister & Associates?

— No que me dizia respeito, sim. Pensava que o resto estaria a cargo do FBI.

— A McAllister & Associates faz o quê? — perguntou Ozbek.

— É uma empresa de relações públicas e de *lobbying,* especializada em clientes muçulmanos. Era a cobertura que me permitia infiltrar-me nos movimentos islamitas da América.

— E foi bem-sucedido?

— Bastante bem — respondeu Salam. — Introduzi ou aliciei pessoas em quase todas as organizações do terrorismo islâmico do país.

— Nunca desconfiou de que não estava de facto a trabalhar para o FBI? Segundo me disseram, nunca esteve sequer na Academia do FBI em Quantico.

— O Riley deu-me formação num complexo islâmico chamado Islamaburg, a norte do estado de Nova Iorque. Disse que era para minha protecção, porque o FBI queria manter secreta a minha identidade, até dos outros agentes da organização.

— Mas você forneceu todos esses relatórios ao Riley e nada aconteceu. Não lhe pareceu estranho? — insistiu Ozbek.

— Está a perguntar se me senti frustrado? É claro que me senti. Mas o que sabia eu? O governo tem a fama de ser lento a actuar. O Riley até tinha o hábito de me acalmar dizendo que o FBI era muito burocrático. Quando lhe passava qualquer informação, ele garantia-me que seria transmitida ao longo da cadeia de comando e que seriam tomadas medidas.

Quando Steve Rasmussen voltou com a comida, Ozbek concedeu ao prisioneiro alguns minutos para se alimentar antes de voltar à carga com a verdadeira razão da sua presença ali.

— Vamos lá falar da Fundação Americana para as Relações Islâmicas — disse Ozbek.

Salam sacudiu a cabeça com repugnância.

— São a pior coisa que podia ter acontecido aos muçulmanos americanos. Deve saber que o director da FAIR certa vez se gabou numa conferência, sem saber que havia um jornalista presente, que o Islão não estava na América para ser mais uma religião entre outras, mas para se tornar dominante. Que a mais alta autoridade na América devia ser o Alcorão e não a Constituição, e que o Islão devia ser a única religião em toda a Terra. E que não descansaria enquanto tal não acontecesse. Não é o género de Islão que eu pratico. Não é o género de Islão que a maioria dos muçulmanos segue.

— Fale-me sobre a Nura Khalifa e sobre o assassino alegadamente contratado pela FAIR.

De súbito, Andrew Salam pareceu menos disposto a falar. Para Ozbek, era evidente que lhe tocara num ponto sensível e julgou ter compreendido qual era. Tinha visto uma fotografia de Nura Khalifa. Um espanto de mulher.

Por fim, Salam articulou penosamente:

— Era uma mulher fantástica. Não merecia morrer.

Ozbek nunca tinha perdido ninguém a quem fosse muito chegado, nem no exército, nem na CIA nem na vida privada. Mas podia imaginar como o homem se sentia e prosseguiu com toda a delicadeza possível.

— Vocês tinham uma relação íntima?

— Não. Era estritamente uma relação de trabalho.

— Sentia alguma coisa especial em relação a ela?

Salam olhou para o homem que o interrogava.

— Mesmo que sentisse, nunca teria comprometido um trunfo tão importante. À falta de melhor, posso afirmar-lhe que sempre agi como um profissional.

— Ela forneceu-lhe muitas informações sobre a FAIR?

— Montes delas.

— Que você transmitiu ao Riley?

— Sim.

— Ele foi a única pessoa com quem contactou que afirmava pertencer ao FBI?

— Exacto — respondeu Salam —, mas, por muitas informações que lhe tenha transmitido acerca da FAIR, nunca se fez nada a esse respeito. O mesmo se passava com as investigações em curso, que exigiam muito tempo para construir um caso sólido e, um dia, o Riley disse-me para cortar relações com a Nura e largar o caso da Fundação Americana para as Relações Islâmicas.

— Disse-lhe porquê?

— Disse que o Bureau estava por fim a conduzir uma investigação alargada sobre a organização e que a minha identidade podia vir a ser descoberta se eu continuasse ligado ao caso. Concordei com ele. Mas a Nura não se deixou convencer. Pelo que tinha visto e ouvido, desconfiava que havia algo de muito grande em preparação.

— E que foi que ela viu e ouviu? — perguntou Ozbek.

— O Abdul Waleed começou a encontrar-se cada vez mais assiduamente com um imã radical que dirige algumas megamesquitas por todos os Estados Unidos, um tipo conhecido como xeque Mahmud Omar. Segundo a Nura, os dois homens pareciam carregar sobre os ombros todo o peso do mundo. Em duas ocasiões, ouviu-os dizer que, se a ameaça não fosse suprimida, todo o seu trabalho estaria seriamente comprometido.

Ozbek atalhou com brusquidão:

— Que *ameaça*? De que é que está a falar?

— Era exactamente o que eu queria saber — replicou Salam. — A Nura disse que tinham começado a fazer uma infinidade de perguntas ao tio dela, que é especialista no Alcorão e trabalha em Georgetown.

— Como é que se chama esse tio?

— Doutor Marwan Khalifa.

— O que fazia ele em Georgetown?

— Trabalhava no Centro de Estudos Árabes.

Ozbek levantou os olhos do papel e comentou:

— Onde você estudou.

— É verdade, mas não o conhecia. É do tipo Indiana Jones, anda sempre envolvido em escavações ou em estudos arqueológicos.

— Sabe onde se encontra no momento?

— Tem andado de um lado para o outro a trabalhar num projecto encomendado pelo Departamento de Antiguidades do Iémen — respondeu Salam.

— A Nura disse alguma coisa sobre eles considerarem o tio uma ameaça para os seus projectos?

— Alguns dos fundamentalistas mais ortodoxos e empedernidos pensavam que as suas pesquisas levantavam muitas dúvidas sobre a autenticidade do Alcorão. Para esses homens, o que ele fazia era uma blasfémia e consideravam-no um apóstata, o que seria justificação suficiente para o matarem. Quando se acredita nessas coisas.

— E você acredita?

Salam reagiu com indignação.

— De maneira nenhuma. Nem pensar.

Ozbek tomou mais alguns apontamentos e prosseguiu:

— Você contou ao FBI que a Nura acusou o Waleed e o Omar de contratarem um assassino. Mas isso não é propriamente fácil. Como foi que o encontraram?

— Quem tratou disso foi o xeque Omar — respondeu Salam. — O nome do homem é Majd al-Din. Quer dizer «Glória na fé do Islão».

— E não tinha outro nome antes desse?

— Não faço ideia.

— Disse ao FBI que a Nura pensava que esse homem era da CIA. Porquê?

— Ela ouviu o Omar vangloriar-se disso. Que o al-Din era um regressado ao Islão.

— Essa expressão é para designar um convertido, não é?

— É. Segundo a Nura, o Omar estava entusiasmado com o tipo, porque era um branco típico que não levantava suspeitas em parte alguma. Que era como um camaleão, capaz de se disfarçar num abrir e fechar de olhos. Que mais parecia um contabilista do que um homem habituado a matar para a CIA.

Ozbek anotou com cuidado todos os pormenores no bloco de apontamentos.

— O Omar estava especialmente excitado com o fulano, porque ele fizera parte de um programa super-secreto da da CIA, chamado Transept. Isso diz-lhe alguma coisa? — perguntou Salam.

Ozbek ergueu os olhos do bloco e respondeu sem pestanejar:

— Não.

— Bem, parece que esse gajo, o tal al-Din, é uma espécie de Exterminador. Foi programado para matar e é a única coisa que faz. Matar. Matar. Matar.

— Há muita gente que gosta de se gabar de ter trabalhado para a CIA — observou Ozbek.

Salam soltou uma gargalhada.

— E em geral são uns aldrabões do género: *podia contar-te aquilo que fiz, mas depois teria de te matar.*

Ozbek sorriu.

— Já percebe porque tudo isto parece um pouco exagerado.

— A Nura disse que o Omar foi guia espiritual do al-Din durante vários anos. Parece que o xeque sabia uma imensidade de coisas a respeito dele.

— Talvez fosse tudo treta.

— Talvez — admitiu Salam. — Mas não me parece. O Omar é um tipo duro e extremamente desconfiado. Não ia introduzir um branco convertido no seu círculo mais íntimo se não tivesse absoluta confiança no tipo.

Ozbek não estava a gostar daquilo que ouvia, e a CIA também não iria gostar. Tomou mais algumas notas e perguntou:

— Pode dizer-me mais alguma coisa a respeito desse tal al-Din? Morada, telefone, sei lá?

— Lamento — disse Salam, erguendo o último pedaço de comida. Subitamente, mudou de ideias e pousou o garfo.

— Mas a Nura foi morta porque me ia dizer mais alguma coisa.

Ozbek também lamentava.

— Esse al-Din alguma vez apareceu na FAIR quando a Nura lá estava? Ela descreveu o aspecto dele?

Salam sacudiu a cabeça e mudou de assunto.

— Vão meter-me na prisão, não é?

— Não sou eu quem decide.

Salam calou-se por momentos.

— Falei à polícia no meu cão. Só tinha água e comida para uns dois dias. Acha que mandaram alguém lá a casa?

— Tenho a certeza de que mandaram muita gente a sua casa — retorquiu Ozbek.

Salam percebeu a ironia da resposta e esboçou um sorriso.

— Noventa e nove vírgula nove por cento dos muçulmanos deste país são pessoas decentes. Amam a América, tal como eu. Fiz aquilo que pensava que devia fazer em prol dos Estados Unidos. E continuo convencido disso.

— Sei que sim — respondeu Ozbek enquanto fechava o bloco de apontamentos — e, se lhe interessa saber, acredito em si.

— Então, pode ajudar-me.

— Vou tentar — respondeu o operacional da CIA ao levantar-se e dirigindo-se para a porta. Quando a alcançou, voltou-se para fazer uma última pergunta:

— A propósito, qual é a raça?

— Desculpe? — perguntou Salam.

— O cão. Qual é a raça?

— É um *retriever Chesapeake Bay*.

— Uma boa raça. Muito fiel.

Salam concordou com um gesto de cabeça e ficou a ver o homem afastar-se.

No exterior da sala de interrogatórios esperava-os o detective da polícia encarregado da investigação. Era um tipo endurecido e prático que dava pelo nome de Covin, na casa dos cinquenta e tal anos e com um físico de jogador de futebol americano.

— Sacaram-lhe o que queriam? — perguntou.

Ozbek sacudiu a cabeça ao mesmo tempo que metia o bloco de apontamentos no bolso do casaco.

— Aquilo é só merda — declarou o detective. — Merecia o prémio da Academia. Quando se ouve o gajo falar, a gente até acredita nele.

— Você não acredita? — perguntou Ozbek sem revelar os seus pensamentos.

O detective Covin olhou para ele.

— Tudo isto me cheira mal.

Nesse aspecto, Ozbek concordava com ele.

— Quando o apanharam, o que trazia ele consigo?

O polícia abriu o processo e leu a lista:

— Relógio. Carteira com cartões de crédito, dinheiro e carta de condução emitida em D. C. Uma pasta com cartões de visita. Chaves do carro. Telemóvel...

— Gostaríamos de dar uma olhadela ao telemóvel — interrompeu Ozbek.

O detective fechou o processo e olhou para os dois agentes da CIA.

— Para isso têm de assinar a folha de provas. Até agora, vocês só cá vieram fazer umas perguntas. A partir do momento em que põem a mão nas provas, o caso passa a pertencer à CIA. Antes de ser polícia, fui procurador e sei muito bem o que pode fazer um advogado de defesa se dois polícias ficarem sozinhos com os objectos pessoais do suspeito.

Rasmussen percebeu as implicações.

— Qual é a sua opinião?

— Aconselho-vos a largar isto enquanto podem. Uma coisa é virem cá fazer umas perguntas sobre uma possível ligação a um operacional da CIA. Remexer-lhe nos objectos pessoais é outra coisa.

— Tem razão — respondeu Ozbek, que fez um sinal a Rasmussen para deixar cair o assunto. — Não queremos mexer em nenhuma das provas. Podia ser mau para todos. — Olhou para o seu próprio telemóvel, a confirmar se tinha sinal de rede. — Vou regressar à sala de interrogatórios apenas por um segundo.

— Para quê? — perguntou Covin.

— Esqueci-me de perguntar uma coisa ao suspeito.

Já fora da sede da polícia e a caminho do automóvel, Rasmussen perguntou:

— Que pergunta foi essa de que te lembraste à última hora?

— Precisava do número do telemóvel dele.

— Para quê?

— Plano B — respondeu Ozbek.

Rasmussen sabia muito bem o que era o Plano B, mas deixou isso para mais tarde.

— E o Plano A, qual é?

— Vou verificar todas as informações que o Salam nos deu nos ficheiros pessoais do Transept.

— Vais examinar os ficheiros de todos os operacionais do Transept que parecem contabilistas e são exímios na arte do disfarce? Isso deve corresponder a quase todos os que estão no programa, *incluindo* as mulheres. Foram recrutados exactamente por poderem passar despercebidos.

— Não faz mal. Quero a equipa toda a trabalhar nisto — insistiu Ozbek. — Quero saber onde se encontram neste momento todos os operacionais do Transept: os que estão no activo, os reformados, e até os mortos. Todos. E, entretanto, vamos apurar tudo o que se sabe a respeito do tio da vítima.

— Marwan Khalifa, de Georgetown?

Ozbek sacou do bolso as chaves do carro e assentiu:

— Quero saber onde está e em que projecto está a trabalhar. Se é o alvo escolhido, temos de saber porquê.

— Vou dizer à Patricia para não esperar. Por nenhum de nós — resmungou Rasmussen.

CAPÍTULO

19

PARIS

— Jefferson era um polímata brilhante — observou o professor Nichols, a pousar em cima da mesa de café o saco de gelo que tinha encostado ao maxilar. — Tinha um saber enciclopédico em diversas áreas e era um excelente arquitecto, arqueólogo, paleontólogo, horticultor, estadista, autor e inventor. Para além de ser um criptógrafo que adorava enigmas para lhes decifrar os códigos. Era capaz de ler em sete línguas e nunca recorria a uma tradução se conseguisse ler o original. Em 1784, durante a travessia do Atlântico para França, aprendeu espanhol só para poder ler o *Dom Quixote*. Achava que o livro era essencial para compreender o inimigo muçulmano que os Estados Unidos defrontavam no Mediterrâneo.

— Porquê? — quis saber Tracy. — O que o *Dom Quixote* tem a ver com os piratas muçulmanos?

Harvath lera *Dom Quixote* nos seus tempos de rapaz e nunca mais voltara a pensar no livro. Mas recordava-se de uma coisa interessante que tinha aprendido a respeito do autor, Miguel de Cervantes, e interrogava-se sobre se não seria esse o motivo do interesse de Jefferson no livro.

— Foi numa prisão berbere que Cervantes formulou a ideia para o livro, não foi?

Nichols concordou.

— Miguel de Cervantes foi um soldado espanhol que tomou parte em diversas batalhas contra os muçulmanos, entre elas a Batalha de Lepanto, uma vitória decisiva dos cristãos europeus sobre os invasores maometanos. Embora estivesse cheio de febre, recusou-se a permanecer na coberta, lutou com denodo e recebeu dois estilhaços no peito e um que lhe arrancou a mão esquerda e uma parte do braço, que ficou inutilizado para o resto da vida.

»Ao fim de seis meses de convalescença, Cervantes reuniu-se ao seu regimento, estacionado em Nápoles, e lá ficou até 1575, data em que embarcou para Espanha. O navio em que viajava foi abordado ao largo da costa da Catalunha por piratas muçulmanos, que mataram o capitão e a maior parte dos tripulantes. Cervantes e os poucos passageiros foram levados como escravos para Argel.

»Durante cinco anos, suportou um bárbaro cativeiro às mãos dos muçulmanos. Por quatro vezes tentou fugir e, antes de o resgate acabar por ser pago, esteve acorrentado da cabeça aos pés e assim permaneceu cinco meses. Esta experiência traumática forneceu-lhe matéria para escrever, especialmente a história do Cativo, no *Dom Quixote*.

»Jefferson leu o *Dom Quixote* para saber mais sobre os piratas berberes, mas entretanto descobriu outra coisa, um criptograma cuidadosamente dissimulado. Levou bastante tempo para o decifrar, mas quando o conseguiu revelou-lhe uma história incrível, dissimulada no episódio do Cativo.

— Que história é essa? — perguntou Tracy.

— No século XVI, em Argel — prosseguiu Nichols —, os escravos cultos como Cervantes eram utilizados como amanuenses pelos seus captores argelinos, na maioria analfabetos, para desempenhar uma variedade de tarefas, desde a contabilidade até à transcrição de documentos. Foi em casa de um dos chefes religiosos da cidade que Cervantes tomou pela primeira vez conhecimento de que a última revelação da vida de Maomé tinha sido intencionalmente suprimida do texto do Alcorão.

Quando Harvath já pensava que o homem nada mais teria de interessante para dizer, ali estava.

— E que revelação final de Maomé foi essa? — inquiriu.

— Era precisamente isso que o Presidente e eu tentávamos descobrir — respondeu Nichols. — Segundo Jefferson, Maomé foi assassinado pouco depois de a ter comunicado.

— Espere aí — interrompeu Tracy. — Maomé foi assassinado? Nunca tinha ouvido falar nisso!

— No ano 632 — atalhou Harvath, que para melhor compreender o inimigo da pátria tinha estudado afincadamente o Islão. — Foi envenenado.

— E quem o envenenou?

— Jefferson pensava que teria sido um dos seus apóstolos, os homens que eram os seus seguidores próximos — esclareceu Nichols.

— Bem, Jefferson não tinha propriamente acesso à internet. Como foi que empreendeu a investigação desse tópico?

— De acordo com o diário, foi muito difícil. Mas teve quem o auxiliasse. Além de uma rede incrível de diplomatas, académicos e espiões, as instituições monásticas europeias que se encarregavam de pagar os resgates dos prisioneiros também se revelaram de grande utilidade. Estas ordens monásticas tinham excelentes arquivos. Interrogavam todos os cativos que resgatavam e anotavam os seus depoimentos. A maioria dessas ordens tinha representação ou sede em França. Através delas, Jefferson conseguiu aceder a uma série de arquivos em que os prisioneiros enumeravam em pormenor os acontecimentos ocorridos no cativeiro, para além do que tinham visto e ouvido.

»Havia muitos prisioneiros como Cervantes, que trabalhavam em casa ou nos negócios dos seus captores, e que ao longo dos anos foram ouvindo histórias interessantes sobre esse fragmento em falta do Alcorão. A tarefa que Jefferson se atribuiu foi de coordenar toda essa informação e, conjugando-a com outras linhas de investigação, esboçar um quadro mais genérico.

»Aquilo que até agora fomos capazes de concluir desse quadro mais abrangente inclui alusões a um indivíduo concreto — prosseguiu Nichols, enquanto estendia a mão para uma folha de papel, onde escreveu o nome *Abū al-'Iz Ibn Ismā'il ibn al-Razāz al-Jazarī*.

Ergueu o papel, para o mostrar.

— Quem é? — perguntou Tracy.

— Al-Jazari foi um dos grandes espíritos da Idade de Ouro do Islão. Uma espécie de Leonardo da Vinci muçulmano, inventor, artista, astrónomo e um reputado erudito que também se interessou pela medicina e pelo funcionamento do corpo humano.

»Em 1206, publicou *O Livro do Conhecimento e Engenhosos Dispositivos Mecânicos*. Nele, documenta uma série admirável de inventos mecânicos, incluindo autómatos programáveis e robôs humanóides, mas é conhecido sobretudo por ter criado os mais sofisticados relógios de água do seu tempo.

— Parece uma figura impressionante — observou Harvath. — Mas o que tem ele a ver com os versículos que faltam no Alcorão?

O professor ergueu as mãos.

— Aí é que está o problema. Não sabemos ao certo.

— E mesmo que soubesse, como é que essa descoberta poderia ter impacto sobre o fundamentalismo islâmico? — perguntou Tracy.

— Boa pergunta — disse Nichols. — Os muçulmanos crêem que o Alcorão é a palavra integral e imutável de Deus. Qualquer coisa que contrarie essa ideia é considerada blasfémia e um ataque ao Islão. No entanto, um quinto do Alcorão está cheio de contradições e de passagens incompreensíveis que não fazem qualquer sentido.

»Por exemplo, nos primeiros tempos de Maomé como profeta em Meca, Alá revelou-lhe através do Anjo Gabriel o conceito de coexistência pacífica entre os Judeus e os Cristãos. Mais tarde, quando Maomé, rejeitado pelos Judeus e pelos Cristãos, se tornou um homem poderoso e arregimentou em Medina um numeroso exército, Alá ter-lhe-á alegadamente ordenado que subjugasse todos os não crentes e que não descansasse até que o Islão fosse a religião dominante no planeta.

Tracy acenou com a cabeça, a confirmar, e disse:

— Isso para mim nunca fez sentido.

— Não é a única. Uma parte da confusão decorre do facto de o Alcorão não estar ordenado em termos cronológicos. A organização é sobretudo a partir dos textos mais longos, ou suras, para os mais breves. Os versículos que apelam à paz estão disseminados por toda a obra. O problema é que os versículos violentos têm poder ab-rogatório sobre os outros.

— O que é isso?

— Essencialmente, quer dizer que, se dois versículos do Alcorão forem contraditórios, o último na ordem é o que prevalece. Ora, a sura mais violenta é a nona. É o único capítulo que não começa com a frase conhecida por Basmala — *Alá, o Clemente, o Misericordioso,* mas sim com versículos como *Matai os idólatras onde quer que os encontreis* e *Os que se recusam a combater por Alá merecem uma morte dolorosa e ir para o Inferno,* bem como um apelo à subjugação de todos os judeus e cristãos.

»Embora seja o penúltimo capítulo, é de facto o último conjunto de mandamentos legado por Maomé aos seus seguidores e desde sempre têm sido esses versos a inspirar a violência em nome do Islão.

— A dificuldade para os maometanos que não são adeptos da violência é que não têm um suporte textual dentro da sua religião — acrescentou Harvath. — Se Maomé ordenou que fossem violentos, e se ele próprio cometeu actos de violência, os muçulmanos não têm maneira de argumentar contra isso. De facto, o que se espera deles é que lhe sigam o exemplo.

— Porquê? — quis saber Tracy.

— Porque, para o Islão, Maomé é o «homem perfeito». A sua conduta, tudo aquilo que fez e disse, está acima de qualquer censura e constitui um modelo para todos os crentes. Essencialmente, o que o Islão ensina é que, quanto mais um muçulmano se parecer com Maomé, melhor será.

— Mas se de facto Maomé recebeu uma revelação posterior à nona sura — atalhou Nichols — e se, tal como pensava Jefferson, essa revelação pode anular os apelos à violência constantes do Alcorão...

— Então, o seu impacto seria incrível — acrescentou Harvath, que perguntou, ao fim de uma curta pausa:

— Encontrou isso tudo no diário de Jefferson?

— Não — respondeu o professor. — O diário foi apenas um ponto de partida. Jefferson andava na pista da revelação omissa desde muito antes de assumir a presidência e continuou a trabalhar no caso até muito depois de ter deixado a Casa Branca. Tivemos de compulsar muitos outros documentos dele para obter mais informações. O problema é que, quando morreu, Jefferson estava atolado em dívidas e a propriedade foi fraccionada e vendida. Faltam-nos alguns elementos essenciais. Foi por isso que o Presidente me ordenou que viesse a Paris.

— Para encontrar documentos perdidos de Jefferson? — perguntou Tracy.

— Especialmente, a primeira edição do *Dom Quixote* que lhe pertencia — esclareceu Nichols. — Julgamos que pode ter anotações que nos conduzam àquilo que procuramos.

— Onde está essa edição?

O professor inspirou fundo antes de responder.

— É aí que as coisas começam a complicar-se.

20

CASA BRANCA

O presidente Rutledge mal tinha acabado a reunião da manhã quando o seu chefe de gabinete, Charles Anderson, espreitou pela porta da Sala Oval.

— Tem o príncipe herdeiro da Arábia Saudita ao telefone, *sir*.

— Faz ideia do que ele quer? — perguntou o Presidente, sentando-se à secretária.

— Não disse. Quer que lhe diga que não pode atender?

— Não. Eu atendo a chamada.

Quando Anderson saiu, Rutledge levantou o auscultador.

— Bom dia, Alteza.

— Bom dia, senhor Presidente — respondeu do seu palácio residencial em Riade o príncipe herdeiro Abdullah bin Abdul Aziz. — Obrigado por atender o meu telefonema.

— De nada, Alteza. Temos sempre muito gosto em falar com os nossos amigos da Arábia Saudita.

— Espero que esteja de boa saúde, tal como a sua filha, Amanda.

— Estamos bem, felizmente — respondeu Rutledge, que conhecia o velho costume árabe de perguntar pela saúde dos interlocutores e da sua família antes de entrar na conversa propriamente dita. — E como estão Vossa Alteza e a família?

— Todos bem, obrigado.

— Ainda bem.

— Senhor Presidente, será que posso falar francamente consigo?

— Com certeza!

— Julgo saber que anda à procura de uma coisa que não lhe pertence.

O Presidente esperou que o príncipe herdeiro se explicasse melhor. Como não o fez, Rutledge perguntou:

— Não pode ser mais claro, Alteza?

— Senhor Presidente, o Islão é uma das três grandes religiões do mundo. Traz conforto e alívio a mil e quinhentos milhões de pessoas. Preocupa-me saber que tenta abalar a fé de toda essa gente.

— E pode saber-se como estamos a fazer isso? — perguntou Rutledge.

— Não estou a falar da América em geral — corrigiu o príncipe saudita. — Estou a falar de si e de uma espécie de vingança pessoal que parece acalentar em relação à nossa pacífica religião.

O Presidente tinha a consciência de estar a falar com um chefe de Estado cujo país promovia e financiava a ideologia extremista wahhabi, seguida por tantos terroristas internacionais, mas que nem por isso deixava de ser um chefe de Estado.

— Vossa Alteza perguntou-me se podia falar francamente, e é o que estou a fazer. Não faço ideia de que está a falar.

A ligação era tão nítida, que o anafado saudita parecia estar ao lado do Presidente no momento em que disse:

— Não há nenhuma revelação perdida do Profeta, senhor Presidente.

Rutledge nem queria acreditar. *Como raio os sauditas tinham conhecimento do que ele andava a procurar?*

— É bom saber isso, Alteza. Obrigado.

— A Arábia Saudita tem sido um bom amigo dos Estados Unidos — avisou o príncipe em tom melífluo.

É claro que eram. O Presidente esteve tentado a agradecer-lhe pelos quinze terroristas do 11 de Setembro e pelos inúmeros sauditas que excederam o período de permanência nos Estados Unidos e que estavam detidos sob as mais variadas acusações, para além de outros exemplos de que os sauditas eram de facto grandes amigos dos Estados Unidos, mas conteve-se. Até que a América se visse livre da dependência do petróleo, ele era obrigado a tratar os sauditas com luvas de pelica.

— A América tem em elevada conta a amizade do seu país, Alteza. No entanto, quer-me parecer que recebeu algumas informações mal interpretadas.

O príncipe herdeiro manifestou o seu desagrado por um estalo da língua.

— As minhas fontes são dignas de crédito. Estou a avisá-lo, senhor Presidente. Se quer o bem para as nossas duas nações, se quer o bem da América e dos muçulmanos de todo o mundo, abandone essa pesquisa infrutífera. A revelação perdida de Maomé não passa de um conto de fadas. O monstro de Loch Ness do mundo islâmico.

De facto, é um monstro, pensou o presidente, e se o príncipe herdeiro se dava ao incómodo de telefonar para lhe dar semelhante aviso queria dizer que ele e Anthony Nichols andavam lá perto. E quanto mais se aproximassem, mais perigoso havia de ser.

CAPÍTULO

21

PARIS

O professor pigarreou para aclarar a garganta e disse:

— No dia 27 de Outubro de 2005, eclodiu em França o pior motim dos últimos quarenta anos quando foram mortos dois adolescentes muçulmanos de um bairro social dos arredores de Paris. Os jovens julgaram que estavam a ser perseguidos pela polícia, esconderam-se dentro de uma estação de transformação eléctrica e foram imediatamente electrocutados. Os tumultos prolongaram-se por três semanas, durante as quais foram queimados nove mil automóveis, uma mulher de cinquenta anos e de muletas foi regada com gasolina e queimada viva, e foram disparadas armas contra a polícia, bombeiros e pessoal paramédico.

»O inquérito interno promovido pela polícia concluiu que os agentes perseguiam outros dois homens que tinham fugido de um controlo de identificação ou pretendiam entrar num edifício público. De uma maneira ou de outra, isto não condiz com a afirmação de um familiar das vítimas, de que os dois rapazes foram acusados de intrusão em propriedade alheia e que estavam em fuga por temer o interrogatório.

— Afinal, o que se passou? — perguntou Harvath.

— Tudo, mas só o viemos a saber bastante mais tarde.

— *Tudo* como? — perguntou Harvath, intrigado.

— Em França, os descendentes dos imigrantes do Norte de África, que em geral são muçulmanos, são frequentemente contratados à jorna para trabalhar nas obras, como acontece com os mexicanos na América. Os patrões pagam-lhes «por fora» e fecham os olhos à legalidade ou não do seu estatuto de residentes.

»Segundo foi apurado pela Embaixada americana em Paris, dois desses trabalhadores, de Clichy-sous-Bois, onde eclodiram os tumultos, foram contratados para trabalhar na reparação de um edifício não muito distante dos Jardins do Luxemburgo. Durante a fase de demolição, os dois trabalhadores deram com uma caixa de madeira escondida no interior de uma parede falsa. Embora não fizessem a mínima ideia do que tinham descoberto, os dois homens abriram a caixa, perceberam que o que lá estava dentro eram coisas antigas e que podiam ter valor. Na esperança de fazerem alguns cobres, levaram o conteúdo da caixa para fora do edifício e começaram a vendê-lo aqui e ali de forma avulsa, para ver se não levantavam suspeitas. Mas os serviços de segurança franceses não tardaram a dar pela marosca.

— Desculpe — interrompeu Harvath. — *Os serviços de segurança franceses?!*

— Porquê eles? Porque não a polícia? — acrescentou Tracy.

— Boa pergunta — respondeu Nichols, a beberricar o que tinha no copo. — O que lhes despertou a atenção foi o proprietário da caixa.

— Thomas Jefferson!

Nichols assentiu.

— Como foi que eles descobriram? — perguntou Harvath.

— Um negociante de antiguidades a quem a tentaram vender desconfiou e alertou as autoridades — explicou o professor.

— E o que fazia uma caixa com objectos pertencentes a Thomas Jefferson no interior de um edifício próximo dos Jardins do Luxemburgo? — perguntou Harvath.

Nichols fez rodopiar o líquido dentro do copo.

— Para além da casa onde vivia, nos Campos Elísios, Jefferson ocupava uma pequena divisão no Convento dos Cartuxos, nos Jardins do Luxemburgo, onde podia trabalhar descansado. Os cartuxos observavam um estrito voto de silêncio e exigiam dos seus hóspedes que fizessem o mesmo. Para Jefferson, era perfeito. Em 1789, a casa dos Campos Elísios foi assaltada três vezes — prosseguiu Nichols. — De facto, os assaltos foram tão frequentes, que ele se viu obrigado a solicitar segurança privada.

Massajando as têmporas com a ponta dos dedos, Tracy perguntou:

— De que andavam à procura os ladrões?

— Não se sabe ao certo. Tanto podiam ser gatunos vulgares como espiões. A verdade é que o convento era muito mais seguro, e por isso Jefferson sentia-se à vontade para lá deixar os seus documentos mais importantes.

— Continuo a não perceber porque a segurança francesa estava interessada na caixa, nem por que motivo ela estava emparedada num edifício — disse Harvath.

Nichols deu a explicação.

— A caixa pertencia ao terceiro presidente dos Estados Unidos, e muitos dos documentos que continha estavam redigidos em cifra. Os franceses são doidos por cifras. Nunca decifraram nenhum dos códigos de Jefferson, e por isso, quando se lhes deparou a oportunidade de se apossarem de documentos codificados por ele, não hesitaram. O problema é que os códigos tinham sido concebidos com recurso a uma máquina engenhosa inventada por Jefferson enquanto vivia em Paris, chamada roda de cifra.

— O que é uma roda de cifra?

— Imagine vinte e seis discos de madeira, como *donuts* ou suportes circulares de copos, todos com um furo no centro. Cada um tinha a espessura de sessenta milímetros e o diâmetro de dez centímetros, com as letras do alfabeto impressas a toda a volta. Os círculos giravam sobre um eixo metálico dotado de saliências que permitiam a cada um dos círculos um lugar especial, assim, podiam ser rodados à vontade para redigir a mensagem.

»Para descodificar o texto, o destinatário não só precisava de ter uma roda de cifra como de conhecer a ordem de colocação dos círculos no eixo. Sem essa informação, todas as mensagens codificadas seriam ilegíveis.

— E, além dos documentos codificados, o exemplar do *Dom Quixote* também estava na caixa, não é? — perguntou Harvath.

— Sim — confirmou Nichols.

— Os documentos tratam de quê?

— Pelo que se consegue perceber, são algumas das primeiras pesquisas sobre o texto em falta no Alcorão. Mas o grosso dos documentos está em cifra, e é de crer que ele tenha usado a máquina. Só que para decifrar precisamos de saber qual a ordem de colocação dos círculos.

— Isso quer dizer que têm uma roda de cifra de Jefferson — concluiu Tracy.

— Pois temos.

Harvath estava espantado.

— E a chave para a colocação dos discos está codifica-da no *Dom Quixote* de Jefferson?

— Está. Seja por que razão for, pela importância da in-formação ou pelo receio do que os seus inimigos pudessem fazer com ela, Jefferson codificou grande parte das suas pesquisas. Algumas entradas do seu diário, tal como a maio-ria das páginas de apontamentos que o presidente Rutledge obteve e que julga pertencerem ao texto perdido de Maomé, estão em código. Foi sobretudo essa a razão pela qual me contrataram.

— Para ajudar o Presidente a decifrar os códigos? — perguntou Tracy.

O professor concordou.

— Mas por que razão terá Jefferson deixado ficar a cai-xa quando regressou à América? — perguntou Harvath.

— Porque quando se foi embora não fazia ideia de que não iria regressar — respondeu Nichols. — Mal tinha desembarcado quando George Washington lhe ofereceu o lugar de secretário de Estado. O Congresso aprovou rapi-damente a nomeação e a vida de Jefferson alterou-se de forma radical num abrir e fechar de olhos.

— Mas podia ter mandado buscar os seus haveres.

— E foi o que fez, só que em 1789 não se pegava num telefone para tratar das coisas. Os preparativos levaram tempo, a Revolução Francesa estava no auge e, antes de ele ter tido tempo para recuperar os seus bens, o Convento dos Cartuxos foi saqueado e incendiado pelas turbas pari-sienses.

— E, com ele, presumiu-se que também os objectos que Jefferson lá tinha deixado, incluindo a caixa — concluiu Tracy.

— Então, onde está agora o exemplar do *Dom Quixote*? São os franceses que o têm?

— Não. Os operários desconfiavam de que estavam a ser vigiados, e pediram aos dois adolescentes que morreram para distribuir o resto do achado por diversos intermediários. Os rapazes acabavam de se encontrar com os operários quando a polícia decidiu intervir. A ideia era apanhar os dois homens que consideravam ser os chefes do bando, mas eles fugiram. Então, a polícia perseguiu os dois rapazes, e todos sabemos como acabou essa perseguição.

»É possível que os dois homens desaparecidos tenham regressado ao Norte de África. Consta que os franceses recuperaram uma parte dos documentos, mas nunca encontraram o livro, talvez porque nunca perceberam a sua importância e estavam mais preocupados com a documentação. Um amigo dos dois rapazes falou com os serviços de segurança e colmatou as lacunas da investigação. Uma operacional da CIA que trabalhava na Embaixada americana jantou com um homólogo francês que lhe contou tudo. Parece que o tipo pensou que ela acharia piada, por se tratar de Jefferson. A agente informou o seu superior hierárquico, que mandou para Langley um relatório que chegou até ao Presidente, que por sua vez mo deu a conhecer.

»Quando descobri que uma edição rara do *Dom Quixote* estava à venda este ano na Feira Internacional de Antiguidades de Paris, entrei em contacto com o negociante e sem lhe revelar o meu jogo inquiri sobre a proveniência do livro. Foi uma atitude um tanto insolente, mas o universo

118

dos bibliófilos está repleto de pessoas estranhas. O homem concordou em entregar-me as imagens digitalizadas das duas primeiras páginas. Vi uma anotação e pareceu-me a letra de Jefferson. Por isso, marquei um encontro com ele para examinar o livro. Mas quando lá cheguei disse-me que tinha resolvido vendê-lo a outra pessoa. Não consegui convencê-lo a mudar de ideias. Alguém lhe oferecera muito mais dinheiro pelo livro. E o Presidente não conseguia reunir uma soma tão avultada, pelo menos do pé para a mão.

Harvath ergueu o sobrolho e perguntou em tom de incredulidade:

— O Presidente não conseguiu arranjar o dinheiro?

— Não se trata de uma operação governamental. O financiamento era pessoal. Pedi ao negociante que esperasse antes de fechar o negócio com o outro interessado. Deu-me até às três horas de hoje. Vinha a sair de lá quando passei por vocês e a bomba rebentou.

— Quando eu o vi, você vinha a sair de uma livraria. É lá que trabalha o negociante?

— Não, a livraria tem um pequeno café nas traseiras. O homem queria encontrar-se comigo num local neutro. Está assustado.

E tem razão para isso, pensou Harvath. *E você também.* Nichols sobrestimava-se.

— Sabe quem está a licitar contra si?

— Por uma primeira edição do *Dom Quixote,* com os erros corrigidos pelo punho de Cervantes para a edição seguinte? Pode ser um bibliófilo de qualquer parte do mundo ou um amante de história da literatura.

— Ou podem ser as pessoas que o tentaram matar — cortou Harvath, olhando para Tracy. — Parece que vamos ter de descobrir isso.

CAPÍTULO

22

QUARTEL-GENERAL DA CIA
LANGLEY, VIRGÍNIA

— Tens a certeza de que a lista está completa? — perguntou Ozbek ao entrar para o seu gabinete, acompanhado por Rasmussen.

Com um gesto, indicou-lhe que fechasse a porta. Rasmussen obedeceu e deixou-se cair num sofá com três processos e um bloco de notas.

— Quem mos deu foi o próprio Selleck.

Inclinou-se e pegou no *puzzle* de madeira de Ozbek. Este serviu-se de uma chávena de café e observou o documento.

— Arranjou isto muito depressa, não foi?

— Para mim, é sem leite — respondeu Rasmussen quando viu que Ozbek não lhe arranjava um café.

Sem levantar os olhos da lista, Ozbek serviu uma segunda chávena, que poisou sobre a mesa baixa.

— Oz, se tivesses uma pequena frota de *Lamborghinis*, também saberias onde eles estavam vinte e quatro horas por dia, sete dias por semana. O Selleck conseguiu isso tão depressa porque o Transept é uma operação muito reduzida — respondeu Rasmussen, bebendo o café.

— E ele põe as mãos no fogo por todos estes operacionais? — perguntou Ozbek, enquanto se sentava à secretária.

— Não digo tanto — retorquiu Rasmussen. — Será preciso falar com todos eles. Até os instrutores do Transept terão de ser interrogados. Qualquer pessoa que tenha estado numa sala em que o nome tenha sido pronunciado vai ser investigada.

— E este aqui?

— Qual? — perguntou Rasmussen, que largou o *puzzle* e se inclinou sobre a secretária para ver para onde Ozbek estava a olhar.

— Matthew Dodd. Estatuto KIA/NRL[1]?

— Também perguntei isso ao Selleck. «Morto em Acção. Corpo nunca Encontrado.»

— Se o corpo nunca foi encontrado, como lhe atribuíram o estatuto de morto em acção?

— Coisas da tecnologia moderna. Há seis anos, o tipo estava a trabalhar na fronteira noroeste do Paquistão e pediu uma intervenção aérea. Ou estava demasiado perto do alvo ou se enganou nos números. Parece que os mísseis caíram praticamente em cima dele. A Agência tinha no ar um avião *Predator* não pilotado que registou tudo. Ficou a pairar o resto da noite, mas não recebeu sinais de sobreviventes. Nem infravermelhos, nem nada. E apesar de ser uma zona remota, na Primavera seguinte mandaram lá uma equipa que só encontrou uma cratera. Daí, a classificação de Morto em Acção, Corpo nunca Encontrado.

---

[1] Killed in Action. No Remains Located. *(N. R.)*

— Aquilo que me estás a dizer é que um dos *Lamborghini* perfeitamente afinados teve um problema no motor?

Rasmussen percebeu onde Ozbek queria chegar.

— Realmente, não faz muito sentido, é verdade.

— Tanto eu como tu já pedimos intervenções aéreas — disse Ozbek. — No meu caso, tenho o máximo cuidado para não me enganar nas contas.

— De acordo — respondeu Rasmussen, enquanto tirava uma ficha da pasta e a estendia ao colega. — Foi por isso que achei que gostarias de ver isto. É o relatório do incidente e das conclusões da investigação.

Ozbek levou um bom bocado a ler o relatório. Quando acabou, fechou-o e devolveu-o a Rasmussen.

— Como é que o nosso departamento não tem um processo sobre este tipo?

Rasmussen levantou as mãos para mostrar a sua ignorância.

— Para a Agência, o tipo está morto. O Selleck disse que se quiséssemos mandava buscar as filmagens do *Predator* para nós as vermos. Pelos vistos, não deixaram dúvidas.

— Quero ver a ficha pessoal deste tipo.

Rasmussen estendeu-lhe o documento pedido.

A primeira coisa para onde olhou foi para a fotografia oficial de Matthew Dodd.

— De facto, o tipo parece um contabilista chapado.

Rasmussen levou a mão à boca e fez um movimento esquivo com os dedos.

— Tanto melhor para entrar num país sem levantar suspeitas.

— O que está por detrás da porta número três? — perguntou Ozbek, acabando de folhear o dossiê de Dodd e apontando para o terceiro processo que Rasmussen trazia.

— É do tio de Nura Khalifa, o doutor Marwan Khalifa. Natural da Jordânia, naturalizado americano, um dos promotores do doutoramento em Estudos Islâmicos da Universidade de Georgetown e um dos mais conceituados especialistas da história do Alcorão. Também é professor no Departamento de Estudos Árabes, no Centro de Estudos Árabes Contemporâneos e no Centro Príncipe Alwaleed bin Talal para o Relacionamento entre Cristãos e Muçulmanos, e nos Departamentos de História, Teologia e Governação — esclareceu Rasmussen ao entregar o processo.

— Um currículo fantástico.

— Podes crer.

— Onde está ele agora? — perguntou Ozbek, folheando o processo.

— A resposta é capaz de não te agradar.

Ozbek levantou a cabeça e perguntou:

— Porque não?

— O Salam disse a verdade sobre o doutor Khalifa estar a trabalhar num projecto para o Departamento de Antiguidades do Iémen. Só que não estava no Iémen, estava em Roma, nos Arquivos Oficiais do Estado italiano.

— Ao menos, sabemos onde está.

Rasmussen levantou a mão.

— Há cinco dias, houve lá um incêndio.

— O Khalifa está morto?

— Segundo os meus contactos com a Agência de Segurança Interna italiana, a polícia de Roma encontrou quatro cadáveres carbonizados e impossíveis de identificar. Já pus o nosso pessoal à procura dos registos dentais do Khalifa nos Estados Unidos. Assim que os tivermos, envio-os logo, mas as perspectivas não são boas. Parece que o doutor Khalifa ficou a trabalhar até tarde na noite do incêndio e que depois disso ninguém mais o viu.

— Em que estava ele a trabalhar, conseguiste saber?

Rasmussen assentiu.

— Parece que os iemenitas descobriram uns maços de pergaminhos muito antigos, datados dos séculos VII e VIII. Presumivelmente, seriam dos primeiros exemplares do Alcorão. Contrataram o doutor Khalifa para autenticar o material, mas como não têm equipamento adequado no Iémen ele conseguiu que acedessem a transferir o espólio para Roma, para que tudo fosse fotografado e preservado.

— Salvaram-se alguns documentos?

— Desapareceram todos.

— Ah, sim? Pedaços antigos do Alcorão? Era nisso que ele estava a trabalhar? E era por isso que a sobrinha o considerava um perigo para o Islão?

Rasmussen olhou para o bloco de apontamentos.

— O doutor Khalifa estava a trabalhar directamente com o subdirector dos Arquivos Oficiais Italianos. Foi este que informou a polícia que o Khalifa tinha ficado a trabalhar na noite do fogo. Este tipo, um tal doutor Alessandro Lombardi, afirmou que o Khalifa estava muito excitado por causa de umas inconsistências intrigantes entre os pergaminhos encontrados no Iémen e o Alcorão que está em uso.

— Que espécie de inconsistências? — perguntou Ozbek.

— Ele afirma que o Khalifa não adiantou grande coisa. Mas que disse que aquilo que descobrira corroborava outro projecto em que também estava envolvido. Qualquer coisa sobre o profeta Maomé ter recebido uma última revelação que não consta do Alcorão, e de ter sido assassinado para se manter o segredo.

»Seja lá o que for essa revelação, parece capaz de virar a religião de pernas para o ar. Maomé partilhou-a com os seus discípulos, mas não deve ter agradado a alguns, que lhe limparam o sebo. Quando percebeu que fora envenenado, Maomé mandou chamar o chefe dos escribas e ditou-lhe a revelação, na esperança de que não se perdesse.

— E então?

— Segundo o Khalifa, o escriba foi perseguido pelos mesmos homens que assassinaram Maomé. Encontraram a revelação escondida nas vestes do homem. Queimaram-na e cortaram a cabeça ao escriba.

— Fim da história — concluiu Ozbek.

— Nem por isso — replicou Rasmussen. — O texto que o escriba trazia escondido era uma cópia. Os assassinos nunca encontraram o original.

— E o Khalifa encontrou-o?

— Parece que o tipo que colaborava com ele no outro projecto achava que tinha uma pista — respondeu Rasmussen com um encolher de ombros.

— Sendo assim, e presumindo que o Khalifa está morto, não devia ser o único alvo. Sabes como se chama o fulano com quem trabalhava?

— Não.

— *E-mails?* Uma entidade a que ele ou ela pertencessem? Nada?

Rasmussen abanou a cabeça.

125

— O Lombardi disse que o Khalifa guardava tudo no computador portátil.

— Deixa-me adivinhar, tinha o computador consigo na noite do incêndio.

— O Lombardi diz que sim.

Ozbek levantou-se e começou a andar de um lado para o outro.

— E em Georgetown? O Khalifa não tinha um computador no gabinete? E o seu endereço de *e-mail* na Universidade? E em casa? Registo de chamadas telefónicas?

— Só podemos aceder a esse material com autorização — observou Rasmussen, olhando para o colega.

— Steve, aguenta aí. O Waleed, o chefe da Nura Khalifa, e o xeque Omar fizeram uma série de perguntas a respeito do trabalho do tio dela, considerado um perigo pelos islamitas radicais. Em seguida, ouvimos dizer que o Omar contratou um assassino para eliminar uma ameaça para o Islão e, pouco tempo depois, o tio morre num incêndio? Não te parecem coincidências a mais?

— Não acredito em coincidências.

— Nem eu — respondeu Ozbek.

— Isso em nada altera o facto de a CIA estar proibida de empreender operações internas.

— Se não te agrada...

— Eu não disse que não me agradava — replicou Rasmussen.

— Ainda bem. De quanto tempo precisas para arranjar tudo quanto mencionei?

— Incluindo o envio de equipas em plena luz do dia para Georgetown e para a residência do doutor Khalifa? Pelo menos várias horas.

— Está bem.

Ozbek pegou no papel onde tinha escrito o número do telemóvel de Andrew Salam e entregou-o a Rasmussen.

— Isso dá-nos tempo para preparar o Plano B.

CAPÍTULO

23

PARIS

A Feira Internacional de Livros Antigos realizava-se todos os anos no Grand Palais, um dos mais fabulosos edifícios de Paris. Construído em 1900 para a Exposição Universal, este palácio clássico tem por cobertura uma série de cúpulas de aço e vidro. Um monumento à glória da arte francesa e um dos locais de exposição de que Harvath mais gostava. Mas naquele dia não tinha tanto a certeza disso.

O Grand Palais estava sob a protecção de alguns dos melhores especialistas em segurança de todo o mundo. Na cave do palácio, funcionava o departamento da polícia encarregado de proteger o material exposto e os próprios expositores. A reunião anual de negociantes de livros raros atraía grandes multidões, e em exposição estavam objectos tão raros como manuscritos do século XIII, mapas dos primitivos exploradores viquingues, o manifesto do movimento surrealista e uma carta redigida por Nicolau Maquiavel por ocasião da publicação de *O Príncipe*. Tanto para os bibliófilos profissionais como para os amadores, era o evento mais importante de todo o ano. E dentro do edifício estava um homem que, sem o saber, tinha consigo a chave para desarmar a mais perigosa ameaça que impendia sobre a civilização ocidental. Tudo quanto Harvath tinha a fazer era descobrir esse homem.

Uma coisa mais fácil de dizer que de fazer, já que o negociante de livros raros que procuravam, René Bertrand, era um independente que não tinha banca própria na exposição. Tudo quanto podiam fazer era dirigirem-se ao local de encontro combinado por Nichols para apresentar a sua oferta final pelo *Dom Quixote* de Jefferson. Bertrand procurava tirar o máximo proveito da ocasião.

Mesmo com a ajuda de Nichols, a hipótese de encontrar o homem entre a multidão era mínima. Mesmo assim, o trio tinha de tentar.

As cúpulas de vidro do Grand Palais davam aos visitantes a sensação de estarem na maior estufa do mundo. Lá em cima, o céu carregado condizia com a disposição de Harvath. Sempre que via um polícia, conduzia discretamente Tracy e o professor noutra direcção. Todo o cuidado era pouco, pois não havia maneira de saber se a polícia francesa estava ou não à procura deles. Mas essa não era a única preocupação de Harvath.

Antes de saírem da barcaça, permitira a Nichols verificar o saldo da conta que o Presidente tinha aberto para ele. Não fora feito nenhum depósito, o que significava que a capacidade de negociação de que dispunham era praticamente nula.

Publicado há mais de quatrocentos anos, só se conhecia a existência em todo o mundo de dezoito exemplares da primeira edição do *Dom Quixote*. Aclamado como o primeiro «romance verdadeiro», uma primeira edição do *Dom Quixote* valia literalmente muito mais do que o seu peso em ouro.

O grupo passou os vinte minutos seguintes a abrir discretamente caminho entre a multidão.

Quinze minutos antes da hora aprazada, Harvath ordenou a Tracy e a Nichols para não saírem de onde estavam e deu uma rápida vista de olhos em redor. Mas quando voltou eles já não estavam no mesmo sítio. *Qualquer coisa estava errada.*

Harvath entrou de imediato em estado de alerta máximo. As perguntas borbulhavam-lhe na cabeça, e meteu a mão no casaco para apalpar a coronha da pistola *Taurus*. *Teriam sido apanhados pelos tipos que andavam à caça de Nichols? Ou pela polícia? E ele, seria o próximo?*

Fez os possíveis por manter a calma e por respirar normalmente. Depressa e em silêncio, fez outra ronda pelo local. Quarenta e cinco segundos depois, encontrou-os atrás de um balcão, sentados num banco. Nichols segurava um copo de água na mão esquerda e com a direita enlaçava Tracy pelos ombros.

— O que se passa? — perguntou Harvath, forçando-se a desviar os olhos de Tracy e a olhar em volta.

— Estou bem — respondeu ela.

— Não está nada bem — contrariou Nichols. — Está doente.

— *Estou bem* — insistiu Tracy.

Harvath olhou para ela.

— Outra vez as dores de cabeça?

— Precisa de ser vista por um médico — aconselhou Nichols.

— Não preciso de médico nenhum. Importam-se de acabar com isso?

O tempo estava a esgotar-se.

— Consegues pôr-te de pé? — perguntou Harvath.

— Dá-me só um minuto. Estou um bocado tonta, já passa.

Mas não tinham um minuto a perder. Harvath tentou então uma jogada arriscada. Meteu a mão no bolso e tirou várias notas de euros que meteu na mão de Nichols antes que Tracy conseguisse protestar.

— Leve-a de volta ao barco e fique lá com ela. Não use o telefone nem o computador até eu regressar. Compreende?

Nichols assentiu.

— O que vai fazer?

— Vou deitar a mão ao livro — disse Harvath, já a voltar-se e desaparecendo entre a multidão.

Quando René Bertrand compareceu, à hora exacta, não foi difícil identificá-lo. Mesmo no universo excêntrico dos negociantes de livros raros, Bertrand era uma figura que se destacava.

O exuberante dândi, vestido com um fato de seda de três peças, devia ter um metro e setenta, não mais. A única coisa mais delgada que o rosto emaciado era o bigode sobre o lábio superior, quase inexistente. Usava o cabelo separado por uma risca do lado esquerdo e puxado para trás com um fixador qualquer. Os olhos verdes agitavam-se frenéticos sob duas sobrancelhas exageradamente cuidadas. Do bolso do colete emergia uma corrente de ouro que prendia um relógio. Nos pés, o negociante de antiguidades bibliográficas calçava uns sapatos pretos e brancos reluzentes e, no bolso superior do casaco, flutuava um lenço colorido.

Harvath reparou nas olheiras escuras e carregadas e, considerando a aparência geral do homem, interrogou-se se a inquietação de Bertrand estaria relacionada apenas com o facto de estar na posse de um dos livros mais valiosos do mundo.

Esperou até não se atrever a mais e aproximou-se finalmente do homem.

— *Monsieur* Bertrand?

— Sim? — respondeu o negociante de livros antigos num inglês carregado de pronúncia.

Harvath tinha encenado a abordagem. Nichols dissera-lhe que Bertrand era muito cauteloso. Ao professor só tinha mostrado cópias das primeiras páginas do *Dom Quixote* com a dedicatória de Cervantes ao duque de Bejar, a frase em latim «Depois das trevas, espero a luz», e, claro está, as linhas escritas pelo punho de Thomas Jefferson.

Era mais do que certo que Bertrand não traria o livro consigo. Devia estar guardado em local seguro até ter concluído o negócio e recebido o dinheiro.

— Trabalho com o professor Nichols — apresentou-se Harvath.

— E porque ele não veio?

— Está a reunir o resto do dinheiro.

René Bertrand sorriu, mostrando os dentes escurecidos por uma vida de cigarros e de cafés.

— Isso está muito bem, mas a verdade é que ele ainda não me fez uma proposta aceitável.

Harvath percebeu que Bertrand estava a suar.

— Sente-se bem, *monsieur?*

O sorriso não desapareceu.

— Qual é a proposta, se faz favor?

— Estamos dispostos a dar mais cem mil que a concorrência.

— Euros? — perguntou Bertrand.

— Naturalmente. Tenho autorização para lhe entregar isto — respondeu Harvath a bater no bolso do casaco. — Dez mil euros já e em dinheiro, em troca de dez minutos do seu tempo. Pode ser?

— Dez minutos do meu tempo para quê?

Foi a vez de Harvath esboçar um sorriso.

— Para lhe explicar por que razão deve aceitar a oferta e por que motivo a Universidade da Virgínia é o destino ideal para esse livro.

As pálpebras pesadas do comerciante de livros contraíram-se.

— E os dez mil euros são meus seja qual for a conclusão disto?

Harvath concordou:

— Seja qual for a conclusão.

— Posso ver o dinheiro?

Harvath tirou o envelope do bolso e mostrou-lhe discretamente o maço de notas.

— Podíamos ir a um café aqui por perto, não?

Bertrand adorava fazer negócio com universidades, especialmente universidades americanas. Pelas experiências que tinha tido, era gente com mais dinheiro que bom senso.

— Há um café aqui perto — respondeu. — De qualquer maneira, tenho de ir aos lavabos. Vamos despachar-nos. Tenho um encontro com os seus concorrentes dentro de trinta minutos.

No mundo da espionagem, os operacionais aprendiam a distinguir os pontos fracos do seu interlocutor. Para Harvath, René era um livro aberto, para usar um trocadilho óbvio. Estava resolvido a fazer um dinheirão com a venda do *Dom Quixote,* mas dez mil euros por dez minutos era um isco irrecusável. Por vezes, os espiões tinham também de ser vigaristas. A maneira mais segura de dominar alguém era pedir-lhe um favor.

Precisamente o que Harvath fizera. Agora, para que o plano resultasse, tinha de fazer com que Bertrand saísse do edifício.

Os dez mil euros não passavam de um engodo, e o negociante de livros caíra. Era evidente que tomava Harvath por parvo, mas não tardaria a ver quem é que ali era o parvo.

O par abriu caminho pela galeria principal até à porta do Grand Palais. Estavam a uns cinquenta ou sessenta metros da saída quando Harvath sentiu um objecto duro encostado ao fundo das costas.

Uma voz de homem segredou-lhe junto ao ouvido:

— Se fazes um disparate, aperto o gatilho e rebento-te a espinha.

Não se apercebera da presença dele, o que nada tinha de extraordinário naquele aglomerado de gente, mas mesmo assim devia ter notado a sua aproximação. Devia ter estado mais atento.

O homem falava num inglês perfeito, pelo que Harvath percebeu de imediato que não podia ser francês. Podia ser um segurança de Bertrand, mas desconfiava que não. Não tinha feito nada ao comerciante de livros que exigisse aquela reacção. O homem havia esperado que ele o trouxesse para junto da saída da exposição, o que só deixava uma opção em aberto.

Tinha de ser o outro comprador do *Dom Quixote*. «A concorrência», como lhe chamara o alfarrabista, com a qual se deveria encontrar dentro de trinta minutos.

Fosse quem fosse, o homem tinha uma pistola encostada às costas de Harvath. E, por muito furioso que este estivesse consigo mesmo por se ter deixado surpreender, não tinha outro remédio senão obedecer às ordens dele.

Com a mão livre, o homem agarrou o braço esquelético de René Bertrand, mostrou-lhe a arma, encostou o negociante de livros a Harvath e encaminhou o par para a frente. Aterrado, Bertrand mal conseguiu articular:

— Você!

O cérebro de Harvath trabalhava febrilmente para encontrar uma maneira de distrair o homem e sacar-lhe a arma, mas não podia fazer nada. Estavam entalados numa vaga de gente que se dirigia com lentidão para a saída. Sentia na nuca a respiração do atacante e estava quase colado à pessoa que seguia adiante. Sempre na expectativa de que se abrisse um espaço à sua frente e que se gerasse alguma espécie de confusão. Mas o que aconteceu foi um verdadeiro milagre.

Para lá da multidão ondulante que tinha diante de si, Harvath entreviu três polícias franceses junto da saída. Um deles parecia perscrutar os rostos de quem passava e confrontar com uma folha de papel que tinha na mão.

O homem da pistola também viu os polícias. Apertou com mais força o braço do livreiro, acentuou a pressão da arma contra as costas de Harvath e rosnou:

— Um movimento em falso e mato os dois antes de a polícia perceber o que está a acontecer.

Para Harvath, nem se colocava a questão de saber como havia de agir. Só esperava que o polícia andasse à procura dele e que o papel que ele tinha na mão fosse a sua fotografia.

Mais próximo da porta, a massa humana que tinham à frente começou a ser menos compacta e o polícia examinava os rostos dos que estavam à volta de Harvath. Como sabia que o homem da pistola não lhe podia ver a cara, Harvath começou a movimentar os olhos para chamar a atenção. Ao olhar para a esquerda, viu que o negociante de livros tinha a cara coberta de suor e que tremia. Ou estava cheio de medo por causa do raptor ou havia outra razão para se sentir em perigo. Não tardou muito para que o descobrisse.

Quando se aproximaram dos polícias, o agente que tinha o papel na mão reconheceu-os. Fez uma última verificação e alertou os colegas, um dos quais falou imediatamente pelo rádio.

Harvath tinha a certeza de que o tinham identificado até ao momento em que os polícias sacaram das armas e mandaram parar René Bertrand.

O homem armado não perdeu tempo e disparou vários tiros com a pistola *Heckler & Koch* do lado direito de Harvath, provocando um tremendo burburinho no átrio do Grand Palais.

CAPÍTULO

26

Harvath deu meia-volta e enterrou o cotovelo no plexo solar do homem da pistola. Quando o assassino caiu, Harvath sacou da pistola mesmo a tempo de ver René Bertrand voltar a correr para o interior do edifício.

Os três polícias foram atingidos, dois deles sangravam e Harvath receou que não sobrevivessem. O terceiro pedia auxílio pelo rádio.

Com gente a correr em todas as direcções, Harvath tinha de tomar uma decisão. A sua prioridade era o comerciante de livros e, depois de uma olhadela ao atirador caído, resolveu ir em perseguição do francês.

Bertrand tinha apenas uns vinte metros de avanço, mas por causa da multidão não conseguia aproximar-se. Sentia-se como um salmão a lutar contra a corrente. Ergueu a pistola e disparou um tiro para o ar. A multidão dividiu-se como por encanto e Harvath correu atrás do homem. Bertrand virou bruscamente para a esquerda e foi de encontro a uma pesada estante com livros, que derrubou. Harvath saltou por cima dos livros, a empurrar as pessoas para um lado e para o outro. Não podia distrair-se, não fazia tenção de se deixar surpreender outra vez.

A menos de dez metros de Bertrand, percebeu que ele fugia em direcção a uma saída de emergência. Quando o negociante de livros já estava perto da saída, Harvath disparou duas vezes contra a porta e gritou-lhe que parasse. Bertrand podia ser meio louco, mas não era estúpido, e deixou-se ficar especado.

Num abrir e fechar de olhos, Harvath estava em cima dele. Sem largar a arma, agarrou-o pelo colarinho e bateu-lhe com força no estômago com a outra mão. Quando Bertrand se dobrou, Harvath abriu a porta de emergência com um pontapé e arrastou o homem para o lado de fora.

No Cours de La Reine, Harvath deteve um *Renault* dos anos de 1970, sacou lá de dentro o jovem condutor, enfiou René Bertrand no automóvel e disparou a toda a velocidade pela Ponte Alexandre III, em direcção à barcaça.

Depois de abandonar o carro a vários quarteirões de distância do Quai de la Tournelle, Harvath enroscou o silenciador no cano da pistola e avisou o negociante de livros do que lhe aconteceria se não cooperasse. Fizeram a pé o resto do caminho até ao esconderijo da Sargasso, escondendo-se sempre que passava um carro da polícia a grande velocidade.

Quando chegaram à barcaça, Harvath abriu a porta da casa do leme e empurrou René pela escada abaixo.

Nichols, que estava na cozinha a fazer chá, e Tracy, deitada no sofá, sobressaltaram-se com a súbita irrupção.

— Professor — disse Harvath, atirando Bertrand para cima de uma cadeira —, preciso que me arranje um pedaço de corda. Deve haver alguma lá em cima, no convés.

— Vou já — respondeu Nichols, que desligou o fogão e desapareceu pela escada.

Tracy pôs-se de pé e perguntou:

— Este é o negociante de livros raros?

— É — respondeu Harvath.

Tracy examinou o homem. A pele dele era tão pálida que parecia transparente. E estava alagado em suor. Embora não parasse de os humedecer com a língua, tinha os lábios secos e gretados.

— O que lhe fizeste?

— Nada. Por enquanto. Parece que aqui o nosso amigo está pedrado. Não estás, René?

— É um viciado em heroína? — perguntou Tracy.

— Que tinha a polícia à espera dele à saída do Grand Palais. Era por isso que tinhas tanto medo, não era, René?

O negociante de livros furtou-se a olhar Harvath nos olhos.

— O que aconteceu? — quis saber Tracy.

Sem tirar os olhos do homem, Harvath puxou uma cadeira e disse:

— Íamos a sair do Grand Palais para discutir os pormenores da transacção quando o contacto das quinze e trinta apareceu e me encostou uma pistola às costas.

Tracy ficou atónita.

— Parece que os clientes do René têm muito cuidado com ele — prosseguiu Harvath. — Seja como for, o tipo estava a levar-nos para a porta quando os polícias detectaram o René e lhe deram ordem para parar. Nessa altura, o gajo disparou contra eles. Dois devem ter morrido e o terceiro deve ter ficado em mau estado.

— Como conseguiste fugir?

— O nosso amigo René achou boa ideia pirar-se por uma saída de emergência, e eu ajudei-o. Depois houve alguém que teve a amabilidade de nos emprestar um carro, que deixei a meia dúzia de quarteirões daqui.

— Tens a certeza que não era de *ti* que os polícias andavam à procura? — perguntou Tracy.

Harvath ia a responder, quando Nichols apareceu com uma corda.

— Cá está.

Harvath pegou na corda e começou a amarrar o francês à cadeira.

Nichols empalideceu, certamente a recordar-se do que tinha passado no hotel.

— Vai torturá-lo? — perguntou.

— Vai ser uma espécie de tortura, mas não lhe vou tocar com um dedo — tranquilizou-o Harvath. — Assim que estiver preparado para isso, *monsieur* Bertrand vai dizer-nos tudo o que precisamos de saber. Não vais, René?

Bertrand não respondeu.

Harvath revistou-lhe as roupas e encontrou aquilo que procurava. No bolso interior esquerdo do casaco de René, encontrou uma cigarreira de prata de tamanho avantajado. Harvath abriu-a e colocou-a em cima da mesa diante dos olhos do negociante de livros. Sabia que as tensões vividas no Grand Palais tinham exaurido os nervos de Bertrand. A uma dúzia de centímetros do nariz, estava agora a heroína pela qual o seu corpo tanto ansiava.

MESQUITA DE UM AL-QURA
FALLS CHURCH, VIRGÍNIA

— Pois claro que estou irritado! — berrou Abdul Waleed, a andar de um lado para o outro. — Tínhamos combinado que iria parecer crime seguido de suicídio. Mas a Nura Khalifa está morta e o Andrew Salam continua vivo!

O xeque Mahmud Omar levantou-se da requintada secretária em aço de Damasco e com um gesto indicou a carpete e as grandes almofadas de seda no centro da sala. Em cima de uma peça de tecido, conhecida como *sufrah,* estava colocado um tabuleiro com chá.

— Aprendemos pouco com os nossos triunfos, mas muito com os nossos fracassos — disse o imã no momento em que se sentava.

— Possivelmente, não me está a perceber — retorquiu o presidente da FAIR, que ocupou o lugar oposto ao xeque. — O Salam vai contar à polícia tudo quanto sabe, se não o fez já. O FBI pode já estar envolvido. De uma maneira ou de outra, vai aparecer alguém para me fazer perguntas.

O xeque Omar levantou o bule cintilante e despejou o café árabe em duas pequenas taças sem asa. O compartimento encheu-se dos vapores voluptuosos do café, que se misturaram aos odores do açafrão e do anis.

— O que vão ficar a saber?

Waleed perguntou a si mesmo se o homem não estaria a ficar doido.

— *O que vão ficar a saber?!* Por onde devo começar?

O xeque estendeu-lhe a tradicional chávena meio cheia de café e disse:

— Enquanto as palavras não forem ditas, são vossas escravas; depois de ditas, sois vós escravo delas.

— Basta de provérbios beduínos, Mahmud. Temos de imaginar um plano.

Omar beberricou um gole de café.

— As provas que colocámos em casa deles e no seu escritório, ainda lá estão?

Waleed disse que sim com uma inclinação da cabeça.

— As câmaras de vigilância do monumento não estavam a funcionar, pois não?

— Certo — confirmou Waleed.

— Então, não temos de fazer nada. O que deixámos é suficiente para convencer as autoridades de que a Nura se ia encontrar com o Salam para terminar a relação com ele. Estava envergonhada por ter cedido antes do casamento e tencionava pedir perdão à família. O Salam entendeu que se ela não podia ser dele também não seria de mais ninguém.

— Está a subestimar o FBI.

— Estou? — perguntou Omar. — Uma mulher é tragicamente assassinada, uma mulher muçulmana que trabalhava nos escritórios da FAIR. Há provas que apontam para uma relação tensa entre ela e o homem que a matou. A menos que você diga alguma coisa estúpida, a investigação acaba aí.

— E o Salam? A história que vai contar? O treino que recebeu? E o meu relacionamento pessoal com ele? — perguntou Waleed.

— Quando o FBI lhe perguntar sobre isso, você admite tudo. Conheceu o Salam quando ele começou a frequentar esta mesquita. Era um tipo inteligente, encantador e extremamente criativo. Foi por isso que contratou a firma de relações públicas onde ele trabalhava para tratar da imagem da FAIR junto dos média. O homem trabalhava com a Nura, e você suspeitava de qualquer coisa mais entre eles, mas nunca teve a certeza. Ela era muito discreta em relação à sua vida privada...

— E o homem que o Salam pensava ser o seu mentor? E as provas que ele estava a reunir contra nós?

— O mentor certificou-se de que em cada reunião o Salam o informava de tudo o que sabia. As ordens que ele tinha eram de nunca guardar para si uma informação que o pudesse comprometer.

Waleed abanou a cabeça.

Omar pousou a chávena.

— Ou prefere que o verdadeiro FBI tivesse tentado dar a volta à Nura? E aos outros que trabalham para nós?

— Não, claro que não.

— A Operação Glass Canyon foi uma ideia brilhante e os nossos benfeitores da Arábia Saudita estão plenamente satisfeitos. Ao infiltrarmo-nos em nós próprios, ficámos mais bem preparados para detetar as tentativas de grupos sionistas e de organizações como o FBI e a DHS. Para além de recebermos mais informações dos nossos espiões do que dos funcionários mais leais. O que gastámos com a McAllister & Associates foi amplamente compensado e pode dizer-se que a iniciativa foi lucrativa sob vários aspectos. Mas o Salam está na cadeia. Os nossos patrocinadores sabem disso?

O imã encolheu os ombros.

— Por cada vez que olhamos para trás, temos de olhar duas vezes para a frente. Havemos de encontrar alguém para o substituir. A vida continua.

Waleed gostaria de sentir tanta confiança como o xeque.

— Continuo a pensar que o Salam sabe de mais e que é um perigo para nós. Foi bem treinado. A história dele há-de parecer verdadeira.

— Afinal, a que ponto foi ele bem treinado? Tudo o que aprendeu podia ter encontrado nos livros.

— Vai conduzi-los a Islamaburg — contrapôs Waleed.

— Onde ele e outros jovens muçulmanos aprenderam a disparar uma arma de fogo e a defender-se. E então? Não violámos nenhuma lei. Confie em mim, Abdul. A pista não tarda a arrefecer.

Waleed tirou do tabuleiro um pequeno doce, que meteu na boca. Quando estava nervoso, comia sempre mais.

— Quais são as notícias de Paris?

Mahmud Omar escolheu com cuidado as palavras antes de responder. Não tinha interesse em preocupar Waleed ainda mais.

— As coisas estão a andar.

— Quer dizer que o problema ainda não está resolvido?

O xeque esboçou um sorriso tranquilizador.

— Mas tenho a certeza de que vai estar. Todos os atrasos têm a sua razão de ser. Al-Din vai ser bem-sucedido em Paris e em breve poderemos esquecer isto tudo.

Quando terminou o encontro com Omar, Abdul Waleed saiu da mesquita e dirigiu-se para o automóvel. Ao atravessar a rua, recordou-se que era preciso mostrar-se tranquilo. Era muito natural que tanto o FBI como a polícia lhe quisessem fazer perguntas. Tinha pensado em exigir a presença de um dos advogados da FAIR, mas Omar recomendara-lhe que não o fizesse. Iria parecer suspeito.

Precisava de contactar o escritório para saber se as autoridades tinham falado para lá, ou se aparecera alguém sem se fazer anunciar. Omar dissera-lhe que haviam de aparecer para fazer uma busca na secretária, no computador e nos objectos pessoais de Nura.

Rodou a chave na ignição e ligou o telemóvel que trazia à cintura, protegido por uma bolsa de plástico. Omar detestava ouvir telemóveis a tocar dentro da mesquita. Achava que eram uma afronta a Alá. A única coisa que detestava ainda mais que os telemóveis eram os cães.

Nesse aspecto, Waleed concordava inteiramente com ele. Os telemóveis eram um mal necessário para a vida moderna, mas quanto à repulsa pelos cães sempre estivera de acordo com a lei islâmica. Eram bichos sujos e impuros, e Maomé tinha tido razão ao proibir os muçulmanos de os ter como animais de estimação.

Waleed ligou o auscultador, afastou-se do passeio e entrou em contacto com o escritório.

O homem não fazia a mínima ideia de que Steve Rasmussen tinha acedido remotamente ao telemóvel de Andrew Salam, que se encontrava na sala de provas da Polícia Metropolitana, e descarregado o seu conteúdo.

Assim que Rasmussen descobriu o número do telemóvel de Waleed, Ozbek entrara em acção por um novo processo de vigilância electrónica que lhes permitia ligar e desligar o microfone de Waleed. Tinham ouvido toda a conversa com o xeque Omar.

Era a primeira pista sólida que os operacionais da CIA encontravam. As rusgas disfarçadas empreendidas à casa do doutor Khalifa e ao seu gabinete em Georgetown tinham-se revelado infrutíferas.

Ozbek estava agora ao telefone, a dar ordens ao resto da DSP.

— Exactamente. Quero toda a equipa atenta ao que se passa em Paris. Toda a gente. Já. Dentro de uma hora, temos reunião na sala de conferências.

Quando desligou o telefone, Rasmussem olhou para ele e disse:

— Por enquanto, nada do que apurámos serve de prova em tribunal.

Ozbek sabia que ele tinha razão.

— Para além de possivelmente termos dado cabo de uma boa parte da investigação do FBI.

Essa ideia já passara pela cabeça de Ozbek, mas como não queria pensar no assunto descarregou a irritação em cima de Rasmussen.

— Já é a segunda vez que me dizes que passei as marcas. Sei isso muito bem e não quero voltar a ouvi-lo, está

148

bem? Quanto mais oiço o nome dele, mais me convenço que esse al-Din era um assassino ao serviço da CIA. O Mahmud Omar e o Abdul Waleed são islamitas fanáticos a quem o FBI já devia ter deitado a mão há muito tempo. O país está em guerra e a nossa missão é fazer com o que inimigo não saia triunfante. E, antes de me fazeres um discurso sobre o respeito pela Constituição, quero que pares dois segundos e penses o que aconteceria à Constituição e à Declaração de Direitos se a América se tornasse um país muçulmano.

— Eu não disse nada disso — respondeu Rasmussen.
— Descontrai-te.

— Sei muito bem que tens amigos no FBI. São bons tipos. Mas quando estás a lutar contra bandidos que só usam golpes baixos, precisas de ter a teu lado gente que se esteja cagando para as regras do boxe.

— Ouve — contrapôs Rasmussen. — Eu estou de acordo contigo. Este combate não tem regras, sei isso muito bem.

— Mas?...

— Não há nenhum *mas*. Somos pagos para encher chouriços, mas ninguém quer saber como. Só lhes interessa o sabor.

— Então, posso contar contigo? — perguntou Ozbek.

— Claro que podes — replicou Rasmussen, que concluiu: — Encontramo-nos daqui por uma hora na sala de conferências.

Ozbek ficou a vê-lo sair e perguntou a si mesmo se poderia continuar a contar com ele se as coisas ficassem ainda mais feias.

CAPÍTULO

28

PARIS

Harvath obrigou René Bertrand a ver enquanto ele pegava numa colher da cozinha, previamente desinfectada, e retirava uma pequena quantidade de heroína da «tabaqueira».

A droga exalou um cheiro levemente avinagrado quando lhe adicionou uma gota de água com a seringa do alfarrabista. Com o isqueiro de Bertrand, Harvath aqueceu a mistura e usou o êmbolo da seringa para mexer. Quando a mistura estava pronta, colocou um pedaço de algodão no centro da colher. A bola de algodão sugou a totalidade da mistura como se fosse uma esponja.

A boca de Bertrand, seca ainda há instantes, enchia-se de água, e o homem não tirava os olhos dos movimentos de Harvath. Depois de limpar o êmbolo, este voltou a montá-lo na seringa. Espetou a bola com a agulha e puxou o êmbolo para trás, muito lentamente. Embora o processo se destinasse a filtrar as possíveis impurezas contidas na droga, o verdadeiro intuito era aguçar o apetite de Bertrand.

Embora já o tivesse feito muitas vezes, Harvath não gostava de torturar pessoas. Havia um momento em que se tornava indispensável, mas no que tocava a Harvath só quando todos os outros métodos haviam falhado. A manifesta dependência de René Bertrand em relação à droga proporcionava-lhe uma alternativa simples para a tortura.

Embora houvesse quem fosse capaz de afirmar que aquilo não era outra coisa senão tortura, a verdade é que estavam enganados. Ele sabia muito bem o que era a tortura, e aquilo nem lhe chegava aos calcanhares.

Harvath arregaçou a manga esquerda do casaco do homem e enrolou a camisa. Esfregou-lhe o braço com outro pedaço de algodão desinfectado e disse:

— Vamos deixar-nos de tretas, *monsieur* Bertrand. Você tem uma coisa que eu quero. Quanto mais depressa cooperar, mais depressa irá para o país dos sonhos, percebe?

Os olhos do homem não se despegavam da seringa cheia que Harvath colocou em cima da mesa. Este sabia que a dependência da heroína era das mais difíceis de suportar.

Quando se fez ouvir, a voz de Bertrand saiu rouca.

— No Inferno, há um lugar especial para tipos como você.

— Diga-me onde está o *Dom Quixote*.

O negociante de livros resfolegou o seu desprezo e revirou os olhos.

— Para que o possa roubar? Mas que proposta mais interessante! É assim que agora trabalham as universidades americanas?

Foi a vez de Harvath esboçar um gesto de desdém.

— É, é uma política nova. Votámos nela logo depois de termos decidido andar armados.

Embora o sangue lhe fervesse nas veias, Bertrand não respondeu.

— René, tanto você como eu sabemos que não trabalho para nenhuma universidade. E também sabemos que você está na posse de um livro que não lhe pertence. Foi roubado, e exijo a sua devolução.

— Quem é você? — perguntou o francês. — Foram os meus clientes que descobriram o livro. O que lhe dá direitos sobre ele?

Harvath estava farto da conversa. Pegou na seringa e diante do nariz do homem premiu o êmbolo para fazer sair um pequeno esguicho de heroína.

— *Putain merde!* — berrou o tipo.

— Diga-me onde está, René — aconselhou Harvath.

Bertrand não cedeu.

Harvath olhou para Nichols e ordenou:

— Abra a vigia.

— Desculpe?

— Faça o que lhe digo — repetiu Harvath, agarrando nos objectos que pertenciam ao negociante de livros e no resto da heroína.

Nichols abriu a vigia e afastou-se. Harvath atirou tudo ao rio, ficando apenas com a seringa.

— Agora só tens isto — disse Harvath, que voltou a sentar-se diante do francês, a mostrar-lhe a seringa. — Só te sobra isto. Diz-me onde está o livro, ou então podes também dizer-lhe adeus.

Para sublinhar o seu ponto de vista, Harvath voltou a carregar no êmbolo e um novo esguicho se perdeu no ar.

O negociante de livros fixou em Harvath um olhar raivoso e rosnou no seu inglês carregado de pronúncia.

— Chega. Eu digo onde está.

Harvath esperou.

Bertrand olhou para ele, tresloucado.

— Primeiro, dê-me a droga.

— Primeiro, dizes onde está o *Dom Quixote*.

— *Monsieur,* por favor. Ajude-me que depois eu ajudo-
-o. Prometo.

— Primeiro, quero o livro.

— *Putain merde!* — explodiu novamente Bertrand.
— Por favor!

Harvath ergueu a seringa e fez menção de deitar fora
mais líquido.

— Eu não tenho o livro!

— Onde está?

— Não posso ir buscá-lo — gaguejou Bertrand.

— Porquê? — insistiu Harvath sem largar o êmbolo da
seringa.

— São outros tipos que o têm. Não o entregam sem
o dinheiro ter sido transferido.

— Mas qualquer comprador inteligente haveria de querer vê-lo antes de abrir mão de tanto dinheiro.

— *Monsieur...*

— Ele tem razão — atalhou Nichols. — Quem quer
que faça o lance maior, tem direito a consultar o livro antes
de transferir o dinheiro.

O rosto de Bertrand endureceu.

— Estes tipos não brincam. Se não lhes pagarem, vão
meter-se num grande sarilho.

— Eu arrisco — respondeu Harvath, que baixou a seringa até alguns milímetros do braço do homem. — Onde
está o *Dom Quixote*?

— Está numa mesquita, em Clichy-sous-Bois — soltou
Bertrand num suspiro.

Com as suas experiências no Iraque e noutros pontos quentes do mundo, Tracy Hastings tinha uma capacidade excepcional para planear operações. No entanto, tudo quanto conseguia naquele momento era estar deitada no escuro com um pano húmido a tapar-lhe os olhos.

— O Nichols tinha razão, temos de te levar a um médico — disse Harvath, que entretanto usava o computador para obter informações sobre a Mesquita Bilal, de Clichy--sous-Bois.

— Já te disse que isto passa.

Harvath afastou-se da pequena secretária de madeira e virou-se para a olhar cara a cara.

— Vamos esquecer toda esta porcaria. O Presidente, o maldito livro, tudo.

Tracy retirou o pano que lhe tapava a cara e sentou-se na cama, encostada às almofadas.

— Não podes fazer isso. Por minha causa, não.

— As dores de cabeça são cada vez mais intensas. Basta olhar para ti. Precisas de ajuda.

— O Nichols também precisa. E o Presidente.

— Depois de tudo o que se passou, como continuas a ralar-te com o Presidente? Quase morreste por causa dele!

— Já esqueci isso. Tens de fazer o mesmo.

— Não posso.

— Tens de o fazer! — insistiu ela.

Sem se levantar, Harvath inclinou-se para a frente.

— Tracy, não quero voltar à minha antiga existência. Quero esta vida que temos agora, quero-te a ti.

— E tens-me. Não vou fugir para lado nenhum.

— Não percebes o que estou a tentar fazer... — começou ele a dizer.

Tracy olhou-o nos olhos.

— Scot, não te posso prometer que entre nós tudo será perfeito. Parti a bola de cristal no dia em que me deram um tiro. O que te posso garantir é que sei quem és. O melhor da tua vida foi dedicado a lutar contra os inimigos da América, em especial um deles. Agora, e sem necessidade de matar ou de maltratar ninguém, tens a hipótese de pôr cobro a uma das mais terríveis ameaças de sempre para a civilização. Não vou deixar que deixes escapar essa oportunidade. Não posso.

»É nisso que és realmente bom. Sabes como esta gente joga e sabes como vencê-los no seu próprio jogo. Estás zangado com o Presidente porque ele fez um acordo secreto para libertar um terrorista que perseguiu a tua família e os teus amigos. Está feito. Esquece. Isto nada tem a ver com ele. Isto é uma questão de certo ou de errado. E tens obrigação de fazer o que está certo.

— Mas tu precisas de ajuda.

— Está bem — concedeu ela. — Preciso de ajuda e vou obtê-la. Mas sem ti. E não há mais discussões.

— Tracy, ouve.

— Scot, se tiver de sair desta cama para te meter algum juízo na cabeça, é isso que faço. Não me apetece, mas é isso que faço.

Harvath sorriu. Tracy Hastings era a mulher mais extraordinária que já encontrara. Se tivessem cem anos para viver juntos, passaria todos os dias a dizer-lhe quanto ela significava para ele sem nunca conseguir exprimir o que sentia.

— Quero ser feliz e quero estar contigo. Mas para que a coisa funcione entre os dois não podes deixar de ser quem és — prosseguiu ela.

— Mesmo que seja o tipo que desaparece durante semanas a fio sem poder dizer para onde vai nem quando volta?

— Desde que não seja por causa de uma amante, parece-me que não será um problema.

Harvath sentia-se perdido.

— E agora — continuou Tracy, endireitando-se na cama — passa aí o computador e vamos ver como vais entrar nessa mesquita para recuperar o livro.

O negociante de livros fora imensamente cauteloso nas negociações. Dodd pensara que eram apenas manias de um excêntrico. Mas não era excentricidade, apenas uma abundância de precauções, e agora percebia porquê.

Penetrar no sistema informático das autoridades francesas fora mais fácil do que esperava. O ficheiro sobre René Bertrand era bastante interessante. O tipo tinha um longo cadastro de infracções, na maioria dos casos relacionadas com droga, mas sucessivamente mais graves. Naquele momento, a polícia andava no encalço do negociante de livros por uma alegada ligação a uma rede de contrabando que operava entre Marrocos e a França. As investigações haviam revelado tudo, desde mulheres a dinheiro, armas, droga e inúmeras pessoas que tinham aparecido mortas.

Para as autoridades policiais, Bertrand era uma figura interessante, mas o pormenor mais relevante, pelo menos para Dodd, era o facto de o homem ser detestado por toda a gente com quem entrara em contacto.

René, o viciado em heroína, precisava de se esconder e estava desesperado por dinheiro. Não era para admirar que se arriscasse a ser visto em Paris. Precisava de despachar o *Dom Quixote* para fazer dinheiro e sair de circulação. Até a polícia ter aparecido no Grand Palais, Dodd não fazia ideia de que ele tivesse tantas coisas a esconder. Devia tê-lo investigado melhor.

O seu plano era entrar em contacto com o negociante de livros antigos e mantê-lo debaixo de olho até que Nichols aparecesse. Por essa altura, a única coisa que Dodd queria era suprimir Nichols de uma maneira ou de outra, mas uma facada talvez fosse o melhor.

Fora então que Omar viera com a ideia da bomba no automóvel. Mau grado as objecções de Dodd, o xeque insistira num gesto grandioso. Mas o gesto grandioso tinha falhado, tal como falhara a segunda tentativa para assassinar Nichols. Agora, Nichols estava vivo, e tanto o alfarrabista como o livro haviam desaparecido de cena.

Omar era um homem de vistas terrivelmente curtas. Tinha acesso a verbas ilimitadas e poderia ter apresentado uma oferta imbatível para comprar o livro, mas a vontade de «marcar presença» levara a melhor. Nichols não era tão fácil de aniquilar como o xeque tinha pensado.

Dodd não fazia ideia de quem seriam o homem e a mulher que o estavam a ajudar, mas queria vê-los mortos. Demasiadas coisas tinham corrido mal, e Dodd precisava de cortar o fio da pouca sorte. Mas, acima de tudo, o que era importante era deitar a mão ao tal livro.

O assassino já vasculhara o quarto de hotel de Bertrand e saíra de mãos a abanar. Ao passar a pente-fino a ficha de Bertrand na polícia, Dodd esperava encontrar qualquer indício que o conduzisse ao *Dom Quixote*.

Bertrand era um pouco como ele próprio, um solitário sem família a quem pudesse ter dado o livro a guardar. Vivia na clandestinidade, a saltar de espelunca em espelunca, sempre um passo à frente da polícia. Embora não tivesse de recorrer a esses extremos, Dodd conhecia esses lugares e não lhe agradava a ideia de os passar em revista nas suas investigações. Mas era uma hipótese que não podia descartar.

O assassino estava prestes a sair do sistema informático francês quando um pormenor da última detenção de Bertrand lhe chamou a atenção. Bertrand tinha sido apanhado a comprar heroína em Clichy-sous-Bois, um dos bairros mais violentos dos subúrbios de Paris. Fora nesse mesmo subúrbio que eclodiram os tumultos, na sequência da perseguição da polícia a dois adolescentes muçulmanos que haviam morrido electrocutados numa estação de transformação de energia eléctrica. E não era a única vez que Bertrand fora preso em Clichy.

Dodd começou a compilar uma lista de nomes de pessoas detidas na mesma altura que o antiquário ou referidas como suspeitas pela polícia. Algumas dessas pessoas tinham um cadastro impressionante. Mas mais importante que os crimes cometidos era o facto de todos serem de ascendência marroquina e de estarem sob investigação dos serviços de espionagem franceses, os Renseignements Généraux, ou simplesmente RG.

Ao fim de algumas horas de tentativas, Dodd concluiu que não estava à altura de penetrar nos computadores dos RG. Tinha de se contentar com o que conseguisse apurar nos ficheiros da polícia. Para além das fotografias, Dodd fez uma lista das últimas moradas conhecidas, dos pormenores das detenções e de uma informação avulsa que os RG não deviam fazer ideia de que seria possível encontrar nos computadores da polícia.

A estratégia de luta contra o terrorismo dos franceses assentava na detecção dos atentados antes que estes ocorressem. Para esse feito, os RG vigiavam todas as mesquitas, todos os clérigos e todos os sermões islâmicos proferidos em França desde meados da década de 1990.

Ao montar a sua investigação sobre os homens de Clichy-sous-Bois, a polícia francesa deparara-se com os agentes dos RG e tinha-o feito constar de um relatório. Embora os pormenores da investigação dos RG não figurassem nesse relatório, o local onde as duas forças se haviam sobreposto estava mencionado. Todos os homens associados a René Bertrand frequentavam a mesma mesquita.

Dodd imprimiu as fotografias, desligou o computador e olhou para o relógio. Conforme o tempo de que precisasse para se arranjar, talvez ainda fosse possível assistir à oração da noite em Clichy-sous-Bois.

31

QUARTEL-GENERAL DA CIA
LANGLEY, VIRGÍNIA

— Então, que temos? — perguntou Ozbek ao entrar na sala de reuniões apinhada de gente e colocando o copo de café no topo da mesa.

Estava no gabinete a falar com o veterinário por causa da cadela quando lhe chegara a mensagem de Steve Rasmussen.

— Há uma hora, houve uma cena de tiros em Paris — esclareceu Rasmussen que, com um gesto, indicou o monitor plano do outro lado da sala.

No ecrã passava o boletim informativo de um canal francês onde se viam a polícia, as equipas de televisão e os assistentes de primeiros socorros no exterior de um edifício de estilo requintado.

— Foi numa feira de livros antigos no Grand Palais. O atirador usou uma pistola de grande calibre. Disparou três vezes contra três polícias. Dois morreram e o terceiro encontra-se em estado muito grave.

— Se fosse um operacional do Transept, o terceiro polícia teria marchado como os outros.

— Segundo o hospital, o tipo está praticamente morto.

Ozbek organizou a informação no cérebro antes de falar.

— Então, hoje já tivemos um atentado com um carro-bomba diante de um pequeno café, num local muito frequentado pelos turistas. Depois, isto. Existe alguma descrição do atirador?

— Nada de especial.

— E as câmaras de vigilância? O Grand Palais tem-nas, com certeza.

— Pois tem, e estou quase a acabar o *download*.

— Quero pormenores da cena de tiros.

Uma das poucas agentes femininas da unidade, uma morena sedutora e terrivelmente atraente na casa dos trinta e tal anos, chamada Stephanie Whitcomb, respondeu:

— Segundo o relatório preliminar, o atirador foi visto na companhia de outros dois homens. Um deles é um francês que negoceia em livros raros e que se chama René Bertrand.

— Este Bertrand tem um longo cadastro relacionado com droga. Estava a ser procurado por ligações a uma rede de contrabando de Marrocos.

— E o tiroteio começou quando a polícia o localizou na feira? — perguntou Ozbek.

— Correcto. O outro homem do grupo parece que é americano.

— Como sabemos isso?

— Antes disto, uma testemunha ouviu-o falar inglês com uma mulher e outro homem, também presumivelmente americano. O atirador levava o antiquário e o outro tipo à sua frente e é possível que tivesse a arma na mão, embora escondida. Quando a polícia identificou René Bertrand e lhe deu ordem para parar, o tipo começou aos tiros.

Rasmussen saltou da cadeira e fez um gesto de quem desfere uma cotovelada para trás.

— Nessa altura, o americano voltou-se e aplicou no atirador um golpe que o atirou ao chão.

— Interessante... — observou Ozbek.

— No meio da confusão, o negociante de livros fugiu em direcção a uma saída de emergência. O americano foi atrás dele e disparou um tiro para o ar com a arma que levava. Menos de um minuto depois, o americano disparou mais duas vezes. Agarrou o antiquário pelo colarinho e saíram pela porta de emergência — acrescentou Whitcomb.

— O que aconteceu ao primeiro atirador?

— Desapareceu.

— Já temos o vídeo — interrompeu Rasmussen, a chamar a atenção do grupo para o monitor. — Segundo o nosso elemento de ligação aos serviços de segurança interna franceses, o primeiro atirador tomou todos os cuidados para que o seu rosto não aparecesse, mas não conseguiu.

O grupo não tirava os olhos do monitor. Rasmussen continuou a falar.

— O homem do fato branco é René Bertrand. O outro é o nosso americano. Atrás dele, do lado direito, está o primeiro atirador.

Ozbek perscrutou atentamente o ecrã.

— Não lhe consigo ver a cara.

— Continua a olhar — respondeu Rasmussen.

Observaram a cena de tiros a partir dos diferentes ângulos fornecidos.

— Cá está — disse Rasmussen. — Quando leva a cotovelada do americano, o homem dobra-se e vai ao chão. Nesta altura, toda a gente procura fugir dali, é um verdadeiro pandemónio. Mas, quando o atirador se levanta e procura os outros dois homens, mostra-nos o seu perfil por uma fracção de segundo.

— Podes ampliar isso? — perguntou Ozbek, pensando reconhecer aquele rosto.

Rasmussen isolou a imagem e ampliou-a.

— Agora, compara com as imagens do Transept. Começa com o tipo «Morto em Acção, Corpo nunca Encontrado». Mostra-nos o perfil do lado esquerdo.

Rasmussen encontrou a imagem e colocou-a no ecrã dividido. Não se ouvia uma palavra. Ao fim de alguns segundos, Rasmussen sobrepôs as duas imagens. Coincidiam perfeitamente.

Rasmussen fez passar mais filmes das câmaras de vigilância no monitor da sala de conferências.

— Isto é a cena do atentado desta manhã. Foi tirada pela câmara de um banco, do outro lado da rua.

Os membros do «Clube dos Poetas Mortos» assistiram ao roubo do primeiro carro e à sua substituição pelo *Mercedes* que transportava a bomba. Rasmussen dividiu o ecrã e projectou imagens de outra câmara. Com o auxílio de um ponteiro *laser,* explicou:

— Vêem estes dois clientes sentados na esplanada do café? Assim que o *Mercedes* chega, levantam-se e vão-se embora.

— Como se soubessem o que se ia passar — comentou Whitcomb.

— Quem são? — perguntou Ozbek. — Consegues ampliar isso?

Rasmussen sacudiu a cabeça numa negativa.

— Isto foi filmado pela câmara de um banco destinada a vigiar a máquina ATM, não o café que fica do outro lado da rua. Se ampliar desfoca-se, mas não tem importância. Vejam isto.

Rasmussen premiu mais umas teclas e no ecrã apareceu o café, visto de um ângulo diferente.

— Isto é de um hotel que fica um pouco mais acima.

Ozbek ergueu-se e aproximou-se do monitor.

— Pára aí. Consegues definir melhor?

Rasmussen fez o que lhe pediam.

— É ele. É o americano do Grand Palais.

— Mas ainda há melhor — prosseguiu o colega. — Vê isto.

Rasmussen carregou novamente em mais algumas teclas e apareceu uma imagem de outro ângulo.

— Isto é de um segundo banco, do outro lado da rua.

Diante dos olhares do grupo, viu-se um homem de cinquenta e tal anos a sair do que parecia ser uma livraria e a ir de encontro ao americano e à mulher que o acompanhava. O homem continuou na direcção do café enquanto o americano e a mulher foram em direcção oposta. De repente, o americano parece ter notado qualquer coisa que não aparecia na imagem. Voltou-se e correu atrás do homem que acabava de sair da livraria. Apanhou-o mesmo à frente do café e atirou-o ao chão, cobrindo-o com o corpo, poucos segundos antes de o automóvel explodir.

Estabeleceu-se um profundo silêncio na sala.

Ozbek foi o primeiro a reagir.

— Porque terá ido o americano atrás do homem?

— Não faço ideia — respondeu Rasmussen. — Parece que viu qualquer coisa...

— Ou alguém — atalhou Whitcomb.

— Seja lá o que for, estava fora do raio de cobertura de todas as câmaras. O que apanharam foi isto — disse Rasmussen ao fazer retroceder uma parte do filme.

Aos olhos do grupo surgiu um homem magro, vestido com um fato branco de três peças, que parou no passeio e olhou para um lado e para o outro antes de entrar na livraria.

— René Bertrand — disse Ozbek. — Quer dizer que tanto ele como o americano estavam nos dois sítios, no local da explosão e no Grand Palais. E o Dodd?

— Se lá estava, teve o cuidado de não se deixar filmar.

Ozbek bebeu um gole de café, pensando no que acabava de ouvir.

— O que sabemos sobre o americano? Parecia ter conhecimento antecipado da bomba. Mas por que motivo foi atrás do homem e se arriscou daquela maneira?

— Estou neste momento a proceder ao reconhecimento facial — informou Whitcomb, a digitar num computador portátil.

— A mulher que está com ele e o homem que saiu da livraria correspondem à descrição das pessoas com quem o americano falou em inglês no Grand Palais, pouco antes da cena de tiros — disse Rasmussen.

— Se estavam no Grand Palais, os franceses devem ter vídeos deles, não é? — observou Ozbek.

— Pode ser que sim, mas têm uma imensidade de horas de filme para examinar. É capaz de levar algum tempo a encontrar.

— Quero que os rostos da *madame* e do cavalheiro da livraria sejam também confrontados com as bases de dados.

— Já estamos a tratar disso — respondeu Rasmussen.

— Precisamos de todas as informações que se consigam obter, por mais insignificantes que sejam. Quem são? De onde vêm? Onde têm estado? Onde estão neste momento e de que maneira estão relacionados com o Matthew

Dodd? Também quero saber se têm alguma relação com o Marwan Khalifa. Vamos! Ao trabalho!

Ozbek atirou o copo vazio para o lixo e ia já a caminho da porta quando Stephanie Whitcomb exclamou:

— Já está!

— Quem? — perguntou Ozbek.

— O nosso americano. Chama-se Scot Harvath. Scot só com um tê. Cidadão dos Estados Unidos. Trinta e sete anos. Cabelo castanho. Olhos azuis. Um metro e oitenta. Oitenta quilos. Temos o número do passaporte e a data de emissão. Temos o número da Segurança Social e uma data de artigos de jornal de um elemento da equipa de esqui dos Estados Unidos com o mesmo nome de há vinte anos. Depois disso, *nada.*

— *Nada* como?

— Nada. Absolutamente mais nada. Nem declarações de impostos, nada. Penso que isto foi apagado — respondeu Whitcomb.

— Interessante, não é? — comentou Ozbek.

— Espera só até veres isto — disse Rasmussen, que tinha dado início a uma pesquisa sobre Harvath nos ficheiros da CIA.

Indicou o monitor com o queixo e acrescentou:

— Olha!

Ozbek e o resto do grupo viram aparecer a fotografia do passaporte de Harvath, bem como outra mais recente, que parecia tirada por uma câmara de circuito fechado.

— Há ali atrás qualquer coisa que não me é estranha. Onde isto foi tirado? — perguntou Ozbek.

Rasmussen relanceou o olhar pelo rosto dos colegas e, depois de confirmar, respondeu:

— Lá em baixo.

CAPÍTULO

33

Como se os três motoristas de táxi que se recusaram a transportá-lo não fossem aviso suficiente, bastou um olhar sobre Clichy-sous-Bois para convencer Harvath de que fizera bem em deixar Tracy e Nichols na barcaça.

Não que tivesse muito por onde escolher. A dor de cabeça de Tracy não a deixava mexer-se, e o professor era a única pessoa capaz de vigiar René Bertrand. De qualquer maneira, tê-los consigo num ambiente daqueles seria mais um estorvo do que uma ajuda.

Clichy-sous-Bois era um buraco infernal degradado, um miserável complexo de habitações sociais onde nem sequer havia uma estação de metropolitano ou de comboio. Todas as paredes estavam cobertas de grafitos, e os bandos de jovens violentos, vestidos à última moda dos bandos de rua, brotavam como ervas daninhas por todos os cantos e becos. Se não fosse a diferença da língua, podia ser um gueto qualquer entre Compton e Queens. Decididamente, Harvath estava fora do seu meio.

A Mesquita Bilal era um antigo armazém de dois pisos, contíguo por um lado a um talho/pastelaria e, do outro, a um balneário público, ou *hammam*. Quando chegaram diante da mesquita, o motorista de táxi, um jovem argelino chamado Moussa, ofereceu-se para ficar à espera.

Harvath recusou com delicadeza a proposta, mas o homem não aceitava uma recusa. Simpatizara com Harvath. Era a primeira vez que transportava um adulto que não lhe exigia que desligasse a música americana barulhenta e com quem se podia conversar a respeito dela. Qualquer pessoa que conhecesse as sete faixas de *Standing on the Verge of Getting It On* merecia toda a sua consideração.

Embora não vivesse em Clichy-sous-Bois, Moussa conhecia a má fama do bairro e apresentou o argumento sensato de que, ao sair da mesquita, Harvath nunca conseguiria arranjar um táxi, o que poderia ser extremamente perigoso.

O jovem tinha razão. Harvath entregou-lhe cem euros e pediu-lhe que ficasse por perto. O motorista apontou para um café do outro lado da rua e disse que, se não estivesse no táxi, estaria lá dentro.

Harvath agradeceu e saiu do táxi com a pasta e uma mala de rodinhas que tinha comprado de propósito para a deslocação à mesquita.

Sair da barcaça fora uma das partes mais difíceis da operação. Harvath já não tinha dúvidas de que a polícia fizera circular o seu retrato. Depois do tiroteio no Grand Palais, era mais do que certo. Presumiu que também o associariam ao atentado à bomba dessa manhã. Por isso, a sua primeira prioridade fora adquirir os materiais necessários para se disfarçar.

A pasta e a mala tinham vindo a seguir, e depois uma ida a uma conhecida loja de arte. Após uma passagem por um alfarrabista e por uma loja de informática, regressou à barcaça.

Nichols descarregou do correio electrónico as imagens de alta resolução do *Dom Quixote* que Bertrand lhe tinha enviado. Eram só a capa e as cinco primeiras páginas, mas teria de servir. Recorrendo a diversos tipos de papel e à impressora que Harvath acabara de adquirir, reconstituíram as páginas o mais próximo possível da realidade.

A utilização cuidadosa do pequeno forno da cozinha conferiu ao isco a pátina adequada. Embora não resistisse a um exame mais meticuloso, o que não aconteceria, era só para que Harvath pudesse sair da mesquita antes que alguém desse pela troca. Mas a parte mais difícil do plano fora imaginar uma manobra de diversão.

Foi Tracy quem teve a ideia e que deu instruções a Harvath sobre a melhor maneira de montar o engenho na pasta, de acordo com as necessidades. Uma loja de acessórios de automóveis nos arredores de Paris foi a última paragem de Harvath antes de apanhar o táxi para Clichy-sous-Bois.

Não era certamente o melhor plano do mundo, mas nenhuma operação era cem por cento segura. Há sempre a considerar o imprevisto. Dado o pouco tempo e a escassez dos recursos de que dispunham, era o melhor que podiam fazer.

Harvath duvidava que os frequentadores da mesquita o revistassem, mas à cautela resolveu não levar a arma consigo. Se fosse apanhado com a pistola, o disfarce cairia imediatamente por terra e perder-se-ia a hipótese de deitar a mão ao livro.

Foi ao ensaiar o seu papel de académico ingénuo e mais ou menos idiota que descobriram a maneira perfeita de executar o plano.

Ao aproximar-se da mesquita, Harvath respirou fundo e concentrou-se no que tinha de fazer. Assim que franqueasse a porta, não haveria maneira de voltar atrás.

Ao entrar na mesquita, a primeira coisa em que Harvath reparou foi no estado decadente do edifício. Embora a congregação tivesse feito o que podia para introduzir algumas melhorias, era impossível esconder o facto de que o velho armazém estava há mais de vinte anos a pedir o camartelo. Fossem quem fossem os fundadores da mesquita, via-se que não tinham acesso aos fundos generosos da Arábia Saudita, talvez por a versão do islamismo praticado na Mesquita Bilal não ser suficientemente «pura» para os tarados wahhabitas.

Harvath desprezava o extremismo da religião de Estado saudita, o wahhabismo, e o zelo com que estes o exportavam para todo o mundo, com o apoio de biliões de dólares anuais.

Ocultos por detrás dos wahhabitas estavam os *deobandi* radicais, que controlavam mais de cinquenta por cento das mesquitas do Reino Unido e que contavam entre os seus devotos o odioso regime dos talibãs.

O islamismo militante e ortodoxo, fosse wahhabita, deobandi ou de qualquer outra tendência, era um dos maiores problemas que se colocavam ao mundo inteiro. Os muçulmanos eram maioritários em sessenta e três países espalhados pelo globo. E dos trinta conflitos mais graves em curso, vinte e oito envolviam governos ou sociedades muçulmanas.

Enquanto as pessoas alheias ao Islão falavam na necessidade de o reformar a partir de dentro, onde esse empenhamento realmente contava, pouco ou nada era feito. Se Thomas Jefferson *tivesse* sido bem-sucedido ao procurar os textos alcorânicos perdidos, e se esses textos pudessem desligar o Islão das tendências militantes e de supremacia, o mundo inteiro só teria a ganhar com a descoberta desse material.

Os pensamentos de Harvath foram interrompidos por um homem de meia-idade, vestido com umas calças cinzentas e um pulôver preto sem mangas.

— *As sala'amu alaikum* — disse o homem, a estender a mão direita.

— Peço desculpa — respondeu Harvath cautelosamente, para não revelar o disfarce. — Não falo francês.

O homem sorriu.

— O que eu disse foi «Que a paz seja contigo.» E não foi em francês, foi em árabe.

Falava um inglês carregado de pronúncia, mas perfeitamente compreensível.

— Oh! — exclamou Harvath, fingindo ignorância e apertando a mão que o homem lhe estendia. — Obrigado.

— Posso ajudá-lo nalguma coisa?

— Estou à procura de *monsieur* Namir Aouad, penso que é o administrador da mesquita.

— E acaba de o encontrar — esclareceu Aouad. — Deve ser o assistente do professor Nichols, da Universidade da Virgínia.

— Kip Winiecki — disse Harvath, recorrendo a um antigo pseudónimo.

O administrador da mesquita apontou para a mala de Harvath.

— Está a contar ficar algum tempo connosco?

Harvath olhou para a mala e sorriu com delicadeza.

— Não, senhor. O professor Nichols já me reservou um voo de regresso para esta noite. Quer que prepare tudo para a chegada do *Dom Quixote*.

Namir Aouad era um homem encantador. Harvath teve de fazer um esforço para não baixar a guarda.

— Fiquei surpreendido quando *monsieur* Bertrand me disse que o professor Nichols não viria em pessoa — observou Aouad. — Por uma coisa tão valiosa, não seria natural que quisesse confirmar a sua autenticidade?

Harvath estava preparado para aquela pergunta.

— Os romances picarescos do final do século XVI não são propriamente o forte do professor.

— Foi por isso que o escolheu?

— Exactamente — respondeu Harvath a ajeitar os óculos que trazia postos.

Se o administrador da mesquita suspeitou da resposta, não deu mostras disso.

— Pode deixar a mala aqui — disse Aouad. — Ninguém lhe tocará.

Harvath não tinha dúvidas disso, mas precisava de ter a mala consigo.

— Tenho aqui algumas coisas que me podem fazer falta para examinar o livro.

— Como queira — respondeu o homem que, com um gesto o convidou a segui-lo até ao escritório.

Harvath foi atrás dele. Além dos óculos e da cabeleira que tinha comprado, adoptara uma postura ligeiramente curvada. Para completar o disfarce, metera uma pedra no sapato direito, o que o obrigava a coxear visivelmente. Naquele momento, Scot Harvath parecia tudo menos um operacional antiterrorista.

A entrada para o escritório de Aouad fazia-se por uma porta caracteristicamente islâmica — mais baixa e mais larga do que as usadas no Ocidente — e que parecia ter sido um dos poucos melhoramentos introduzidos nas instalações.

Lá dentro, o escritório parecia-se com o que devia ter sido durante pelo menos sessenta anos. O mobiliário consistia numa secretária metálica barata e duas cadeiras, também metálicas. Em cima da secretária, um candeeiro alto e um tanto enferrujado iluminava o compartimento com a ajuda de duas lâmpadas fluorescentes pendentes do tecto.

Nas paredes estavam dependuradas reproduções de obras de arte com inscrições do Alcorão que invocavam a glória de Alá. Numa série de estantes bastante estragadas, alinhavam-se vários exemplares do Alcorão, do Hadith e de outros textos islâmicos. Além disto, Harvath assinalou a presença de um computador com impressora, um telefone, um ficheiro metálico e todo o tipo de objectos que se podem encontrar em qualquer escritório.

— Posso oferecer-lhe um chá? — perguntou Aouad.

— Sim, se faz favor, agradeço.

O administrador da mesquita rodeou a secretária para pegar no telefone ao mesmo tempo que, com um gesto, convidava Harvath a sentar-se.

Harvath deixou a mala de viagem junto da porta e sentou-se numa das cadeiras metálicas. O francês era a sua se-

gunda língua. Tinha-o aprendido na escola, sob a orientação rígida das freiras da Ordem do Sagrado Coração de
Jesus e percebia agora com interesse que Aouad pedia o chá
e mais dois homens.

Não era um pedido insólito, especialmente considerando as circunstâncias, mas o que incomodou Harvath foi
a maneira como Aouad olhou para ele ao convocar a presença dos dois acólitos.

Momentos mais tarde, dois homens corpulentos entraram no escritório de Namir Aouad. O facto de um deles
transportar um minúsculo tabuleiro de chá em nada contribuiu para fazer calar as campainhas de alarme que dispararam na cabeça de Harvath.

OLD EBBITT GRILL
WASHINGTON, D. C.

Aydin Ozbek encontrou-se com Carolyn Leonard numa mesa sossegada ao fundo do bar. Carolyn, uma mulher de perto de quarenta anos, com um metro e setenta e cinco de altura e em excelente forma, era chefe do serviço de segurança pessoal do presidente Rutledge. Os cabelos ruivos caíam-lhe sobre os ombros e o discreto casaco *Brooks Brothers* escondia uma pistola *Sig Sauer 229,* de calibre .40, dois carregadores extra, umas quantas granadas «*pop-and-drop*», um *BlackBerry* e outras ferramentas necessárias ao serviço.

Ozbek tinha por regra nunca namorar mulheres que pertencessem às forças armadas, à polícia ou aos serviços de espionagem. Mas havia muito tempo que procurava um pretexto para abrir uma excepção em relação a Carolyn Leonard. Era uma das mulheres solteiras mais belas e atraentes de Washington, um facto que lhe devia ter dificultado a subida na carreira dos serviços secretos até ao lugar que presentemente ocupava.

Apesar da atracção óbvia que exercia sobre ele, Carolyn nunca lhe havia demonstrado qualquer coisa mais do que simples amizade. Talvez fosse melhor assim. Se tivessem andado juntos e já estivessem separados, a situação não permitiria pedir-lhe o favor de que agora precisava, nem mesmo a uma profissional como Carolyn Leonard.

— Não posso falar contigo acerca disso — disse ela, empurrando a pequena máquina fotográfica *Sony Cybershot* que ele tinha posto em cima da mesa.

Para o operacional da CIA, parecera mais discreto carregar os dados numa câmara digital do que entregar a Leonard um grande envelope com duas fitas VHS e um maço de fotografias lá dentro.

— Vá lá, Carolyn — insistiu ele. — Não estou a pedir que reveles segredos de Estado. Só preciso que identifiques o tipo e que me respondas a algumas perguntas.

Ao dizer isto, o operacional da CIA voltou a empurrar a máquina fotográfica para a frente da interlocutora.

Carolyn olhou-o nos olhos.

— Estás a pedir que quebre o meu juramento.

— Não, não estou. Só preciso de saber o que se passa.

— Aydin — replicou Carolyn com um sorriso —, tu trabalhas para a CIA. Estás a dizer-me que as coisas estão tão más, que precisas dos serviços secretos para conduzir as tuas investigações?

Ozbek sorriu.

— Estamos do mesmo lado e de vez em quando precisamos uns dos outros. Importas-te de olhar outra vez para os vídeos?

Leonard não respondeu de imediato. Ao fim de uns segundos, disse:

— Não preciso de os ver outra vez.

Foi a vez de Ozbek ficar calado. Sabia que, em geral, quando se mantém a boca fechada, as pessoas ficam incomodadas com o silêncio e acabam por quebrá-lo.

— O que sabes a respeito de Scot Harvath? — perguntou ela.

Antes de se encontrar com Leonard, o operacional da CIA reunira algumas informações.

— É um SEAL que foi transferido para os serviços secretos para colaborar directamente com a Casa Branca na luta contra o terrorismo. A sua acção foi crucial no resgate do Presidente quando ele foi raptado. Esteve envolvido numa série de operações secretas e todos os que trabalharam com ele consideram-no um operacional de primeira água. Mas, além disto, ninguém sabe mais nada.

Leonard não abriu a boca.

— Presumo que foi posto definitivamente na prateleira. Consta que esteve ligado ao Gabinete de Investigações Internacionais da DHS, para auxiliar as autoridades internacionais a prevenir ataques terroristas, mas é tudo quanto sei. Parece que não conserva os lugares durante muito tempo.

— Numa coisa estás certo. É um operacional de primeira água — respondeu ela.

— O que está ele a fazer hoje em Paris, nos locais de explosão de uma bomba e de uma cena de tiros?

— Não sei.

— Carolyn, viste como ele perseguiu e atirou ao chão o tipo, segundos antes da explosão. Ele *sabia* o que estava para acontecer. De uma maneira ou de outra, ele sabia da bomba.

Leonard bebeu um pequeno gole da bebida que tinha à frente.

— Ainda não me disseste qual é o teu interesse em tudo isto.

Ozbek sabia que não valia a pena mentir-lhe.

— O tipo que está por trás de Harvath na cena de tiros; temos razões para crer que é um dos nossos que enveredou por maus caminhos.

— E pensas que o Harvath está a *trabalhar* com ele?! — perguntou ela num tom de evidente descrença.

— Não sei exactamente o que devo pensar. Foi por isso que resolvi falar contigo. Sei que conheces o Harvath.

— O suficiente para saber que nunca se envolveria num atentado à bomba ou num tiroteio.

— Achas? Então, dá-me uma explicação plausível para aparecer nos dois vídeos.

— Jesus, Aydin! Estamos mesmo a ter esta conversa? O Harvath salvou uma pessoa que de outro modo iria ser feita em bocados por aquela bomba, e é evidente que na cena dos tiros o outro tipo lhe estava a apontar uma arma.

— Mas porquê? E porquê o Harvath? Nos dois locais? É isso que estou a tentar perceber!

Leonard olhou para ele e respondeu:

— Tu, que és operacional da CIA, suspeitas de que o Harvath esteja envolvido em negócios sujos e vens perguntar-me a *mim,* que trabalho para os serviços secretos, o que ele está a fazer em Paris? Deixa que te faça uma pergunta.

— Dispara.

— Que raio ganham vocês em perseguir assim a própria cauda?

Ozbek ignorou o sarcasmo e mudou a linha do interrogatório.

— Quem é a mulher que está com o Harvath?

— É a namorada dele. Tracy Hastings, que foi da Marinha. Era técnica de explosivos antes de um IED ter rebentado antes de tempo e lhe arrancar parte da cara e um olho.

Embora a qualidade do vídeo deixasse muito a desejar, Ozbek duvidava que a bela mulher que aparecia nas imagens pudesse ter sido vítima de um acidente tão grave.

— Basta olhar para ela — acrescentou Leonard, que percebeu o que lhe ia na cabeça. — Se tens o rosto dela no vídeo, podes correr as bases de dados, que encontras uma correspondência, pelo menos na fotografia do passaporte.

Como Ozbek continuasse calado, Carolyn continuou:

— Não verificaste a imagem dela, pois não? Porquê?

Ozbek respondeu com a verdade.

— Porque a imagem de vídeo da cena do atentado não é nítida.

Leonard reclinou-se na cadeira:

— Imagine-se!

— E o homem que o Harvath salvou da bomba? — perguntou o operacional da CIA.

— Não faço ideia de quem seja.

A resposta surgiu demasiado pronta.

— Apesar de a qualidade das imagens ser bastante má, confrontei-as com a base de dados — observou ele com a máquina fotográfica na mão e localizando as fotos que tinha armazenado.

— Uma operação de rotina, calculo — observou Leonard.

— Pagam-nos para fazer qualquer coisa mais do que andar atrás da própria cauda.

Leonard conservou-se em silêncio.

— Seja como for — prosseguiu Ozbek —, corremos todos os arquivos. Não encontrámos nada que nos interessasse, por isso apliquei alguns filtros para afunilar as buscas. A única pessoa com quem o podia relacionar era o Harvath e foi por aí que comecei. Pesquisei as bases de dados da marinha, do DHS e até dos serviços secretos.

— Que menino tão travesso!

Ozbek não reagiu.

— Por fim, tive um palpite e pesquisei numa outra base dos serviços secretos.

Leonard arqueou as sobrancelhas.

— Parece-me que *travesso* não é a palavra adequada para o que tens andado a fazer.

— Conseguimos uma correspondência de oitenta por cento para um visitante habitual da Casa Branca com livre-
-trânsito para tudo, excepto para a Sala de Operações. Que-
res ver a fotografia dele? — perguntou o agente da CIA a estender a máquina fotográfica.

— Não tenho nenhum interesse especial.

Mesmo assim, Ozbek virou o aparelho para que ela pudesse ver.

— Chama-se Anthony Nichols. É professor na Univer-
sidade da Virgínia. Tem passaporte americano e embarcou há dois dias no Aeroporto Nacional Ronald Reagan com destino ao Aeroporto Charles de Gaulle.

— Mas que coincidência — comentou Leonard.

— Era capaz de concordar contigo, se acreditasse em coincidências.

Leonard ficou em silêncio.

— Carolyn, morreu uma data de gente em Paris, in-
cluindo dois polícias. O tipo que está por detrás disto tudo é quase de certeza um antigo operacional da CIA chamado Matthew Dodd, que encenou a própria morte e passou à clandestinidade há vários anos.

Ozbek ainda pensou em mencionar Marwan Khalifa, mas, até ter a certeza de que estava morto e que Matthew Dodd estava implicado, achou melhor calar-se.

— Este tipo, Nichols, corre grande perigo. Muito mais do que ele imagina.

— Esse Dodd é assim tão bom?

— Um dos melhores. Tenho de o deter, mas não posso fazê-lo sem a tua ajuda. E por muito bom que o Harvath seja, não faz ideia de que tem de defrontar o Dodd — concluiu Ozbek, poisando a máquina fotográfica diante dela.

Leonard fitou atentamente o rosto de Nichols na máquina digital.

Fez algumas perguntas, desligou o aparelho e guardou--o no bolso. Depois levantou-se e disse:

— Vamos ver o que posso fazer.

— Onde vais?

— Mantém o telefone ligado, posso telefonar a qualquer momento — respondeu ela já a caminho da saída.

CAPÍTULO
36

Quando Carolyn Leonard bateu à porta e entrou na Sala Oval, Jack Rutledge pôs de parte o dossiê que estava a ler e tirou os óculos.

— Obrigada por me receber, *sir*. Sei que tem um dia muito ocupado.

— Nunca estou demasiado ocupado para a chefe dos meus serviços secretos privados — respondeu Rutledge, que se levantou e a convidou a sentar-se numa das duas cadeiras diante da lareira.

— Venha para aqui, se faz favor.

— Obrigada, *sir*.

Quando Carolyn se sentou, o Presidente ocupou a outra cadeira e observou:

— Todos os dias aparecem inúmeras pessoas que querem ter cinco minutos comigo. Mas nem todas são tão enigmáticas acerca dos motivos. O que se passa?

— Senhor Presidente, espero que saiba como levo a sério o meu trabalho.

— Carolyn, se quer pedir aumento, tem de falar com o director dos serviços secretos — gracejou Rutledge.

— Não, *sir,* não é sobre nenhum aumento.

— Então do que precisa?

— Senhor Presidente, a minha missão é protegê-lo, e levo-a muito a sério.

— Estou-lhe grato por isso — disse Rutledge.

Carolyn tirou do bolso uma pequena câmara fotográfica digital e sorriu antes de continuar.

— Não quero pôr em perigo as suas relações profissionais indo além das minhas atribuições...

— Carolyn — atalhou o Presidente —, se eu achar que está a ultrapassar as marcas, digo-lhe. De que se trata? Precisa da fotografia de alguém? Não tem de se sentir embaraçada por isso. Basta pedir.

A agente dos serviços secretos olhou para a máquina e de novo para o Presidente.

— Gostaria que fosse assim tão simples, senhor Presidente. Estou aqui por causa da pessoa que contratou para seu arquivista.

— Anthony Nichols? — perguntou Rutledge, que estranhara nunca mais ter tido notícias dele e, agora, aparecia-lhe a chefe dos serviços de segurança a citar o nome do homem. O Presidente endireitou-se na cadeira.

— O que se passa com ele?

— Tem conhecimento de que o senhor Nichols se encontra em Paris, *sir?*

O Presidente sacudiu a cabeça e mentiu:

— Não, mas o senhor Nichols é livre para ir onde quiser. Já é adulto. Porque me está a perguntar isso?

— Foi informado de um atentado à bomba que lá ocorreu esta manhã? — perguntou Leonard.

— Claro que fui, mas que tem isso a ver com o Anthony Nichols?

— Estava lá.

— *Estava?* Ficou ferido?

— Não, *sir*. Teve muita sorte. Alguém o atirou ao chão segundos antes da explosão.

Enquanto o Presidente digeria o que acabava de ouvir, Leonard prosseguiu:

— A pessoa que o atirou ao chão foi o Scot Harvath.

Leonard ligou a câmara digital, escolheu o vídeo do tiroteio e estendeu-a ao Presidente.

— Isto foi filmado no Grand Palais, em Paris, algumas horas depois do atentado à bomba.

O Presidente viu a totalidade do filme e voltou a passá-lo.

— Dois dos três polícias alvejados morreram imediatamente. O terceiro sucumbiu no hospital há quarenta e cinco minutos.

— Meu Deus! — exclamou Rutledge.

— A CIA pensa que...

— A CIA?! — cortou o Presidente.

— Sim, *sir*. Pensam que o atirador que aparece no filme é um antigo operacional chamado Matthew Dodd que fingiu a própria morte e desapareceu de cena há vários anos, depois de se ter convertido ao Islão.

— *Ao Islão?!*

— Sim, *sir*.

— Sabem o que o Harvath fazia na companhia dele?

— Pelo vídeo, pode deduzir-se que era seu prisioneiro.

— E agora, onde está o Harvath?

— Segundo a minha fonte, ninguém sabe.

Rutledge impôs a si mesmo conservar-se calmo, e sobretudo calado.

— Fiz algumas investigações anónimas através de contactos que tenho em Paris — prosseguiu Leonard. — As fotografias do Harvath, do atirador, do Anthony Nichols e da Tracy Hastings estão a ser distribuídas por todos os agentes da lei em França.

— A Tracy Hastings também está metida nisto?

— Aparentemente, encontrava-se no Grand Palais com o Harvath e o Anthony Nichols pouco antes do começo do tiroteio.

— Quem é o outro homem que aparece no vídeo, o homem de fato branco? — perguntou o Presidente.

— É um negociante de livros raros, um fulano com um passado bastante duvidoso, que dá pelo nome de René Bertrand.

Negociante de livros raros?, pensou Rutledge. Tudo se estava a desmoronar.

— Por que razão é você a dizer-me isto, e não a CIA?

— A CIA tem uma unidade encarregada de dar caça a agentes que prevaricam. O homem que chefia esse departamento é meu amigo — respondeu Leonard.

— Isso continua a não explicar por que motivo lhe falou neste assunto.

— Porque sabe que o professor Nichols tem visitado a Casa Branca em diversas ocasiões. E também sabe que o Harvath trabalhava cá. Anda à procura de informações que lhe permitam capturar o operacional transviado e veio saber se eu o podia ajudar.

O Presidente ergueu as sobrancelhas e perguntou:

— Isso quer dizer o quê?

— Como já lhe disse, *sir,* levo o meu trabalho muito a sério. Não falo sobre assuntos que envolvam a sua Administração.

Rutledge sentiu que o nó que tinha no estômago se distendia um pouco.

— Aprecio o seu profissionalismo, Carolyn. Que mais me pode dizer sobre os acontecimentos de Paris?

— De acordo com os meus contactos, a CIA tem motivos para desconfiar que o Nichols esteja envolvido em qualquer coisa que os fundamentalistas islâmicos consideram muito perigosa, suficientemente importante para matar quem for preciso.

— O seu contacto sabe para quem trabalha esse tal Matthew Dodd?

— Não me disse — respondeu Leonard. — Para ser sincera, acho que está a esconder-me esse pormenor.

— Porquê?

— Pelo que percebi, tem andado a fazer investigações cá dentro, o que não é permitido à CIA. No entanto, disse-me que o Matthew Dodd é um dos operacionais mais perigosos que a Agência alguma vez pôs no terreno. Não sabe qual é o papel do Harvath, mas teme que ele não se dê conta do perigo que é estar contra o Dodd.

Rutledge ficou calado, a pensar. Ao fim de uns segundos, levantou-se e disse:

— Agradeço que me tenha dado estas informações, Carolyn. Ultimamente, não tenho falado com o Scot Harvath...

— Peço perdão por interromper — atalhou Leonard com delicadeza —, mas ouvi um boato de que o Harvath teve um atrito com alguém e deixou o serviço. É verdade?

— Não posso comentar isso.

— Compreendo, *sir* — respondeu a agente dos serviços secretos, que sacudiu a cabeça numa gargalhada. — Quem quer que tenha dispensado um agente do calibre do Scot Harvath, tem de ser um irresponsável, não é?

— Se receber notícias do professor Nichols, transmito-
-lhe o aviso que acaba de me fazer — retorquiu o Presidente.

Leonard percebeu que o encontro tinha acabado e levantou-se também.

— Tem de haver maneira de avisar o Harvath também.
Ele tem de saber o que se está a passar. Não há ninguém
que possa entrar em contacto com ele?

— Se me lembrar de alguém trato logo do caso — respondeu Rutledge, estendendo-lhe a mão. — Obrigado por
ter vindo falar comigo.

Leonard apertou a mão ao Presidente e apresentou-lhe
a outra mão aberta para receber a câmara digital.

— Posso ficar com isto mais algum tempo? — perguntou ele ao conduzi-la até à porta.

— Claro que sim — respondeu ela.

Assim que Leonard saiu, o presidente Rutledge sentou-
-se à secretária e pegou no telefone.

CAPÍTULO

37

PARIS

Os homens que Namir Aouad chamara ao escritório eram tipos de cerca de um metro e noventa e mais de cento e trinta quilos.

Tinham cabelos negros, cor de azeviche, usavam a barba curta, e os seus olhos escuros estavam atentos a todos os pormenores. Um dos homens tinha um enorme nariz curvo que se assemelhava ao bico de um abutre; quanto ao outro, quase não tinha nariz, possivelmente por ter sido partido várias vezes.

Aouad deu mais algumas ordens em francês. O *Passarão,* como Harvath o apodou de imediato, colocou o tabuleiro do chá em cima da secretária do administrador da mesquita e serviu o líquido fumegante. Nas mãos enormes do homem, o bule parecia um brinquedo de criança.

O outro ficou à porta, com as mãos cruzadas diante dos testículos como um jogador de futebol a fazer barreira contra a marcação de um livre. Os seus olhos nunca se desviaram de Harvath. Houve momentos durante a conversa em que Harvath teve a sensação de que, se apurasse o ouvido, conseguiria captar o silvo da respiração do homem, através das fossas nasais distorcidas.

Clichy-sous-Bois era um bairro problemático, e Harvath não pôde deixar de conjecturar quais seriam as outras actividades de Namir Aouad, para além de intermediário na venda de primeiras edições roubadas do *Dom Quixote*.

Durante o chá, enquanto trocava algumas palavras de cortesia com Aouad, Harvath mostrou-se algo vago. Assumia uma identidade criada à pressa, e a última coisa que queria era ser apanhado em falso num assunto em que era supostamente especialista.

O chá era uma manifestação tradicional de boa-fé por parte de Aouad. Recusá-lo seria um insulto. Era importante que o homem se sentisse o mais à vontade possível.

Felizmente, Aouad era um entusiasta do futebol, um desporto que Harvath acompanhava o suficiente para poder conversar sobre o assunto.

Assim que o *Passarão* levantou o tabuleiro, Harvath pegou na pasta e pousou-a sobre a secretária de Aouad.

— Vamos a isto? — perguntou, já a soltar os fechos e a tirar os objectos com que tencionava fingir que verificava a autenticidade do *Dom Quixote*.

— Com certeza — replicou o administrador da mesquita, que com um movimento da cabeça deu uma indicação a um dos homens. O tipo das narinas sibilantes aproximou-se do ficheiro metálico, puxou uma gaveta e tirou uma velha caixa de madeira do tamanho de uma máquina de escrever portátil. Dirigiu-se à secretária e entregou a caixa a Aouad, que agradeceu e lhe ordenou que esperasse lá fora com o *Passarão*.

O administrador da mesquita pousou a caixa em cima da mesa, levantou a pesada tampa e disse:

— É todo seu. Ou *será,* logo que o pagamento for feito.

Harvath sorriu e deu a volta à secretária. A primeira coisa que o surpreendeu foi o facto de a caixa ser uma espécie de *puzzle*.

Quando Scot era pequeno, o pai trazia-lhe caixas com segredo do Japão, algumas das quais precisavam de mais de cem movimentos para serem abertas. Harvath adorava essas caixas, e o mesmo acontecia com o pai, que era um apaixonado pela marcenaria. As caixas eram uma espécie de metáfora para o complexo e intrincado relacionamento entre ambos.

Embora a caixa de Jefferson estivesse bastante estragada, era evidente a precisão dos malhetes e a excelente qualidade das diversas madeiras que a constituíam. Devia ter sido finamente polida e as guarnições de latão, resplandecentes. Um objecto prático e interessante a juntar aos outros que Jefferson guardava na cela do Convento dos Cartuxos. No entanto, as condições e o longo período durante o qual estivera escondida tinham-na danificado. Além de apresentar marcas inequívocas de uma chave de parafusos ou de um escopro com que a tentaram forçar.

Ao correr os dedos sobre a superfície da caixa, Harvath detectou um monograma quase imperceptível com as letras *TJ*.

Harvath e o pai tinham procurado construir caixas daquelas, mas nada que se comparasse ao requinte da caixa de Jefferson. Sentiu-se regressar à velha oficina na garagem, pensando no que diria o pai se pudesse deitar a mão a semelhante objecto de arte que outrora pertencera a um americano tão famoso.

O interesse de Harvath pela caixa não passou despercebido a Aouad.

— A caixa também está à venda. O preço é à parte, claro.

— Terei de informar a Universidade — respondeu Harvath, que finalmente tinha diante dos olhos o objecto da sua missão.

No fundo da caixa, jazia o livro, enrolado numa longa tira de musselina descolorida pelo tempo. Com muito cuidado, Harvath tirou o volume e poisou-o em cima da mesa.

— Dá-me licença?

Harvath estendeu o braço diante do peito de Aouad para ajeitar o candeeiro da secretária, de modo a dar-lhe mais luz.

— Esteja à vontade — respondeu o homem, que tomou posição do outro lado da secretária para lhe dar espaço.

Harvath abriu a pasta e tirou um par de luvas brancas de algodão. Uma parte do tampo da secretária ficou oculto aos olhos de Aouad pela tampa da caixa de Jefferson e pela pasta de Harvath.

Aouad não tirava os olhos dele quando Harvath estendeu sobre a secretária um pequeno tapete de joalheiro e começou a desenrolar meticulosamente a tira de tecido que envolvia o livro. Tal como Nichols previra, o livro estava em mau estado. Harvath emitiu um sinal de desagrado audível ao examinar a encadernação original de carneira.

— Se o livro estivesse em bom estado, o preço seria muito mais elevado — interpôs Aouad, convencido de que Harvath se preparava para regatear o preço.

Harvath ignorou-o e continuou o exame. O livro tinha exactamente as dimensões que o professor dissera, mas era mais pesado do que seria de esperar.

Colocou ao lado da caixa as imagens enviadas por *e-mail* a Nichols e abriu cautelosamente na primeira página o volume com mais de quatrocentos anos.

Claramente visíveis, ali estavam as marcas da primeira edição, que tinha instruções para procurar. Estava também a dedicatória ao duque de Bejar, descendente da família real do antigo reino de Navarra, bem como a frase em latim «Depois das sombras, espero a luz».

Comparou demoradamente as imagens com o livro que tinha à sua frente e folheou-o com o máximo cuidado até ao capítulo vinte e seis. Nichols tinha-lhe dito que só na primeira edição constava a descrição de Dom Quixote a fazer um rosário com a fralda da camisa. Nas edições seguintes, fora alterado para «bolotas de carvalho», para não ferir a susceptibilidade da Inquisição Espanhola do século XVII. Quem soubesse realmente autenticar o livro, procuraria certamente este pormenor e Nichols assegurou-se de que Harvath, que pouco percebia de espanhol, saberia exactamente onde o encontrar.

Precisou de alguns minutos, mas por fim encontrou a passagem em causa. Era extraordinário. Dos quatrocentos exemplares da primeira edição do *Dom Quixote,* só se conhecia a existência de dezoito. O que Harvath tinha nas mãos era o décimo nono.

Uma descoberta incrível, ainda mais notável pela sua proveniência e pelos segredos que prometia desvendar. Já só faltava certificar-se de um pormenor.

Era conhecido o hábito de Jefferson de inserir a sua marca pessoal, ou mais propriamente as suas iniciais, num local exacto de cada livro. Naquele tempo, era costume apor um sinal no fim de certas páginas, para que servissem de guia ao encadernador no acto de «reunir» um manuscrito em forma de livro.

A cada secção do livro correspondia um sinal diferente, em geral letras que seguiam a ordem alfabética. A marca de Jefferson consistia em inserir um *T* maiúsculo antes do sinal *J*. E a seguir à letra impressa *T* acrescentava um *J*.

Harvath levou bastante tempo a procurar pacientemente as duas marcações. O coração bateu-lhe mais depressa quando encontrou o *T* escrito à mão a par do *J* do editor e o *J* manual a seguir ao *T* impresso. Aquele exemplar do *Dom Quixote* era o de Jefferson, tinha agora a certeza. Havia anotações em muitas páginas, mas não fazia ideia de qual delas esconderia o segredo da ordem dos discos da roda de cifra. Isso era trabalho para Nichols.

Harvath respirou fundo. Agora, era a parte mais difícil. Ao colocar o livro sobre o tapete de joalheiro, estendeu cautelosamente a mão para a pasta.

Nesse momento, fez-se ouvir o uivo penetrante de uma sirene, vindo do outro lado da sala.

Namir Aouad deu um salto para a porta, surpreendido e sem saber o que fazer.

Segundos depois o *Passarão* e o *Assobios* irromperam na sala com as mãos ameaçadoramente metidas nos bolsos.

Harvath ergueu as duas mãos, a coxear à volta da secretária.

— Desculpem-me, desculpem-me — lamuriou-se, e dirigiu-se para junto dos homens que se tinham aglomerado à volta da mala de viagem.

Tirou as luvas de algodão e accionou a combinação da fechadura do compartimento exterior. O barulho ensurdecedor não se calava. De outras partes da mesquita, acorreram outras pessoas que metiam a cabeça pela porta do gabinete para ver o que se passava. Com um berro, Aouad ordenou ao *Passarão* que fechasse a porta.

Por fim, Harvath acertou com o código e abriu o fecho de correr. Pegou num aparelho que parecia um comando de porta de garagem e o alarme calou-se.

— Caramba! — disse Harvath ao soltar o aparelho do cordão que o prendia. — Imagine o que seria se isto disparasse dentro do avião? O melhor é tirar-lhe as pilhas.

O *Passarão* e o *Assobios* fitavam-no com ar ameaçador.

Harvath ergueu um pouco o objecto para que o pudessem ver bem. Na verdade, não passava de um alarme de automóvel para ligar a um visor. Entrava em acção em resposta a um vidro quebrado, a um movimento dentro do veículo ou, no caso de Harvath, ao botão de um comando remoto accionado do outro lado da sala. Com a ajuda de Tracy, tinha aumentado a sensibilidade do aparelho e substituído uma parte do forro da pasta de modo a parecer um remendo, quando na verdade era o accionamento do alarme.

— Isto serve para pendurar na porta, para o caso de alguém querer entrar no quarto do hotel — mentiu Harvath.

— *Monsieur* Winiecki, já acabou? — perguntou Aouad, que entretanto voltara à secretária para se assegurar de que nada acontecia ao *Dom Quixote*.

— Não, ainda não — respondeu Harvath, a coxear de regresso ao livro.

— Por favor, despache-se. As orações da noite estão quase a começar.

Harvath calçou novamente as luvas, ajeitou os óculos no nariz e passou pelo administrador da mesquita.

Desta vez, concentrou-se na página de título, comparando-a com a imagem que René Bertrand enviara a Nichols por correio electrónico. Quando deu por terminada a comparação, fechou o livro, envolveu-o cuidadosamente na musselina e voltou a colocá-lo dentro da caixa de Jefferson. Fechou a tampa da caixa e começou a guardar os utensílios dentro da pasta.

— Então? — perguntou Aouad, de sobrolho erguido. — Está satisfeito?

— Com a autenticidade do livro, sim. Mas as condições de preservação deixam muito a desejar.

— *Monsieur* Winiecki, como já lhe disse...

Harvath, ocupado a fechar a pasta, interrompeu-o com um gesto.

— Sei que o preço já tem em consideração as condições em que o livro se encontra. Posso afirmar-lhe que nem o professor Nichols nem a Universidade ficarão satisfeitos com o que aqui vi hoje.

Namir Aouad não era nenhum pateta, e respondeu com um sorriso.

— *Monsieur,* tanto o senhor como eu sabemos que a sua universidade tem todo o empenho em adquirir esse livro.

Harvath não respondeu.

— E digo-lhe mais. Por mais vinte mil, terei muito prazer em incluir a caixa de madeira.

— Cinco — ofereceu Harvath, a olhar para o administrador, que passava os dedos pela tampa da caixa.

— Quinze — contrapôs Aouad.

— Dez, e não ofereço mais.

O administrador da mesquita estendeu a mão.

— É aceitável.

Harvath apertou-lhe a mão e pegou na pasta.

— Vou informar o professor Nichols para que ele dê instruções à Universidade para transferir o dinheiro para a conta de René Bertrand.

— Excelente — respondeu Aouad e acompanhou o visitante até à porta, onde o ajudou a recolher a mala de viagem. — Tem um táxi à espera, não tem?

O homem estava bem informado.

— Tenho, sim.

— Óptimo. Desejo-lhe boa viagem. Assim que *monsieur* Bertrand nos informar que recebeu o dinheiro, trataremos de enviar o livro *e* a caixa ao professor Nichols.

Harvath assentiu e acompanhou o *Passarão* e o *Assobios* até à entrada do armazém. A mesquita começava a encher-se de gente. Harvath sorriu para os dois esbirros de Aouad, que desviavam a torrente de fiéis para o deixar sair pela porta da frente. Uma vez mais, os dois homens retribuíram com um olhar pouco amistoso.

Lá fora, o ar da noite estava gelado e seco. Harvath expirou e viu o vapor condensar-se. Com a pasta e a mala de viagem na mão, olhou para um lado e para o outro da rua antes de atravessar.

O táxi estava à espera, não muito longe. Quando chegou perto, Harvath viu que estava vazio e foi direito ao café. Quanto mais depressa saísse das ruas do bairro de Clichy-sous-Bois e regressasse ao esconderijo da Sargasso, tanto melhor.

Entrou no café decrépito e parou para que os olhos se habituassem à luz difusa do interior. Chegou-lhe ao nariz o cheiro de tabaco perfumado de maçã, e os seus olhos começaram a distinguir contornos na semiobscuridade. Os homens sentavam-se em almofadas colocadas à volta das mesas, a pagar a conta, a despejar taças de café ou a puxar uma última fumaça dos narguilés antes de saírem para as orações do fim do dia.

Descortinou Moussa ao fundo do balcão. O jovem estava de pé, não longe de outro homem mais velho, de barrete de malha e espessa barba ruiva.

Quando Harvath se aproximou, o homem do barrete de malha levantou a cabeça e os olhos dos dois homens cruzaram-se. Teve a vaga sensação de já o ter visto antes, mas sem ser capaz de precisar onde. O seu cérebro trabalhava a toda a velocidade. Havia qualquer coisa nos olhos dele...

De repente, lembrou-se — no Grand Palais!

Harvath já tinha deixado cair a mala de viagem e corria para a porta quando Matthew Dodd meteu a mão por baixo da camisa e sacou da arma.

CAPÍTULO

39

Se houvesse tempo, Harvath teria feito uma ronda por Clichy-sous-Bois antes de se aproximar da mesquita. Ter uma «toca de coelho», como se dizia na gíria da profissão, um local onde se pudesse despir e mudar de aparência, teria sido precioso. Mas naquele momento o que lhe valia eram os seus instintos, que lhe ordenavam que fosse rápido como um raio.

Quando chegou ao passeio, Harvath atravessou a rua a correr e misturou-se com a multidão que se dirigia para a mesquita. Não sabia se valeria a pena ou não. Se de facto era o mesmo atirador que liquidara os três polícias no Grand Palais, não hesitaria em matar mais alguns inocentes.

De qualquer maneira, sempre o encobriam, pelo que se envolveu entre os homens que se juntavam no passeio diante da Mesquita Bilal.

Na cabeça, martelava-lhe um milhão de perguntas como: *Quem será este gajo?*, e *Como foi que ele me encontrou?*, mas recusou-se a dar-lhes atenção. De momento, a sua única preocupação era salvar a pele.

Não precisou de olhar para trás para saber que o atirador estava no seu encalço. Como na rua continuava a ser um alvo fácil, Harvath fez a única coisa que podia fazer — voltou a entrar na mesquita.

Ouviu-se um murmúrio de desagrado quando Harvath começou a abrir caminho à cotovelada através dos assistentes. À medida que ia furando, aumentava a indignação à sua volta. Alguns homens insultaram-no em francês ou em árabe, alguns cuspiram-lhe em cima, mas sem resultado. Nos serviços secretos, aprendera a abrir caminho entre uma multidão, e era extremamente bom nisso.

Dois homens cometeram o erro de lhe bloquear o caminho. Não tinha tempo para conversas. O que estava mais perto recebeu uma joelhada no nervo peronial da coxa, que o impossibilitou de ficar de pé. Harvath carregou sobre o outro com o ombro e atirou-o por cima do primeiro. Entranhou-se mais no interior da mesquita, sem nunca largar a pasta.

Subitamente, ouviu protestos indignados atrás de si, seguidos de disparos. Os crentes entraram em pânico e os gritos transformaram-se em berros de dor.

Empurrado pela turba em alvoroço, Harvath procurava desesperado uma saída. A sua única hipótese seria encontrar uma porta nas traseiras da mesquita, mas sem um *bull-dozer* nunca abriria caminho até lá. Se não encontrasse depressa uma solução, seria esmagado e acabaria ali.

Procurar uma saída não era solução. À sua volta, a multidão em pânico formava uma massa compacta. Eram como carneiros, e Harvath sabia que os carneiros só tinham duas velocidades — tosar calmamente e a fuga tresloucada. E, assim que a debandada começava, a única salvação era sair-lhes do caminho.

Quando a multidão penetrou ainda mais na mesquita, atirou ao chão um biombo de três faces. Harvath entreviu uma saída, até aí oculta pelo biombo.

Recorrendo a toda a sua força, deslocou-se lateralmente entre os fiéis aterrorizados para alcançar a porta. Quando lá chegou, viu um homem que procurava abrigar-se com o filho no vão estreito. A mão do homem sacudia com frenesim o puxador e Harvath percebeu que a porta estava fechada. Com um gesto, ordenou ao homem que se afastasse e atirou o pé violentamente contra a porta, que se abriu com estrondo. Gritou ao homem para que passasse à frente com o filho e foi atrás deles. Do outro lado, foi recebido por uma corrente de ar húmido carregado de cloreto. Eram os urinóis.

Harvath puxou a porta e arrastou um tareco velho para debaixo do puxador, na esperança de a manter fechada, pelo menos até conseguir sair dali. Quando se reuniu aos outros fugitivos, perguntou em francês onde era a saída. O homem encolheu os ombros e fez um gesto em direcção a um corredor comprido, com as palmas das mãos viradas para cima.

O momento para fugir era aquele, enquanto a confusão reinava dentro da mesquita. Depois de ter trocado o verdadeiro *Dom Quixote* pela falsificação que improvisara com a ajuda de Tracy e de Nichols, tudo o que naquele momento lhe interessava era sair de Clichy-sous-Bois e voltar à barcaça.

Se houvesse uma saída pela parte de trás da mesquita, a maioria dos que corriam nessa direcção havia de sair por lá, o que lhe dava hipóteses de sair pelas traseiras dos lavabos e de se misturar com as pessoas que se dispersariam pelas ruas vizinhas.

O único problema é que o atirador devia pensar o mesmo. Embora tivesse menos cobertura, sair pela porta da frente era o que fazia sentido.

Ao atravessar o *hammam,* Harvath chegou ao átrio de entrada e às portas da frente, que inspeccionou rapidamente para ver se não estavam ligadas a nenhum alarme. A última coisa que desejava era atrair mais atenções.

Quando começou a abrir a porta, resolveu retirar o *Dom Quixote* do compartimento falso que criara na pasta e entalá-lo no cós das calças. Estava a equilibrar a pasta em cima dos puxadores da porta quando um ruído atrás de si o fez voltar-se a tempo de ser atingido violentamente no peito e projectado para lá da porta.

40

QUARTEL-GENERAL DA CIA
LANGLEY, VIRGÍNIA

— Foi só isso? — perguntou Aydin Ozbek ao telefone. — Ficou com a máquina digital e não disse nada?

O operacional da CIA escutou as palavras de Carolyn Leonard, desanimado. A chamada estava prestes a terminar quando Stephanie Whitcomb meteu a cabeça pela porta entreaberta do gabinete de Ozbek, que levantou um dedo a indicar que estava a acabar.

— Sim, sim, eu percebo. Obrigado pela tentativa. Se descobrires alguma coisa, por favor, fala comigo.

Ozbek desligou e olhou para Whitcomb, que continuava à porta com um processo entalado debaixo do braço.

— O que se passa?

— Os agentes do FBI que estão a interrogar o Salam querem aceder a algumas das nossas bases de dados.

— Para quê?

— Quanto mais falam com ele, mais se convencem de que não matou a tal mulher no Jefferson Memorial.

— Que engraçado! Disse-lhes precisamente a mesma coisa. O que têm de vir meter o nariz nas nossas bases de dados?

— Com base nas informações do Salam sobre o seu controlador, recolheram fotografias do pessoal deles desde há vinte e cinco anos, carregaram tudo num portátil e fizeram uma espécie de livro digitalizado.

— E não encontraram nada — concluiu Ozbek.

Whitcomb olhou para ele e perguntou:

— O que lhe parece?

O operacional da CIA rolou os olhos nas órbitas. Que pergunta mais estúpida!

— Que quem quer que o aliciou não era de facto um agente do FBI?

— E se fosse um agente que trabalhasse para outra organização?

Ozbek pegou na caneta e tamborilou com ela no bloco que tinha em cima da secretária.

— O FBI pode obter o que precisa da DEA, da DHS e da DOJ.

— Mas não da CIA. Primeiro, têm de nos pedir autorização.

— Aguente aí. O Bureau está à vontade para mostrar ao Salam as fotografias dos homens deles, mas não vai fazer o mesmo com os nossos. Não podemos.

— Foi exactamente o que lhes disse. Nem pensar.

— Então, por que motivo ainda estamos a falar no assunto? — perguntou Ozbek em tom irritado, ansioso por voltar ao trabalho.

Whitcomb retirou o processo que trazia debaixo do braço.

— Os tipos do Bureau são espertos. Chegaram a uma solução de compromisso.

— Como?

— Entregaram ao Salam um *kit* de identificação e mandaram-nos esta composição — disse ela enquanto retirava uma folha do processo, que levantou para que Ozbek a pudesse ver.

— Querem saber se podemos procurar nas nossas bases de dados alguém que se pareça com este tipo.

Embora Whitcomb continuasse junto da porta, Ozbek não teve dificuldade em reconhecer a semelhança. Nunca haveria de esquecer o rosto de Matthew Dodd.

CAPÍTULO

41

CLICHY-SOUS-BOIS

Harvath foi ao chão, com mais cento e trinta quilos do *Passarão* em cima. Aouad devia ter descoberto a troca do *Dom Quixote*.

Sempre a agarrar a pasta com a mão direita, Harvath procurou atingir a cabeça do gigante, mas demorou um segundo a mais e o *Passarão* teve tempo para levantar o braço esquerdo e aparar o golpe, obrigando Harvath a socá-lo com a outra mão.

Acertou em cheio no queixo do atacante, mas o homem mal pestanejou. Quando Harvath se preparava para desferir outro soco, o *Passarão* atacou com as duas mãos enormes. Dois socos no peito de Harvath fizeram-lhe perder o fôlego. Meio sufocado, tentou mexer as pernas para afastar o atacante, mas com o *Passarão* sentado em cima dele era como se estivesse debaixo de um camião.

O gigante desferiu mais um par de socos que lhe provocaram uma dor que alastrou a todo o corpo. Harvath respondeu outra vez com um esquerdo que acertou na cabeça do homem, mas sem efeito aparente. Era como derreter um icebergue com um secador de cabelo. Ainda sem ar nos pulmões, Harvath recebeu mais um soco nas costelas enquanto dava voltas à cabeça para ver como havia de sair dali.

Pareceu-lhe ter notado um ponto fraco quando pela primeira vez o tentara atingir com a pasta, de modo que repetiu o golpe.

Quando o *Passarão* levantou o braço para aparar o golpe, baixou a cabeça a um nível inferior ao do braço, que era tudo quanto Harvath precisava de ver. Teve de aguentar mais dois murros antes de poder contra-atacar.

Com as poucas energias que lhe restavam, Harvath fez voar a pasta. Desta vez, quando o *Passarão* levantou o antebraço e baixou a cabeça, ele estava preparado.

Quando a cabeça do homem desceu, a de Harvath subiu e ouviu-se o choque do osso contra a cartilagem. Um esguicho de sangue brotou do ferimento rasgado por Harvath desde a ponta do nariz até à testa do homem.

O gigante soltou um berro de dor e levou as duas mãos à cara, e Harvath não perdeu tempo. A inspirar em grandes golfadas, ainda tinha dificuldade em concentrar as forças. Levantou outra vez a pasta e tirou proveito da vantagem que lhe dava o jorro de sangue que inundava os olhos do gigante e não o deixava ver a investida.

A pasta embateu violentamente contra uma têmpora. O homem deixou cair as mãos e ficou sentado durante um ou dois segundos, que a Harvath pareceram uma eternidade, antes de cair para o lado, inconsciente.

Harvath esforçou-se por se libertar do corpo pesado, mas ao fazê-lo teve uma visão de pesadelo. O *Assobios* aproximava-se, a brandir um tubo com a mão esquerda. Sentado e com a pasta agarrada contra o peito, Harvath tentou levantar-se, mas as pernas não obedeceram. Tirar de cima de si o peso do *Passarão* equivalera a um milhão de fle-xões e agora as pernas pareciam de borracha. O melhor que conseguiu foi rastejar sobre o traseiro até à rua.

Quando bateu com as costas num automóvel estaciona-do, percebeu que não iria mais longe. Mesmo que o *Asso-bios* não tivesse nem metade da combatividade do *Passarão*, Harvath era um homem morto.

Se ao menos trouxesse uma arma consigo... Uma faca, um *spray* de pimenta, qualquer coisa daria jeito naquela oca-sião.

Quando viu que Harvath não se conseguia ter de pé, o *Assobios* sorriu, mostrando uma fieira de dentes estraga-dos, e, embora soubesse que era impossível, Harvath teve a sensação de lhe cheirar o hálito fétido.

Quando o viu recuar o cano e investir pela rua, não lhe restaram dúvidas quanto às intenções do gigante.

A situação era desesperada, mas Harvath não desistia de uma luta — mesmo perdida de antemão. Ao recuar uma perna para dar um pontapé no joelho do homem, ouviu um grito vindo do lado esquerdo e um par de faróis rasgou a escuridão da noite.

A princípio, pensou que seria a polícia. Abafou uma imprecação que se evaporou num fedor de borracha quei-mada e chiar de travões quando a traseira do táxi de Mous-sa derrubou o *Assobios*. Ainda o gigante não caíra e já o jo-vem argelino tinha a porta de trás aberta e gritava a Harvath para que entrasse. Harvath arrastou-se para dentro do automóvel e deixou-se cair sobre o banco traseiro, sem-pre com a pasta bem agarrada.

Moussa estendeu o braço para trás, fechou a porta e ar-rancou a toda a velocidade pela noite dentro.

No regresso a Paris, Moussa só abriu a boca para saber onde Harvath queria que o deixasse. Devia ter vontade de fazer uma série de perguntas, mas guardou-as para si e deu tempo a Harvath para fechar os olhos e descansar.

Em obediência às ordens do passageiro, dirigiu o táxi para a Île Saint-Louis. Entraram pela Ponte Marie e manobraram ao longo das ruelas estreitas até à Rue de Boutarel e ao Quais d'Orléans. Daí, Harvath podia ver um troço do Sena e a barcaça que servia de refúgio à Sargasso. Pediu a Moussa que estacionasse.

Estendeu-lhe dois mil euros por cima das costas do banco e disse:

— Deve chegar para reparar a chapa.

Deitou a mão ao puxador e concluiu:

— Adeus, Moussa, e obrigado por tudo.

O jovem argelino voltou-se para dizer qualquer coisa, mas o passageiro já tinha saído.

Harvath desceu até à água, meteu o *Dom Quixote* num saco de plástico que encontrou numa lata de lixo e deitou fora a pasta. Com cuidado para nunca sair da sombra, observou atentamente a barcaça durante uns vinte minutos.

Enquanto o fazia, foi reflectindo sobre muitas coisas. Acima de tudo, quem seriam as pessoas que andavam na cola de Anthony Nichols e como é que o tinham seguido até à Mesquita Bilal. Era uma das primeiras perguntas que tencionava colocar ao professor quando regressasse à barcaça.

Quando se convenceu de que nada de anormal se passava, atravessou o rio pela Ponte de La Tournelle e observou a barcaça durante mais alguns minutos antes de descer até ao cais. Entrou na casa do leme e desceu a escada sem fazer ruído. René Bertrand estava onde o deixara, amarrado à cadeira na sala de jantar. A cabeça pendia-lhe para frente e parecia estar a dormir ou ter perdido o conhecimento. Nichols estava na cozinha, de costas voltadas, e Harvath apanhou-o de surpresa.

— Irra! Pregou-me um susto de morte! — disse o professor ao virar-se com uma mão no peito. — Conseguiu?

Harvath levantou a mão em que segurava o saco de plástico.

— Como está a Tracy?

Nichols soltou um suspiro e pousou sobre o balcão a caneca que estava a encher com água quente.

— Foi-se embora.

— *Foi-se embora?* O que quer dizer com isso? — perguntou Harvath, saindo da cozinha em direcção à cabina.

Assim que acendeu as luzes, os seus olhos foram atraídos para a cama vazia. Abriu a porta da casa de banho, mas não estava lá ninguém.

— Há quanto tempo? — perguntou quando ouviu os passos de Nichols atrás de si.

— Pelo menos, uma hora.

— Disse onde ia?

— Disse que precisava de ir ao médico e que você havia de compreender.

Harvath pousou o livro, abriu o tabique falso e tirou a caixa que continha a pistola.

Nichols percebeu o que ele estava a pensar e disse:

— Também disse que não queria que você fosse atrás dela.

— Neste momento, já todos os polícias da cidade têm as nossas fotografias — respondeu Harvath, entalando a pistola no cós das calças. — Acha que irá longe?

— Talvez não, mas penso que ela tem consciência disso. E que ficar aqui só servia para o empatar.

— É isso que pensa, é? — replicou Harvath em tom desabrido.

— Scot, ela tinha mais dores de cabeça do que deixava perceber.

— Você agora também é médico?

— Não quis obrigá-lo a escolher entre ela e aquilo que temos de fazer.

Harvath olhou-o com dureza.

— O que *temos* de fazer? — repetiu Harvath, indignado.

— Ela disse que você ia ficar furioso.

— Sabe que mais? Não me venha dizer o que a minha namorada pensa, está bem?

Harvath dirigiu-se à pequena secretária, tirou os auscultadores da gaveta e ligou o computador portátil.

O professor percebeu que a conversa tinha acabado e saiu em silêncio da saleta.

Harvath escolheu um endereço de correio electrónico entre os vários que mantinha anonimamente e enviou uma mensagem para o computador e para o telemóvel de Ron Parker.

Passaram-se alguns minutos até que este aparecesse no ecrã da *chatroom*.

— Estás com mau aspecto — disse Parker quando entrou em linha a partir da sala de conferências da Sargasso no Colorado.

Era um homem de trinta e muitos anos, mais ou menos da estatura de Harvath, com a cabeça rapada e uma barbicha escura.

Tinha o hábito de dizer umas piadas antes de perceber a gravidade de uma situação, de modo que Harvath ignorou o comentário.

— Porque demoraste tanto tempo?

— Estava a treinar com a equipa Dez da SEAL do outro lado da propriedade e a minha *Ducati* não podia ter andado mais depressa. O que se passa? Na mensagem, dizes que é urgente.

— A Tracy desapareceu.

O rosto de Parker ficou sério e inclinou-se para a câmara.

— O que aconteceu?

— Saiu enquanto eu estava fora. Disse que precisava de consultar um médico.

— Porquê? Está ferida?

— Está com dores de cabeça. Pelos vistos, bastante violentas.

— O que queres dizer com isso de *pelos vistos*? Não tens a certeza?

— Não me quis dizer. Tem andado a tomar analgésicos às escondidas.

— Deixa-te estar quieto, é possível que volte num instante. Não te preocupes.

— Ron, *estou* preocupado. Todos os polícias desta cidade andam à nossa procura. Tens aqui contactos que eu desconheço. Quanto tempo levas a descobrir onde ela está?

A comunicação não era tão rápida quanto Harvath desejava e passou-se algum tempo antes de Parker responder.

— Vou já entrar em contacto com eles, mas a Tracy pode estar em qualquer lado, num hospital, no consultório de um médico. Vou começar pela embaixada para saber se alguém entrou em contacto a pedir indicações.

— Não — respondeu Harvath. — Não quero ninguém da embaixada metido neste assunto.

— Pode ser difícil.

— Porquê?

Parker ajustou a câmara para que Harvath pudesse ver o proprietário do Sargasso Intelligence Program, Tim Finney, que estava a seu lado.

Finney era um antigo campeão de luta da costa do Pacífico, na casa dos cinquenta anos, muito mais alto e fisicamente mais poderoso que Harvath, uns impressionantes cento e trinta quilos de músculo. Tinha uns olhos verdes intensos e, à semelhança de Parker, usava a cabeça totalmente rapada, uma semelhança que Harvath atribuía a um barbeiro preguiçoso ou pouco criativo. Mas, apesar das suas dimensões e da reputação de lutador impiedoso no ringue, Finney era um dos melhores amigos com que um homem honesto podia contar, como Parker, aliás.

Finney levantou um bloco cor-de-rosa de mensagens telefónicas no momento em que Parker disse:

— O Gary Lawlor anda à tua procura. Já telefonou duas vezes. Diz que tem uma mensagem do Presidente.

— Porque telefonou para vocês?

Finney tirou o microfone das mãos de Parker e respondeu:

— Não sejas parvo, Scot. Ele sabe muito bem que só há dois números para onde ligas quando estás metido em sarilhos, e como o telefone dele não tem tocado não lhe foi difícil concluir que estarias em contacto connosco. O que lhe dizemos?

— O que sabe ele?

— Sabe que estás em Paris.

— Como sabe isso? — insistiu Harvath.

— Disse que era por isso que o Presidente queria falar contigo.

Harvath tinha recomendado a Nichols que não usasse o telefone nem o computador na sua ausência. Talvez o professor lhe tivesse desobedecido, mas duvidava. O mais natural era que os franceses já o tivessem identificado e contactado o Presidente. Fosse como fosse, só piorava a situação.

— O Gary perguntou se te tínhamos dado alojamento e como podia entrar em contacto contigo — disse Finney.

Harvath não estava interessado em ouvir o que o Presidente tinha para dizer.

— O que lhe respondeste?

— Disse-lhe que *se* falasses connosco te diríamos para falares com ele.

— Ele acreditou nessa?

Finney levantou as mãos e disse:

— Não faço ideia, Scot. É o teu chefe.

— *Era* o meu chefe — emendou Harvath.

— Ou isso. Porque não lhe telefonas e perguntas tu mesmo?

— Vou pensar nisso — respondeu Harvath, que não tinha a menor intenção de o fazer.

— Nós vamos ver o que conseguimos. Estás metido na merda até ao pescoço, e a Tracy também. Não sei se temos uma corda suficientemente comprida para te safar. Talvez fosse melhor meteres o orgulho num saco e pensar em qualquer coisa para além de ti mesmo. O Gary Lawlor e o Presidente Rutledge talvez sejam as únicas pessoas que podem deslindar esta trapalhada.

Finney tinha razão, mas Harvath era demasiado teimoso para o admitir.

Como ele não respondesse, Parker pegou novamente no microfone e disse:

— Entro em contacto contigo assim que souber qualquer coisa. Entretanto, vê se limpas a merda que fizeste.

A comunicação com a Sargasso extinguiu-se.

Harvath sempre tivera um bom relacionamento com Gary Lawlor. O antigo subdirector do FBI era amigo da família de Harvath há imenso tempo. Quando o pai de Scot, que era instrutor dos SEAL, morrera num acidente na Califórnia, Gary fora para ele um segundo pai.

Quando o Presidente Rutledge pensara em montar o Projecto Apex para combater os terroristas nos seus próprios termos, tinha convencido Gary a sair do Bureau para assumir a liderança. Embora divergissem por vezes na maneira de alcançar os objectivos, Scot e Gary haviam trabalhado harmoniosamente em conjunto.

Mesmo assim, Harvath não falava com Lawlor desde que saíra de Washington com Tracy. Em certa medida, isso instilava-lhe um sentimento de culpa. Gary sempre fora um apoio para ele e para a mãe. Era um tipo duro, mas justo, e já por várias vezes o tinha livrado de apuros. Harvath devia-lhe muito mais do que uma chamada telefónica.

Era uma das razões que o levaram a afastar-se. Quanto mais tempo se passava sem lhe telefonar, mais difícil se tornava fazê-lo. Gary era um homem simpático e regrado. Embora o seu trabalho fosse tão pouco convencional como os terroristas a que tinha por missão dar caça, continuava a ser um tipo que jogava limpo, possivelmente uma consequência da sua longa carreira no FBI. Tinha aprendido a não fazer perguntas quando Harvath se encarregava de uma missão.

Scot sabia que quando entrasse em contacto com Lawlor a conversa não recairia sobre os locais que ele e Tracy haviam visitado nem sobre o estado do tempo. Não era homem para conversa fiada. Harvath sabia que Gary lhe perguntaria quando tencionava regressar e quais os seus planos para o futuro. Talvez fosse essa a razão principal que o levava a evitá-lo. Até conhecer as respostas, a última coisa que lhe apetecia era responder a perguntas.

Mas as circunstâncias alteraram-se, e Finney tinha razão. Quaisquer que fossem as ordens ou a mensagem do Presidente que Lawlor lhe destinava, Harvath não tinha alternativa senão atirar o ressentimento para trás das costas e pôr o bem-estar de Tracy em primeiro lugar.

Depois de procurar numa extensa lista de falsos endereços, Harvath escolheu um dos seus cartões telefónicos e marcou o número do telemóvel de Gary em Washington.

Gary atendeu ao primeiro toque:

— Lawlor.

Harvath aclarou a garganta antes de dizer:

— Gary? Daqui é Scot.

— Estás bem?

— Estou.

— Óptimo. Tens à perna todos os polícias, *gendarmes* e operacionais de informações de França. Sabes isso, não sabes?

— A popularidade é uma merda.

Lawlor soltou uma breve risada e prosseguiu em tom grave:

— Estás metido num sarilho dos grandes, rapaz.

— Pediste que te falasse só para me dizeres coisas que eu já sei?

As palavras saíram-lhe mais duras do que tinha contado, mas nada fez para as corrigir.

— De manhã, um atentado à bomba. À tarde, uma cena de tiros. Estás a pensar nalguma coisa para a noite?

— Que tal uma situação de pânico no interior de uma mesquita?

— Não brinques comigo, está bem?

— Está bem, então hei-de lembrar-me de outra coisa. O que preferes? — perguntou Harvath.

— Desapareceste durante meses sem deixar rasto. Nem sequer um adeus. Só deixaste o *BlackBerry* e as credenciais com um bilhetinho estúpido a dizer: «Vou pescar», e agora tens o desplante de falar como se eu te tivesse interrompido as férias.

Harvath reprimiu a vontade de se justificar e obrigou-se a pensar em Tracy.

— Tens razão. Desculpa. Devia ter falado contigo.

— Pois claro que devias — respondeu Lawlor. — Tens sorte em o Presidente se sentir em dívida para contigo. Nenhum operacional seria autorizado a desaparecer da maneira como o fizeste.

— Podiam encontrar-nos assim que quisessem. Continuamos a usar os nossos passaportes.

— Deixa-te de tretas, Scot. Seguir o teu rasto é como brincar à cabra-cega. Tão depressa surges no sistema ao entrar num país qualquer como desapareces durante três semanas ou um mês para atravessares outra fronteira e mostrares o passaporte.

Ele tinha razão. Não se esconderam propriamente, mas as pistas que deixavam não conduziam a nada.

— Precisava de algum tempo para pensar.

— Pois bem, o tempo acabou. Tens de voltar ao trabalho — disse Lawlor. — O Presidente precisa de ti.

Harvath conteve-se para não elevar a voz.

— Já não trabalho para ele. E, com todo o respeito, também já não trabalho para ti.

— Nesse caso, vais ter todo o tempo de que precisas para pensar. As prisões francesas são locais bastante solitários, em especial para um estrangeiro.

— Essa técnica do polícia mau não resulta comigo, Gary. Já devias saber isso.

— E tu devias saber que as provas que a polícia francesa tem contra ti são de peso. Podem passar-se uns anitos até que as investigações sobre esses casos estejam terminadas e por fim vás a julgamento. Pode ser que te safes em tribunal, mas até lá, ao abrigo das leis antiterroristas deles, vais malhar com os ossos na cadeia durante uns meses. E, enquanto lá estiveres, serás um americano envolvido num atentado em que morreram vários cidadãos franceses e num tiroteio que redundou na morte de três polícias. Não vais propriamente sentir-te como se estivesses no Ritz.

Harvath abriu a boca para falar, mas Lawlor prosseguiu, implacável:

— E a Tracy? Queres fazê-la passar pelo mesmo? É isso que pensas?

— Não metas a Tracy no assunto — respondeu secamente Harvath.

— É demasiado tarde. Já está metida até ao pescoço. Sabes que os franceses já lhe deitaram a mão?

Harvath sentiu uma contracção no estômago. Não era de todo uma surpresa, mas nem por isso deixava de ser um choque.

— Onde foi?

— Há cerca de uma hora, entregou-se num hospital de Paris.

— Ela está bem?

— Está a ser submetida a exames — respondeu Lawlor. — Sob a vigilância da polícia.

Harvath ficou calado por momentos. Por fim, rompeu o silêncio:

— Como foi que soubeste isso?

— Os franceses têm um vídeo teu no local da bomba e na cena dos tiros no Grand Palais. Por tua causa, o Presidente pediu-me que interviesse para controlar as coisas.

— E a Tracy? — perguntou Harvath, mais preocupado com ela do que consigo. — O que lhe vai acontecer?

—Vão detê-la, identificá-la, etc., etc., mas a prioridade vai ser o tratamento médico. Neste momento, estão a fazer-lhe uma TAC.

— Onde? Em que hospital?

— Nem penses! Não chegavas nem a dois quarteirões de lá.

— Não tenhas tanta certeza.

Lawlor sabia que tinha razão, mas não era o momento para discutir isso.

— Está bem, és capaz de lá chegar, mas neste momento não vale a pena arriscar. Estão a cuidar bem dela. Na minha qualidade de chefe do Gabinete de Investigações Internacionais da DHS, o Presidente mandou-me auxiliar os franceses nas investigações sobre o atentado e os acontecimentos do Grand Palais.

— Pelo menos, quero falar com ela.

— Nem pensar. Para todos os efeitos, neste momento, ela está sob custódia da polícia francesa, e o facto de estar num hospital não lhe confere um estatuto diferente do que teria numa cela. Aliás, eu já tentei telefonar-lhe. A polícia atendeu a chamada num telefone fora do quarto. Não querem que ela fale com ninguém.

— Isso é um disparate. Sabes bem que ela nada tem a ver com isto!

— Bem, os franceses têm uma data de imagens de vídeo que não sugerem o mesmo.

— O Rutledge tem de nos safar desta — exigiu Harvath. — Ou pelo menos safar a Tracy. Deve-lhe isso.

— Já falamos sobre o Presidente. Primeiro, quero que me contes tudo o que se passou. Desde o princípio.

O passado de Harvath sugava-o de tal modo, que não o deixava ver a luz do dia. Com Tracy detida pela polícia francesa, nada podia fazer contra isso. Inspirou fundo, ajeitou-se na cadeira para aliviar a pressão nas costelas, moídas de pancada, e começou a falar.

44

COMANDO-GERAL DA POLÍCIA
WASHINGTON, D. C.

— Está aqui uma grande quantidade de fotografias. Leve o tempo que for preciso — disse Aydin Ozbek.

— Não é preciso — respondeu Andrew Salam. — É ele.

— Tem a certeza? — insistiu Rasmussen.

— Absoluta. Foi este o homem que me aliciou.

Ozbek trocou um rápido olhar com Rasmussen antes de se voltar de novo para Salam.

— Sei que você já falou exaustivamente disto com o FBI, mas precisamos que o faça outra vez. Necessitamos de saber como é que comunicava com ele. Onde e quando se encontravam. Se ele alguma vez foi a sua casa, ou ao seu escritório. Ou se você foi a casa dele, ou ao local onde trabalhava. Tudo.

— Vocês conhecem este tipo, não conhecem? É da CIA, não é? — perguntou Salam.

— Uma coisa de cada vez — disse Rasmussen.

— Vá-se lixar com isso de *uma coisa de cada vez* — explodiu Salam, irritado. — Estou a dizer a verdade. O facto de reconhecer este tipo é a prova disso.

Olhou para o rosto dos dois homens sentados à sua frente. Havia ali qualquer coisa que não conseguia compreender. De repente, fez-se luz na sua mente.

— Porra! O tipo é o assassino que procuram, não é? Ele e al-Din são uma e a mesma pessoa. Foi por isso que voltaram cá.

— Ainda não temos a certeza — disse Rasmussen.

Salam soltou uma gargalhada.

— E o FBI a entrar em pânico porque pensava que era um dos deles, quando afinal é dos *vossos*.

— Ainda estamos a reunir as peças...

Ozbek interrompeu o colega.

— O homem que você identificou na fotografia chama-se Matthew Dodd. Encenou a sua própria morte e desapareceu há pouco mais de cinco anos.

— Mais ou menos quando se converteu ao Islão... — aventou Salam.

— Se o que nos disse é verdade, foi por essa altura.

— Assim como aliciar-me e montar a Operação Glass Canyon.

Ozbek assentiu.

— Então é isso. Já têm a prova. Estou inocente e já me podem tirar daqui — concluiu Salam.

— Identificar o Dodd como o seu contacto é uma coisa. Provar que foi ele ou que foi outra pessoa a matar a Nura Khalifa é outra.

— Mas vocês podem ajudar-me — insistiu Salam. — Se disserem ao FBI que o Matthew Dodd era o meu contacto, isso provará que estou a dizer a verdade.

— Não somos obrigados a dizer-lhes nada — replicou Rasmussen.

Ozbek mandou-o calar com um gesto, apoiou os cotovelos em cima da mesa e descansou o queixo sobre os polegares.

— Pode ser que consigamos ajudá-lo, mas primeiro terá de nos ajudar a nós — declarou com ar pensativo.

— Como? — perguntou Salam.

— Não se faça de parvo, senhor Salam — atalhou Rasmussen.

Uma vez mais, Ozbek fez-lhe sinal para que se calasse.

— Sabemos onde o Dodd se encontra neste momento. Até sabemos quem será o seu próximo alvo...

— O doutor Khalifa? — interrompeu Salam. — Então, a Nura tinha razão, era o tio dela?

— Temos motivos para pensar que o doutor Khalifa já estará morto e que o próximo alvo é outra pessoa.

— Então, a Nura tinha razão — repetiu Salam, mais para consigo do que para os homens da CIA.

— Não sabemos se foi o Dodd quem o matou — replicou Ozbek. — Não temos a certeza. Pelo menos, para já. Mas pensamos que o que aqui está em jogo é algo muito mais importante e precisamos de saber ao certo do que se trata.

— E pensam que vos posso ajudar a descobrir isso? — perguntou Salam, a fitar o seu interlocutor.

— Pode ser que sim, pode ser que não. Mas poderá orientar-nos na direcção certa.

— Dando-vos as mesmas informações que dei ao FBI?

Ozbek assentiu.

Apesar de se ter deixado ludibriar pelo pretenso agente do FBI que o aliciara, Salam não era estúpido. Longe disso.

— E como sei que não pegam na informação que vos der, que encontram o Dodd e lhe dão cabo do canastro e depois negam que esta conversa alguma vez existiu?

— Você não tem muito por onde escolher — disse Rasmussen. — Tem de confiar em nós.

Salam riu-se outra vez.

— Pois é. Da maneira como vejo as coisas, tenho várias opções. Posso falar ao FBI, ou à polícia, ou esperar que me arranjem um advogado e falar à imprensa. Se há aqui alguém que não tem muitas opções, não sou eu, é a CIA.

Rasmussen preparava-se para responder, mas Ozbek apontou-lhe a porta.

— Encontramo-nos no carro.

— O quê?!

— Deixa-nos a sós por um bocado — disse Ozbek. — Vai tomar um café, ou qualquer coisa parecida.

Rasmussen não queria acreditar no que ouvia. Mas limitou-se a resmungar e a abandonar a sala.

Assim que a porta se fechou, Salam disse:

— A princípio, pensei que vocês eram uns gajos porreiros, mas depois percebi que o tipo é um idiota.

Rasmussen era um especialista no terreno, não numa sala de interrogatórios, e Ozbek deixou passar a observação. Meteu a mão no bolso, tirou uma máquina fotográfica digital e ligou-a.

— Da última vez que aqui estivemos, você perguntou pelo seu cão. Penso que gostará de ver isso — disse, estendendo o aparelho na direcção de Salam.

Foi manifesto o alívio no rosto de Salam ao ver as fotografias.

— Então, a polícia sempre tomou conta dele.

— Nem por isso — replicou Ozbek. — Estavam muito mais interessados em fazer a sua casa em bocados. Iam mandá-lo para o canil, mas eu tratei de tudo. Está em casa de um dos seus vizinhos.

— Qual deles? — perguntou Salam em tom apreensivo.

— Um tipo de idade que vive do outro lado da rua.

— O veterano que tem a bandeira hasteada?

— Esse mesmo. Tem alguma coisa contra?

— Não — respondeu Salam. — É um bom tipo. Fez duas comissões no Vietname. Não parece que se tenha interessado por mim quando me mudei, mas foi sempre educado. Obrigado.

— Não tem de quê. Agora...

— Já agora, você dá uma atenção especial aos cães, não é?

— Tenho um *labrador* preto.

— Belo cão. Esperto — observou Salam.

— É esperto, sim. Oiça, Salam. Fique a saber que o FBI encontrou mensagens de correio electrónico entre você e a Nura Khalifa, assim como outras provas de que havia uma relação entre ambos.

— Isso é um absurdo.

— Essas provas dão a entender que a Nura se encontrou consigo para pôr termo a essa relação.

— Mas não havia relação nenhuma — insistiu Salam. — Era estritamente profissional.

Ozbek encolheu os ombros e disse:

— Só lhe estou a contar aquilo que ouvi.

— *Que outras provas* têm eles?

— Qualquer coisa como um motivo do género: *se não pode ser minha, não há-de ser de ninguém.*

— Mas eu não a matei. Fomos atacados. Já lhe disse isto. Não sou nenhum idiota, e a palavra-chave em tudo isto é *se*. *Se* eu tencionasse matar alguém, escolheria um local onde seria preciso desactivar as câmaras de vigilância da polícia? Além de não saber fazer isso, mesmo que quisesse. Você tem de acreditar em mim. Eu era tanto um alvo como a Nura. Queriam-nos mortos e, quando perceberam que eu sobrevivi, plantaram todas essas pistas falsas para fingir que havia uma relação e que eu a queria matar porque ela me ia deixar.

— Não lhe parece que seria uma grande trabalheira? — perguntou Ozbek.

— Desactivar as câmaras de vigilância do monumento a Jefferson também deve ter sido.

Contra aquilo, Ozbek não tinha argumento.

— Aqueles tipos não são uns patetas de turbante como a maior parte dos nossos políticos pensa — prosseguiu Salam. — São pessoas altamente sofisticadas e dispõem de recursos impensáveis. Se imaginasse os lugares onde os seus operacionais já conseguiram infiltrar-se, não seria capaz de conciliar o sono. Têm legiões de adeptos e simpatizantes, e uma das estratégias de relações públicas mais refinadas que se possa imaginar. Ao lado desta gente, os nazis eram amadores. Isto é a ameaça mais séria que a nossa nação *jamais* enfrentou, mas, no entanto, vão enforcar-me por tentar cumprir o meu dever de americano. Isto não é justiça, é um disparate sem pés nem cabeça.

— Você tem razão. É um disparate sem pés nem cabeça.

— Então, acredita em mim?

Ozbek acenou com a cabeça, a confirmar.

— Mas tenho de ser honesto consigo. Há limites para o que posso fazer. Esta investigação pertence ao FBI e à polícia metropolitana. A CIA não tem qualquer interferência oficial no caso.

— Então e o Dodd? Se lhe deitarem a mão, as coisas mudam de figura, não é?

— É provável. Mas pode ser que vire a casaca e faça um acordo com a CIA em troca de informações muito mais valiosas.

— E eu continuo a pagar as favas, não é? — observou Salam, desalentado.

— Acontece. Só queria que você estivesse consciente disso.

— Muito obrigado.

— Andrew, você está numa situação delicada. Da maneira como as coisas foram orquestradas contra si, ninguém lhe levará a mal se se fechar como uma ostra e esperar por um advogado.

— Porque me está a dizer isto tudo? Se eu falar à imprensa a respeito do Dodd, será um grande embaraço para a CIA.

— São meninos e meninas crescidos, têm gente para cuidar dessas coisas.

— Mesmo assim... — insistiu Salam.

— Você é um bom tipo, Andrew. Alguém o entalou a valer, mas cooperou desde a primeira hora. E penso que o fez porque nunca acreditou ter agido mal. Pelo contrário, estava convencido de que o fazia para bem do país e em prol das pessoas honradas desta terra. Não lhe posso prometer que vou deslindar toda a trama em que está metido, mas, se me ajudar, prometo-lhe que tudo farei para deitar a mão ao Matthew Dodd e aos seus comparsas islamitas, para que não façam mais mal à América.

Salam ficou calado, a pensar, mas não por muito tempo. Sabia o que tinha a fazer.

— Pegue na caneta. Acho que vai precisar de tomar uns apontamentos.

CAPÍTULO

45

PARIS

Dodd encontrou o administrador da mesquita no seu escritório.

— A polícia vem aí! — gritou ele em francês para Dodd quando o assassino escancarou a porta com um pontapé e entrou de rompante.

— Hão-de vir, sim — respondeu Dodd, fechando a porta atrás de si —, mas primeiro têm de reunir mais gente. Este bairro não tem propriamente boa fama. Os polícias têm tanto medo de cá vir como os outros.

Namir Aouad olhou para a arma que o intruso empunhava.

— O que quer daqui?

— O que queria o americano?

— Qual americano?

Dodd retirou o silenciador de dentro da camisa e enroscou-o no cano da pistola e repetiu a pergunta:

— O que é que ele cá veio fazer?

— Não sei do que está a falar — gaguejou Aouad.

O assassino não gostava que lhe mentissem. Ergueu a *H&K* e fez fogo, abrindo um buraco na parede por cima da cabeça do administrador da mesquita.

— Diz-me o que o americano veio cá fazer ou o próximo tiro não acerta na parede.

Aouad olhou para a barba espessa do homem, para a sua roupa e para o típico barrete muçulmano.

— Você parece ser muçulmano.

— E sou.

— Então, não pode disparar contra mim — declarou Aouad. — Um muçulmano está proibido de matar outro muçulmano.

Durante uma fracção de segundo, perpassaram pela cabeça de Dodd as imagens da morte da mulher e do filho. O seu olhar endureceu.

— Quando escolhes ajudar um infiel contra um crente, deixas de ser muçulmano.

— Nunca ajudei infiéis — protestou o administrador da mesquita.

— Fala-me de René Bertrand.

Aouad levantou a cabeça e olhou com indiferença para o lado direito.

— Não sei quem é esse homem.

Ainda não tinha acabado de proferir a mentira e já Dodd lhe tinha aberto um buraco redondo no ombro.

Aouad soltou um grito de dor e levou as mãos ao ferimento. Um líquido negro e espesso começou a alastrar pelo colete do homem. Retirou a mão e quase desmaiou à vista do sangue.

— O americano veio à procura do livro. Foi por causa do livro — gemeu.

O assassino pareceu admirado.

— O Bertrand deixou o livro contigo?

— Por favor, preciso de uma ambulância — lamuriou-se o administrador da mesquita.

— Do que precisas é de um caixão se não responderes às minhas perguntas — rosnou Dodd.

— Só guardava o livro por conta dos proprietários.

— Queres dizer dos tipos que o roubaram — corrigiu o assassino.

O administrador da mesquita assentiu pressurosamente. Estava a perder muito sangue e não queria levar outro tiro.

— Por favor! Preciso de uma ambulância! — repetiu.

Dodd não lhe prestou atenção, mais preocupado com os próprios pensamentos. O assassino estava espantado com o facto de o livro ter estado ali o tempo todo. Se tivesse sabido!

— Teríamos pago muito mais por esse livro!

Aouad estava confuso.

— Você?!

— Sim, imbecil! — berrou o assassino enquanto levantava de novo a pistola.

— Quem é esse tipo? Como foi que o Bertrand entrou em contacto com ele? Quero esse livro!

Aouad estava a perder o conhecimento.

— Desapareceu. O americano roubou-o — conseguiu articular, a apontar para a caixa de madeira que estava em cima do ficheiro metálico.

O assassino atravessou o compartimento de um salto.

— Por favor — gemeu Aouad. — Deixe-me chamar uma ambulância.

— Cala-te — ordenou o assassino.

Abriu a tampa da caixa e espreitou lá para dentro. Um livro estranho em cima de uma peça de tecido. A capa estava gasta e pouco legível.

Dodd percebia de muitas coisas, mas os livros antigos não faziam parte dos seus conhecimentos. Para se orientar, só tinha a recordação das páginas enviadas por Bertrand pelo correio electrónico. Por isso, quando abriu o *Dom Quixote* e examinou as primeiras folhas, não compreendeu o alcance das palavras de Aouad. Eram exactamente como se recordava de ter visto.

Mas ao ir além dessas páginas percebeu o que acontecera. As primeiras estavam coladas, e não cosidas. *Era uma falsificação.*

— Idiota! — rosnou ao voltar-se para Aouad.

O administrador da mesquita abriu a boca para responder e o assassino enfurecido despejou-lhe quatro tiros lá para dentro.

Matthew Dodd esperou até a respiração voltar à normalidade e limpou as suas impressões digitais de todos os sítios onde havia tocado. Sem ninguém dar por ele, abandonou o gabinete e saiu da mesquita.

A culpa era de Omar, era ele o responsável por tudo. Se lhe tivesse dado atenção logo do princípio, aquele assunto já estaria arrumado há muito tempo.

Começara a cair uma chuva fria, mas nem assim a cólera de Dodd arrefeceu. Agora, o livro estava na posse de Nichols e dos outros. Bem podia atirar as culpas para cima de quem quisesse, mas a verdade é que tinha falhado, e ele não apreciava o sabor do fracasso, em especial quando estava em jogo uma coisa tão importante.

Começou a andar. Precisava de recuperar o domínio sobre si mesmo. Ia tão furioso que quase não deu pelo *Opel* azul que transportava dois homens com ar de magrebinos.

Como não o considerou uma ameaça, o assassino arquivou mentalmente a imagem do automóvel e dos seus dois ocupantes e concentrou-se no que iria fazer a respeito do livro.

Mais adiante, o *Opel* virou numa esquina e desapareceu de vista.

Quando alcançou a esquina, Dodd já tinha chegado à conclusão de que, se Nichols e o livro não haviam saído já do país, isso não tardaria a acontecer. O assassino cogitava no modo como o poderia interceptar, quando se lhe eriçaram os cabelos da nuca.

Se chegou a ver o *Opel* parado em segunda fila e o cano da *H&R MP-5A2* apontado à sua cabeça, não fez diferença. Os instintos de Dodd apoderaram-se da situação.

Como se lhes tivessem retirado duas cavilhas, os joelhos de Dodd dobraram-se e o corpo abateu-se no chão. O punho direito foi impelido violentamente para diante, de encontro aos testículos do atacante. Com o primeiro dos assaltantes dobrado em dois, agarrou a pistola do segundo e torceu-lhe o pulso para fora. O corpo do homem acompanhou o movimento, e Dodd retirou a pistola com o silenciador e disparou-lhe um tiro atrás da orelha que lhe provocou morte instantânea.

Virou-se com rapidez no momento em que o primeiro atacante levantava a arma, premiu outra vez o gatilho e meteu-lhe uma bala por baixo do nariz.

Uma dança macabra perfeitamente sincronizada, na qual poucos o poderiam igualar.

Quando o corpo do segundo homem se estatelou no chão, a respiração e o ritmo cardíaco do assassino já quase regressara à normalidade. Para Dodd, matar não era uma experiência emocional, era meramente física.

Olhou para um lado e para o outro da rua, em busca de testemunhas. Como não visse ninguém, aproximou-se do carro e abriu a bagageira. Com movimentos rápidos, levantou os dois homens e meteu-os lá dentro, com as respectivas armas.

Vasculhou-lhes os bolsos e encontrou dois cartões que os identificavam como agentes dos Renseignements Généreaux, integrados nos Millieux Intégristes Violents, a unidade que se ocupava da vigilância dos islamitas radicais nas mesquitas francesas.

Dodd fechou a bagageira, abriu a porta do condutor e sentou-se ao volante. No banco de trás, encontrou dois sacos com equipamento de vigilância altamente sofisticado. Instalado entre os dois bancos da frente, estava um pequeno computador, um terminal móvel de dados, conhecido no meio por MDT. Como em todos os veículos da polícia, o MDT estava ligado a uma rede sem fios que permitia aos agentes dos RG aceder a nomes, fotografias e outras informações, bem como comunicar com os seus superiores do comando-geral.

O assassino visionou as últimas comunicações. Os dois agentes que acabava de liquidar foram destacados para a Mesquita Bilal e para filmar os fiéis à saída da oração de sexta-feira. Iam a caminho da mesquita quando tiveram conhecimento do tiroteio.

Dodd tinha subestimado a capacidade de resposta das autoridades francesas. Sabia que os RG não dispunham de pessoal suficiente para exercer vigilância sobre as mil e setecentas mesquitas onde os muçulmanos oravam todos os dias; por isso, quando não vira ninguém à volta da Bilal, pensara que não fazia parte da lista dos RG para essa noite.

Isso não obstava a que houvesse agentes infiltrados dentro da mesquita, mas no pandemónio que se gerara teriam dificuldade em identificá-lo como o atirador, a menos que estivessem mesmo ao seu lado. Além disso, ia disfarçado.

Fosse como fosse, alguém fornecera aos RG a sua descrição e os dois operacionais mortos começaram à procura dele logo depois de receberem a chamada. A emboscada montada à pressa não tinha sido uma boa ideia, e iria custar aos RG bem mais do que dois agentes.

Depois de tentar penetrar, sem êxito, nos computadores dos RG, Dodd tinha agora outra porta de entrada. Accionou todos os alertas emitidos na sequência do atentado à bomba da manhã e estudou-os atentamente.

Poucos minutos depois, já fazia uma ideia do que a polícia francesa sabia e não sabia. Descobriu que havia cometido um erro no Grand Palais e que o seu rosto aparecia, mas só de perfil. As autoridades tinham imagens perfeitas de Nichols e do homem e da mulher que o ajudavam. Com tanta gente à procura deles, bastaria pisarem uma prancha de *skate* para serem apanhados.

Ora, o homem que vira no café, e que trabalhava com Nichols, tinha tido a esperteza de se disfarçar. E fora suficientemente matreiro para se escapar da mesquita no meio da confusão. Dodd precisava de saber quem enfrentaria. Nichols tinha quem o ajudasse, e era um tipo bem treinado. Uma coisa que não constava dos seus planos.

O assassino passou em revista as últimas mensagens e ficou surpreendido ao saber que a mulher fora capturada.

Segundo constava, o seu nome era Tracy Elizabeth Hastings, de vinte e sete anos, cidadã americana. Da mesma mensagem, constava que se encontrava no Hospital Americano de Paris, a receber tratamento.

Dodd ainda pensou dirigir-se ao hospital, mas mudou de ideias. Embora talvez conseguisse lá entrar sem ser detectado, os riscos associados ao rapto da mulher e ao seu transporte para o exterior eram demasiados. E mesmo que fosse bem-sucedido, que faria com ela? Trocá-la pelo livro? E se Nichols já tivesse copiado a informação de que precisava? As incertezas eram muitas.

Era em Nichols que devia concentrar-se. E, antes de decidir o que fazer a esse respeito, precisava de se inteirar do que ele sabia. *Mas como?*

Os olhos de Dodd saltitaram pelos retrovisores e percorreram a rua para um lado e para o outro. Depois voltaram a fixar-se no MDT. A moldura de borracha fez-lhe lembrar o portátil que tirara a Marwan Khalifa depois de o matar, e deu-lhe uma ideia.

Com cuidado para não deixar rasto, navegou na Internet através de uma série de servidores intermédios para saber notícias da morte de Khalifa.

A notícia de um incêndio nos Arquivos Nacionais italianos figurava em vários jornais do dia, para além da referência aos corpos carbonizados encontrados no local, mas nada que identificasse qualquer deles como o doutor Marwan Khalifa.

Dodd começou a engendrar um plano. Lembrava-se do *e-mail* que Nichols tinha enviado a Khalifa. Se Nichols conseguisse regressar aos Estados Unidos, havia razões para crer que compareceria ao encontro marcado com Khalifa para segunda-feira, na Biblioteca do Congresso.

— Diga-me tudo o que sabe acerca dele — intimou Harvath, enquanto engolia duas aspirinas com um copo de água.

Tinham levado Bertrand para uma das cabinas, para poderem falar à vontade.

— Por onde hei-de começar? O Marwan Khalifa é uma das maiores autoridades de todo o mundo no Alcorão. É professor em Georgetown e já antes trabalhámos juntos, o que o tornou a escolha ideal para este projecto.

— Trabalharam juntos quando?

— Há uns cinco anos. Logo depois do 11 de Setembro, escrevi um artigo sobre a Primeira Guerra da Berbéria e o primeiro contacto da América com o terrorismo islâmico. O Marwan ajudou-me em alguns pormenores.

— Foi a última vez que falou com ele? — perguntou Harvath.

— Mandei-lhe um *e-mail* pouco antes de vir para Paris, a confirmar um encontro em Washington na próxima segunda-feira.

— O que ele sabia acerca do seu trabalho com o Presidente?

— Tudo — respondeu Nichols. — Era meu associado neste projecto. Sabe mais sobre o Alcorão e da sua história do que qualquer outra pessoa que eu conheça.

— E o Presidente concordou?

— Claro! O facto de ter na equipa um especialista da categoria do Marwan só daria mais peso à descoberta.

— E por que motivo você e o Presidente precisariam de um peso suplementar?

Nichols olhou para ele por cima da caneca de café.

— Para já, o Presidente não está interessado em colher os louros da descoberta.

Harvath soltou uma curta risada.

— Quase todos os conflitos que presentemente grassam por esse mundo têm a ver com os muçulmanos. Essa revelação tem o potencial de pôr termo a esses conflitos, e o Jack Rutledge não quer colher os louros? Por favor!

Nichols achou que Harvath estava a mostrar pouco respeito, mas achou melhor não entrar numa discussão infrutífera.

— O Presidente teme que o seu envolvimento possa politizar a descoberta e diminuir o seu impacto. Se encontrarmos o que espero encontrar, haverá muita gente dentro do Islão que tentará tudo para desacreditar o achado.

— Está a falar dos fundamentalistas radicais — observou Harvath.

Nichols assentiu.

— Não vão desaparecer de um momento para o outro, e são mestres em subverter a verdade e em inventar conspirações. O Presidente entendeu que seria melhor que o nome dele nunca fosse envolvido no caso. A última coisa que deseja é dar um pretexto aos islamitas.

— Se isto é um perigo assim tão grande, os muçulmanos ortodoxos não vão ficar quietos.

— Pois não. Os motins por causa das caricaturas dinamarquesas vão parecer uma brincadeira de crianças quando comparados com o que acontecerá. Será um ataque directo à sua legitimidade, e tudo farão para o desacreditar. E, por muito estranho que pareça, Deus está do lado deles.

— O que quer dizer com isso? — perguntou Harvath.

— A simples sugestão de que o Alcorão está incompleto vai contra tudo quanto os muçulmanos aprenderam até hoje. Aceitar a hipótese de que ele não esteja completo é aceitar a sua imperfeição. E, daí até ser posto em causa tudo o que pode estar incompleto ou incorrecto no Livro, não vai muito. É uma prova de fé que muitos não aceitarão, mesmo entre os mais moderados — concluiu Nichols.

— Então, como se pode ganhar? Trazer a informação a público e esperar que a verdade triunfe?

— É com isso que nos temos debatido. Os regimes islâmicos que poderiam auxiliar na publicação dessa mensagem também vão correr perigo. O mais provável é que também contribuam para desacreditar a descoberta.

— Então, como se pode ganhar? — insistiu Harvath.

Nichols poisou a caneca, soltou um profundo suspiro e respondeu:

— É aí que temos de confiar nos moderados, nos *verdadeiros* moderados, como o Marwan. Se o movimento reformista não vier do interior da religião islâmica, a sua legitimidade nunca será reconhecida. No Ocidente, podemos exigir todas as reformas que quisermos, mas não as podemos impor ao mundo islâmico. Mas, se conseguirmos aquilo que Jefferson pretendia, entregamos nas mãos dos moderados a maior vassoura que alguma vez tiveram para limpar a casa.

Harvath gostaria de partilhar o optimismo do professor.

— Além de si, do Marwan e do Presidente, quem mais está ao corrente destas pesquisas?

— Ninguém — respondeu Nichols.

— Assistentes? Alunos? Namoradas?

— Ninguém — repetiu Nichols, que se levantou e se dirigiu à cozinha.

— Onde efectuava as suas pesquisas? — perguntou Harvath.

O professor encheu a cafeteira com água e acendeu o fogão.

— Por toda a parte. Na Biblioteca da Universidade. Em Monticello. Na Biblioteca do Congresso.

— E na Casa Branca?

— Uma vez por outra — confirmou Nichols. — Levei para casa muito material, mas a pedido do Presidente nunca tomei apontamentos manuscritos. Todo o meu trabalho está guardado num disco amovível.

— Onde está?

— Escondido no meu gabinete.

Como Harvath o fuzilasse com um olhar, Nichols acrescentou:

— Bem escondido.

— Está em cifra?

— Usei um código do programa True-Crypt. Mesmo que seja obrigado a revelar a palavra-chave, ainda proporciona dois níveis de rejeição plausíveis. O Presidente concordou.

— Pagou a alguma empresa para fazer pesquisas por sua conta?

— Mais uma vez, não. Comprei artigos sobre Jefferson na *web* com o meu cartão de crédito e fui reembolsado através da conta que o Presidente abriu para mim. Todos os livros de que precisava e que não queria consultar na biblioteca foram comprados através da Internet e pagos pelo mesmo processo.

— Salas de conversação? Conferências em que participou? Outros especialistas, para além do Marwan? — perguntou Harvath.

— Nada — respondeu Nichols, tirando uma colher da gaveta da cozinha.

— Então, a fuga teve de partir do Marwan. Quem quer que ande a persegui-lo, foi porque ele falou a quem não devia.

— Não é possível. O Marwan está tão interessado no projecto como nós.

Harvath ia a responder quando o portátil que estava na saleta anunciou a chegada de uma mensagem.

A identificação do telefone de origem surgiu no ecrã como *indisponível*. Como só dera aquele número a uma pessoa, Harvath presumiu que se tratava de Gary Lawlor. Mas estava enganado.

— Olá, Scot — disse do outro lado uma voz quando Harvath pôs os auscultadores. — Já há muito tempo que não falamos.

Para mim, ainda é pouco, pensou Harvath, que reconheceu imediatamente a voz do Presidente Rutledge. Foi percorrido por várias emoções, entre elas uma fúria contra Lawlor.

— Olá, senhor Presidente — respondeu em voz átona.

Depois do que Harvath havia passado, Rutledge não tinha motivos para esperar uma reacção calorosa.

— Precisamos de conversar.

— Pois precisamos — confirmou Harvath, a insistir nas suas prioridades. — O que fez em relação à Tracy?

O Presidente olhou para o memorando que Lawlor lhe entregara antes de estabelecer a ligação.

— Registou-se um inchaço do cérebro, que lhe provocava as dores de cabeça. Os médicos pensam que pode ter sido causado pelo stresse. Estão a medicá-la e vão mantê-la sob observação.

— Concretamente, o que está a fazer para a ajudar?

— Tudo quanto posso — respondeu Rutledge. — Em troca, preciso que você também me ajude.

Harvath não respondeu.

Rutledge esperou que ele falasse, mas como não o fez, o Presidente prosseguiu:

— Sei que discorda da maneira como fiz as coisas e que me considera responsável pelo que aconteceu. Tenho de viver com isso. Mas quero que saiba que todas as minhas decisões são baseadas naquilo que penso ser o melhor para o país.

— Morreram pessoas que eu amava, e muitas mais ficaram feridas — contrapôs Harvath. — Um terrorista sedento de vingança contra mim foi libertado de Guantánamo e quando atacou as pessoas que me são queridas recebi ordens para me manter à distância sem fazer nada.

— Sinto muito, mas foi uma opção que tive de tomar. Devemos ultrapassar isso.

— Desculpe-me, senhor Presidente, mas tenho dificuldade em esquecer as coisas assim tão depressa.

A tensão arterial de Rutledge começava a subir.

— Quer que lhe dê uma ordem? É isso que quer? Meu Deus, se não somos capazes de nos unir para combater essa gente, o que será da nossa pátria? Ouça, você pode detestar-me à vontade, mas sei que ainda detesta mais o inimigo. E também sei que, por muito que lhe tenha custado, nunca disse que não quando a pátria precisou de si.

Rutledge fez uma longa pausa antes de prosseguir:

— Scot, a minha presidência tem sido um descalabro desde o princípio. Fui alvo do fundamentalismo islâmico desde o dia em que tomei posse. O Congresso tem-me levantado inúmeros obstáculos, mais preocupado com os seus interesses próprios do que com o que tem de ser feito para proteger a América.

»Tenho dado luz verde a mais operações clandestinas do que qualquer outro presidente. E porquê? Porque, neste Congresso, tanto os republicanos como os democratas não se interessam pelos verdadeiros problemas da nação. Querem tocar cítara enquanto Roma arde, mas apesar disso agora existe uma hipótese de sermos bem-sucedidos.

»Durante os meus dois mandatos, não fiz outra coisa além de dar atenção ao fundamentalismo islâmico. Não tenho ilusões quanto à herança que deixo à posteridade, sei que não serei recordado por muitas coisas, talvez por nenhuma, mas tenho de viver com isso. Neste momento, já nada disso me interessa.

»Tudo o que me preocupa é o que posso ainda fazer no escasso tempo que me resta para a segurança da pátria e para enfraquecer o inimigo. Não interessa que quem venha depois de mim seja democrata ou republicano, mas vai ter a grande surpresa da sua vida quando descer à Terra e perceber que o melhor que tem a fazer é não dar tréguas ao radicalismo islâmico. Há agora a possibilidade de o fazer.

Harvath olhou para pistola, pousada ao lado do computador. Por baixo dela estava uma lista de hospitais onde Tracy se poderia encontrar.

Detestava que o pusessem no seu lugar e sentiu uma onda de raiva para com toda a gente que provocara aquela situação, incluindo a própria Tracy. Mas apesar do que pensava de Rutledge, e do que se havia passado entre ambos, não podia virar as costas ao que tinha de ser feito. Harvath acabava sempre por assumir a atitude mais certa. Era a sua maneira de ser, por muito que lhe custasse.

Por fim, perguntou:

— O que precisa que eu faça?

O alívio de Rutledge manifestou-se imediatamente no tom da sua voz.

— Primeiro, precisamos de saber tudo o que se passou, incluindo quem julga andar no encalço do professor Nichols.

— E depois?

— Depois, temos de arranjar maneira de você sair daí com o livro o mais depressa possível.

Anthony Nichols tinha chegado a Paris num voo comercial e era da mesma maneira que Rutledge tencionava fazê-lo regressar aos Estados Unidos. O plano não tinha previsto uma margem de erro. Não era assim que se organizava uma operação, mas Harvath não podia assacar as culpas ao Presidente. O homem não era um operacional.

Contudo, era extremamente fiável no que respeitava à segurança, o que em geral era bom, mas neste caso concreto significava que não tinha muito a quem pedir auxílio.

Depois da última chamada de Gary Lawlor, Harvath ficara a saber duas coisas. A primeira era que o doutor Marwan Khalifa fora aprovado pelo Presidente e que nem ele nem Lawlor acreditavam que o especialista do Alcorão pudesse estar por detrás dos atentados contra a vida de Anthony Nichols. Para já, Harvath teria de acreditar na palavra deles.

A outra coisa era que o Presidente Rutledge não os poderia fazer sair com rapidez de França. Harvath sabia que, quanto mais tempo lá ficassem, maiores seriam as possibilidades de serem apanhados. Por isso, engendrou o seu próprio plano e assim que o concluiu telefonou a Finney e a Parker, do Programa Sargasso.

— Sim, tenho uma ovelha rebelde em Paris — respondeu Tom Finney. — Mas não anda só dos dois lados da vedação, é também dos dois lados do portão, dos dois lados da estrada, do pátio da frente...

— Já percebi — interrompeu Harvath. — Trabalha bem?

— Muito bem, e faz-se pagar a condizer.

— Preciso de dois passaportes para hoje à noite.

Do outro lado ouviu-se um ronco, quando Finney inspirou fundo.

— Isso sai bastante caro.

— Eu sei — respondeu Harvath. — Bem, depressa e barato... enfim...

— Americanos?

— Não. Os franceses vão andar especialmente atentos aos passaportes americanos. Podem ser canadianos. Com registo de entrada em França há uma semana. Alguns carimbos e vistos, todos para países do primeiro e do segundo mundos. Também preciso de cartões de crédito. De qualquer entidade. O que houver.

— E as fotografias? — perguntou Finney.

— Vou tratar disso já. Envio-as como de costume, juntamente com os nomes falsos e as descrições físicas.

— Está bem. Vou já tratar disso. Mando debitar na minha conta e depois falamos. Tens acesso a fundos, não tens?

— Tenho — respondeu Harvath, lembrando-se da conta especial criada pelo Presidente para Nichols. — Serás devidamente reembolsado.

— Não é porque não me preocupe contigo, Scot. É que isto vai custar umas massas bravas.

— Já percebi.

— Os passaportes serão entregues num lugar seguro. Assim que estiverem prontos, saberemos onde. Precisas de mais alguma coisa?

Harvath passou em revista o que ainda lhe faltava.

— Vamos precisar de um jacto particular assim que os passaportes estiverem prontos. De preferência, com um serviço discreto de recolha de passageiros.

— Qual é o destino?

— No plano de voo, Montreal, mas assim que estivermos em condições de o fazer alteramos o rumo para Washington.

— Pode fazer-se — confirmou Finney.

— Ainda outra coisa. Temos um problema atado e amordaçado dentro de uma das cabinas que precisa de ser resolvido, mas só depois de nos termos ido embora.

A ideia pareceu não agradar a Finney.

— Precisa de ser resolvido como?

— Basta abrir a gaiola e deixá-lo fugir. A polícia deve deitar-lhe a mão em menos de meia hora. Mas nessa altura já não me interessa o que pode dizer ou fazer.

— É perigoso?

— Só para um saco de heroína ou para uma editora de moda.

— Está bem — respondeu Finney. — Vou mandar alguém passar por lá mal saiba que estás fora do espaço aéreo francês. — É tudo?

— É tudo — respondeu Harvath.

Duas horas mais tarde, Harvath estava de regresso à barcaça. Trazia consigo uma câmara digital, que tinha roubado a um turista perto de Notre-Dame, e vários sacos de plástico cheios de material de que precisavam para os disfarces.

Assim que se fotografaram um ao outro contra um fundo inteiramente branco, Harvath carregou as fotos no endereço electrónico que usava para comunicar com Finney e Parker. Acrescentou-lhes os nomes falsos e as descrições físicas necessárias para os passaportes. Agora, só lhes restava esperar.

Uma hora depois, Harvath recebeu notícias de Ron Parker.

— O automóvel vai passar aí para vos recolher às cinco horas. O voo privado para Montreal já está reservado.

— E onde vamos buscar os passaportes?

— O condutor tem instruções para vos levar ao Paris-Marriott dos Campos Elísios. O chefe da portaria chama-se Maurice. Dizes que és James Ryan, que é o nome do passaporte, e ele entrega-te duas malas. Lá dentro estão roupas sujas e diversos artigos de *toilette,* para o caso de alguém resolver vistoriá-las. Uma das malas tem um saco de algodão amarrado à pega. Lá dentro está um envelope com os passaportes.

Harvath foi obrigado a reconhecer que Finney e Parker pensavam em todos os pormenores.

Quando chegaram ao Marriott dos Campos Elísios, pouco depois das cinco da manhã, Harvath procurou o chefe da recepção, disse que se chamava James Ryan, entregou-lhe cinquenta euros e recolheu as malas.

De regresso ao automóvel, tirou os passaportes e examinou-os. O falsificador de Finney era um verdadeiro artista.

Os documentos estavam impecáveis. Memorizou os selos e os vistos e recomendou discretamente a Nichols que fizesse o mesmo.

No Aeroporto de Le Bourget foram recebidos por um representante da companhia de voos *charter,* que se encarregou das malas e os acompanhou até ao controlo de passaportes.

Harvath recomendara a Nichols para parecer cansado e desinteressado. Tinha cortado rente o cabelo do professor e obrigara-o a cortar a barba. Escurecera-lhe também o rosto com *toner.* Quanto a Harvath, usava uma cabeleira postiça e óculos, para além de um bigode.

O controlador dos passaportes levou algum tempo a verificar os documentos. Harvath começou a ficar preocupado, a imaginar se seria possível dominar o homem, meter Nichols a bordo e levantar voo. Eram as únicas pessoas presentes no momento, e Harvath considerou que as hipóteses seriam de cinquenta por cento.

Felizmente, não foi preciso fazer nada. O representante da companhia aérea tratava por tu o funcionário, com quem insistiu para que se despachasse. Com um gesto de enfado, o homem carimbou os passaportes e devolveu-os.

Cinco minutos depois estavam a bordo e Harvath respirou de alívio quando a porta principal se fechou. Dez minutos mais tarde, com umas bem merecidas bebidas na mão, os dois homens estavam no ar, a caminho dos Estados Unidos. O pior era ter de deixar Tracy para trás.

Harvath não gostara, mas sabia que não o podia evitar. Aliás, o Presidente já tinha posto em marcha as engrenagens da diplomacia. Agora, era a vez de Harvath desempenhar a sua parte.

Quando o solo desapareceu sob o jacto *Bombardier Global Express XRS*, Harvath deixou Nichols sentado e dirigiu-se à cabina-cama na cauda do aparelho. Já estendido, fechou os olhos e tentou descansar. Tinha o pressentimento desagradável de que aquele caso estava longe de ter terminado.

BALTIMORE, MARYLAND
SÁBADO

A desfaçatez e a coragem de Matthew Dodd não eram
simplesmente grandes, eram imensas. Enganar a CIA fingindo a própria morte era uma coisa, mas viver a oitenta
quilómetros de Langley era o cúmulo da arrogância, e Aydin Ozbek estava convencido de que isso acabaria por ser
a perdição de Dodd.

O assassino tomara todas as precauções para encobrir
o seu rasto, mas não foi o suficiente. A maioria dos locais
de comunicação e de encontro que Dodd marcara com Salam enquanto se fizera passar por agente do FBI eram em
Baltimore ou nos arredores. O que levou Ozbek a pensar.

Porquê Baltimore? A resposta mais lógica seria porque
Baltimore não era Washington. Aí, havia demasiadas pessoas que poderiam reconhecê-lo. Além disso, Salam identi-
ficara Dodd através da fotografia dos ficheiros da CIA, o
que queria dizer que Dodd não se disfarçava para os encon-
tros. O assassino era muito esperto e sabia que poucos disfarces resistem a um exame minucioso durante muito tempo.
Quanto mais Ozbek pensava no assunto, mais fazia sentido
a escolha de Baltimore. Não só ficava perto de Washington,

como talvez fosse mais fácil esconder-se lá do que em qualquer outro local a uma hora de viagem.

No seu gabinete da DPS, Ozbek pôs a equipa a elaborar um mapa de todos os pontos de entrega e de encontro indicados por Salam. Dois estavam localizados em Washington, mas só para situações de emergência.

O facto de a actividade predominante se centrar em Baltimore levou Ozbek a crer que seria a base de operações de Dodd. Não podia viver muito longe dali.

Embora não tivesse grande esperança de o encontrar, Ozbek mandou pesquisar tudo o que se encontrasse em nome dele e dos seus pseudónimos, incluindo o novo nome islâmico, Majd al-Din. Quando se viram de mãos vazias, Rasmussen gracejou que Dodd talvez tivesse tido o desplante de comprar qualquer coisa em nome do xeque Omar, de Abdul Waleed, ou do próprio Andrew Salam. Esses nomes também deram em nada, como todas as propriedades registadas em nome das mesquitas de Omar, da FAIR e da empresa McAllister & Associates.

O mais provável é que Dodd possuísse uma casa alugada sob um nome falso que desconheciam, o que tornava impossível encontrá-lo.

Pelo menos, assim pensavam.

Foi Stephanie Whitcomb quem sugeriu que vasculhassem as instituições de crédito e os serviços de aluguer publicados na Internet. Se Dodd tinha uma casa alugada, a menos que fosse um pardieiro nojento, o senhorio devia ter procurado obter informações dele.

A busca deu três resultados na área de Baltimore. Dois deles pertenciam a duas colegas de quarto, internas da Fundação Americana para as Relações Islâmicas, e o terceiro era um homem de nome Ibrahim Reynolds, que se declarou empregado na Mesquita Um al-Qura, em Falls Church, Virgínia.

Uma investigação mais exigente revelou que o verdadeiro Ibrahim Reynolds, cujo nome e registo na Segurança Social figuravam no pedido de arrendamento, morrera com dois meses em San Diego, Califórnia. Era a pista que tanto procuravam.

A título de recompensa, Ozbek resolveu permitir que Whitcomb acompanhasse a rusga ao apartamento de Dodd, embora Rasmussen se opusesse veementemente.

Se lhe passasse pela cabeça o que estava para acontecer, Ozbek teria concordado com ele.

Tanto quanto sabiam, Matthew Dodd ainda estava em Paris. Pelo menos, estava lá no dia anterior, quando se dera o tiroteio. Mesmo assim, agiram com todas as cautelas.

Pouco antes das quatro da manhã, Ozbek encostou ao passeio o seu *GMC Denali* para largar Whitcomb. Assim que ela saiu, arrancou e afastou-se em direcção a oeste.

O apartamento onde julgavam que Dodd vivia ficava na zona sudoeste de Baltimore, a norte de Fells Point Area. E embora nenhum deles comentasse, ambos notaram a ironia de se encontrar na zona conhecida como Butcher's Hill[1].

Na presunção de que uma jovem de bela aparência levantaria menos suspeitas, Whitcomb foi encarregada de vigiar a zona enquanto Ozbek e Rasmussen entravam no apartamento.

Escolheram um sítio no cimo da rua de onde Stephanie podia ver o apartamento, com instruções para abandonar imediatamente o local se aparecesse alguém à janela a olhar na sua direcção. Whitcomb estava a usar o sistema de imagens térmicas de Ozbek, que apesar de ser da primeira geração lhe permitia «ver» através de vários quilómetros de betão. O rádio *Motorola,* codificado, estava equipado com

---

[1] «Colina do Carniceiro». *(N. T.)*

um microfone que meteu na orelha esquerda. Era semelhante aos utilizados pelos serviços secretos e pelos jorna-
listas e dava muito menos nas vistas do que os microfones
pendurados ao pescoço.

O rádio era activado pelo botão de um pequeno transmissor que Whitcomb levava enrolado no indicador esquerdo, tapado com um penso rápido. Seria uma operação
totalmente silenciosa. À semelhança de uma equipa SWAT,
as comunicações eram asseguradas por cliques no botão
transmissor.

Enquanto Whitcomb se instalava no local, Ozbek e Rasmussen esperaram dentro do *Denali,* a vários quarteirões dali.
Rasmussen ainda pensou em repetir as objecções ao envolvimento de Stephanie, mas optou por ficar calado. Ozbek era
o chefe e não parecia disposto a mudar de ideias. Oz expli-
cara a Whitcomb que o que estavam a fazer era clandestino
e contra as regras, mas mesmo assim ela tinha concordado
em colaborar. Não só gostava de entrar em acção, como já
era uma menina crescida para decidir o que devia ou não
devia fazer.

Mesmo assim, Rasmussen não ficou entusiasmado por
fazer parte de um bando de foras-da-lei da CIA. Ultimamente, a Agência tinha tido problemas de sobra com a sua
imagem. Não interessava o que faziam, era tudo para o bem
comum. Mesmo assim, tanto a imprensa como alguns idiotas
do Congresso não se cansavam de lhes chamar incompeten-
tes e de os pintar como monstros.

As cogitações de Rasmussen foram interrompidas pelo
clique do transmissor, a indicar que Whitcomb estava em
posição e que o apartamento e a rua estavam livres. Como
não encontrou um parque de estacionamento para arrumar

o carro, Ozbek parou-o diante de uma bomba de incêndio e desligou o motor. Saíram do carro e encaminharam-se com ar natural para o edifício de tijolo de três pisos.

A meio do quarteirão, viraram à direita e entraram numa ruela estreita. Na entrada das traseiras do edifício, Ozbek retirou a segurança do fecho da porta, enquanto Rasmussen empunhava a sua *HK USP,* calibre .45, e enroscava o silenciador.

Ao fim de menos de um minuto, Ozbek abriu a porta, sacou a sua *Beretta 92 FS,* montou-lhe o silenciador e entraram os dois no edifício.

O apartamento alegadamente ocupado por Dodd ficava no último piso, do lado da frente. Ozbek fez sinal a Rasmussen, que se meteu pelo corredor em direcção à escada principal.

Ozbek contou até dez e começou a subir a bafienta escada de serviço.

Ao chegar ao terceiro piso, premiu o seu botão transmissor para uma derradeira indicação de Whitcomb de que o caminho estava livre.

Stephanie confirmou o sinal uma fracção de segundo antes de uma mão lhe cobrir o rosto e tapar a boca.

Dodd enterrou a lâmina no pescoço e rasgou um golpe sangrento na garganta da mulher, que lhe cortou a carótida e a traqueia.

Em seguida, desligou o microfone e o transmissor. Com a mulher a esvair-se em sangue, Dodd deitou o corpo no chão e arrancou-lhe a camisa para tirar o colete à prova de bala. Não lhe servia na perfeição, mas era melhor que nada.

Whitcomb trazia consigo uma pistola *Glock 19,* um silenciador e dois carregadores suplementares. Embora não tivesse a certeza, Dodd estava convencido de que era uma agente da CIA. A única dúvida era quantos mais andariam por perto.

Depois de vestir o colete manchado de sangue, Dodd prendeu o rádio no cinto, colocou o microfone no ouvido e enrolou o botão de contacto no indicador esquerdo. Enquanto puxava o fecho do colete, analisou rápido o dispositivo de imagens térmicas. Um equipamento excelente, bastante caro, o que ainda mais o convenceu de que a mulher trabalhava para a CIA. A única razão para não trazer identificação era trabalhar na clandestinidade, e uma acção clandestina com equipamento daquele só estava ao alcance da CIA. Era um tipo de material que cheirava a espionagem.

Dodd encostou o visor aos olhos, apontou para o apartamento e detectou duas imagens. Muito lentamente, inspeccionou toda a área em redor.

Três era um número estranho, mesmo para a CIA. Se não tivesse sido o veículo mal estacionado a chamar-lhe a atenção quando chegara do aeroporto, poderia nunca ter detectado a mulher que vigiava o apartamento.

Dodd conhecia a maior parte dos automóveis da vizinhança, pelo que os estranhos lhe despertavam ainda mais a atenção. Ora, o *Denali* preto possuía matrícula da Virgínia e estava estacionado diante de uma bomba de incêndio. Em Butcher's Hill, toda a gente sabia que era difícil encontrar um lugar para o carro, mas também sabiam como a polícia era implacável nas multas e nos reboques. Quem quer que fosse o proprietário, era evidente que ou não conhecia o bairro ou estava cheio de pressa.

Outra coisa que havia chamado a atenção de Dodd fora a chuva ligeira que tinha caído durante a tarde. O terreno estava seco por baixo de todos os carros, salvo do *Denali,* o que significava que não estava ali há muito tempo. Com as mãos por cima do capô do motor, o calor confirmou-lhe que tinha razão.

O assassino retirou a comprida navalha de barbear que trazia consigo no estojo de *toilette*. Não tardou muito a localizar a vigia. Agora, era altura de eliminar os que estavam dentro do apartamento.

Sabendo que os adversários julgavam o terreno sob vigilância, Dodd atravessou a rua e dirigiu-se para a porta do edifício. Segurou o detector de imagens debaixo do braço, enroscou o silenciador no cano da *Glock* e entalou no cinto os dois carregadores suplementares para que estivessem bem à mão, se fosse preciso.

Abriu a porta da frente e esgueirou-se para dentro do edifício. Conhecia todos os estalidos de todos os degraus que conduziam ao apartamento e subiu, silencioso como um fantasma, de olhos bem abertos para qualquer detector de intrusos que tivessem deixado na escada, mas não encontrou nenhum. Já perto do último patamar, levou aos olhos o dispositivo de imagens térmicas e procurou as pessoas que estavam no apartamento. Localizou-as no momento em que alcançou o terceiro andar.

Dodd deslocou-se ao longo do corredor para obter o melhor ângulo de tiro possível, ergueu a pistola e começou a disparar através do tabique.

53

Ozbek não percebeu o que tinha acontecido até Rasmussen gritar:

— Fui atingido!

Nesse momento, tudo à sua volta pareceu explodir.

Deu um salto para a casa de banho e meteu-se dentro da banheira de ferro fundido. As balas batiam por todo o lado. Quem estava a disparar, fazia-o do outro lado do tabique com uma arma munida de silenciador.

Ozbek activou o microfone e perguntou:

— Raz, é grave?

— Bastante. O filho-da-puta acertou-me na perna. Está a deitar muito sangue.

Os dois homens vestiam discretas calças de trabalho da Blackhawk Industries, que incluíam um sistema de torniquete.

— Aperta isso! — ordenou Ozbek, embora soubesse que Rasmussen já o devia estar a fazer.

Ouviu o grito de Rasmussen no compartimento ao lado, quando levantou a aba das calças e torceu a barra de fibra de carbono para apertar o cordão na coxa e estancar o fluxo de sangue. As calças eram concebidas para ajudar a reduzir as perdas de sangue e permitir ao ferido retomar o combate o mais depressa possível. Na equipa de Ozbek, todos as usavam e treinavam exaustivamente com elas.

Ozbek ia a confirmar se Rasmussen colocara o torniquete quando outra chuva de balas caiu sobre o apartamento.

— Filho-da-puta — rosnou Rasmussen ao microfone.

— Abriga-te — ordenou Ozbek.

— Já estou — respondeu o colega. — Mas este cabrão sabe perfeitamente onde é que estou.

Ozbek ia a sair da banheira quando nova rajada de balas ricocheteou contra ela. *Como este gajo sabe exactamente onde estamos?*

Olhou para cima, para ver se havia alguma câmara que indicasse a sua posição ao atirador, e o coração caiu-lhe aos pés. *O dispositivo de imagens térmicas.*

Ozbek premiu o transmissor várias vezes. *Nada.* Tentou contactar Whitcomb mais uma vez, mas quando recebeu sete cliques em resposta percebeu que ela tinha morrido. Rasmussen e ele eram agora alvos fáceis. O atirador não só possuía o dispositivo de imagens térmicas como o rádio de Whitcomb. O que não sabia, porém, era a frequência alternativa.

Ozbek não precisou de dizer a Rasmussen para alterar a frequência. Este ouvira a mesma coisa e passara ao canal alternativo.

— O gajo tem o aparelho de imagens, não é? — sussurrou Rasmussen, com a voz embargada.

Nem se deu ao trabalho de perguntar por Whitcomb. Não queria ouvir a resposta.

— Tem — respondeu Ozbek, a olhar para o espelho da casa de banho, torto, seguro só por uma escápula. Pelo vidro partido, conseguia distinguir os furos das balas que tinham atravessado o tabique.

— Está a fazer fogo lateral, em rajadas de quatro a seis.

— Que queres fazer?

Ozbek tinha de pensar depressa. Se ele e Rasmussen começassem a disparar às cegas para o corredor, era mais do que certo que as balas penetrariam nos apartamentos do outro lado e matariam pessoas inocentes. Contudo, se ficassem ali quietos, estavam condenados, e Dodd escaparia.

Se ele não os pudesse ver.

De súbito, Ozbek soube o que tinham de fazer.

— Raz, há por aí um termóstato? — segredou ao microfone.

Rasmussen inspeccionou a parede com a lanterna até o encontrar.

— Há.

— Consegues lá chegar?

— Não sei.

— Tens onde te abrigar? — perguntou Ozbek, abrindo a torneira de água fria da banheira.

— Um sofá.

— Tens de alcançar o termóstato. Precisamos do máximo de calor.

Rasmussen calculou a distância e empurrou o sofá com o ombro. Mal se mexeu. Tentou de novo, agora com mais força, e conseguiu movê-lo um pouco. Uma terceira rajada de balas perfurou a parede à sua volta.

Rasmussen soltou um grito ao apoiar-se na perna boa para empurrar o sofá com toda a força. O sofá afastou-se mais do que o esperado e bateu de esquina contra uma estante. O agente ferido arrastou-se ao abrigo do sofá, meteu as mãos por detrás da estante e puxou com toda a força, afastando-a da parede, mas com cuidado, para não a tombar. Por fim arranjou espaço para se esgueirar e alcançar o termóstato na outra parede.

Apoiado na perna sã, Rasmussen esticou-se quanto pôde e regulou-o para a temperatura mais alta possível. Deixou-se cair no chão no momento exacto em que uma chuva de balas perfurou a estante e penetrou na parede, exactamente onde estivera.

— Já está.

— Aguenta aí — respondeu Ozbek, entrando vestido e com o colete à prova de bala dentro da banheira, que se enchia rapidamente de água gelada.

Ozbek estava ciente dos riscos que corria, mas não tinha escolha possível. O essencial era sair da banheira no momento certo. Mesmo que o termóstato não fosse grande coisa, o pequeno apartamento não levaria muito tempo a ficar quente. Quanto mais tempo esperasse, mais hipóteses teria, mas o mesmo era válido para o atirador. Num espaço de tempo tão curto, a temperatura do corpo nunca poderia baixar muito, mas todos os segundos contavam. O dispositivo de imagens térmicas era de primeira geração e, portanto, tinha as suas limitações. Ozbek precisava que a sua temperatura se aproximasse o mais possível da temperatura ambiente, o que tornaria o seu corpo impossível de distinguir. Assim que o conseguisse teria de andar depressa.

Pelo que Rasmussen lhe ia dizendo, o atirador parecia concentrar-se no agente ferido. Mais três rajadas perfuraram a parede, estilhaçando a estante e esmagando-se contra o sofá. O atirador parecia ter desistido temporariamente de Ozbek. Se liquidasse Rasmussen na sala de entrada, podia entrar pela porta e apanhar Ozbek dentro do apartamento.

Ozbek percebeu que não podiam esperar mais.

— Raz — sussurrou para o microfone. — Está quente aí dentro?

— Não consigo ver o termóstato, mas está bastante quente.

— Vou interromper a comunicação e sair daqui. Vê se não disparas contra mim.

— Entendido.

Ozbek retirou o auricular e mergulhou a cabeça na água tanto tempo quanto pôde. Depois, encharcou uma toalha, cobriu a cabeça com ela e saiu da banheira.

CAPÍTULO

54

Ozbek não esperou para ver se o atirador disparava contra si, pois sabia que a temperatura do corpo iria subir rapidamente.

Correu para o vestíbulo com a arma levantada e pronta a disparar. Junto da porta, agachou-se e estendeu a mão esquerda para o puxador.

Quando o fecho se abriu, puxou a porta devagar, apenas o bastante para saltar e entrar com um salto no corredor. O atirador estava no vestíbulo, com o dispositivo de visão nocturna assestado. Ozbek premiu o gatilho. O homem cambaleou e, quando o óculo caiu para o chão, Ozbek viu o rosto de Matthew Dodd. Premiu o gatilho mais duas vezes e as balas acertaram no peito do homem, projectando-o para trás, em desequilíbrio.

Ao cair, Dodd fez fogo, e o projéctil estilhaçou a ombreira da porta mesmo por cima da cabeça de Ozbek, que rebolou para dentro do apartamento e gritou a Rasmussen que o cobrisse. Arriscou uma espreitadela para o corredor, mas recuou a cabeça quando Dodd disparou mais duas vezes.

Esperou um instante, passou a arma pela porta e fez fogo.

Gritou por Rasmussen e mais uma vez espreitou para o corredor. Desta vez, viu Dodd a correr para a escada das traseiras. Disparou, mas o homem saiu do seu ângulo de visão.

Quando voltou a olhar para dentro do apartamento e viu em que estado se encontrava Rasmussen, compreendeu que ele precisava de socorro imediato. Havia também a considerar Stephanie Whitcomb. Tanto quanto sabia, podia estar lá fora a agonizar.

Mesmo assim, Matthew Dodd estava demasiado próximo para o deixar escapar. Olhou para Rasmussen e disse:

— Já volto.

E correu pelo corredor.

Quando chegou à escada das traseiras, desceu os degraus a três e três. Aterrou no primeiro patamar e espreitou. Como não havia sinais de Dodd, precipitou-se pelo lanço seguinte. Foi só quando estava a chegar ao segundo patamar que se deu conta da pouca iluminação. *Dodd partiu a lâmpada do tecto.*

A correr para um local coberto de estilhaços de vidro, e para uma possível emboscada, Ozbek agarrou-se ao corrimão para refrear a corrida. Perdeu o equilíbrio e escorregou pela escada abaixo. Aterrou com violência no segundo patamar, e sentiu os estilhaços de vidro a rasgar-lhe a perna esquerda e o ombro.

Sem dar importância à dor, Ozbek apontou a pistola para o lanço seguinte e retomou a corrida. Quando chegou ao rés-do-chão, abriu cautelosamente a porta e espreitou para a rua. Não havia sinal do assassino.

Ozbek tinha vontade de continuar a caçada, mas não fazia ideia da direcção que ele havia tomado, além de ter dois operacionais abatidos. Enquanto arrancava bocados de vidro do corpo, Ozbek subiu com pressa a escada e voltou a entrar no apartamento de Dodd. Precisava de levar Rasmussen ao hospital e rezava para que Stephanie Whitcomb não tivesse de ser levada para a morgue.

CAPÍTULO

55

WASHINGTON, D. C.

Pouco antes das nove e trinta da manhã, o jacto *Bombardier* tocou a pista do Aeroporto Nacional Ronald Reagan.

Harvath e Nichols foram contactados a bordo por uma representante da Signature Flight Support, que os conduziu rapidamente através do controlo de passaportes e da alfândega. Quando os dois homens recusaram com delicadeza o pequeno-almoço e o duche quente que lhes ofereceu, a hospedeira acompanhou-os ao *Buick* cinzento que os aguardava.

Os dois homens largaram as malas na bagageira do carro, Harvath sentou-se ao lado do condutor e Nichols no banco traseiro.

— Então, que tal o voo? — perguntou Lawlor, afastando-se do passeio.

— Muito mais rápido do que um *C-130* — respondeu Harvath a tirar o disfarce e apresentando Anthony Nichols.

Quando entraram no George Washington Memorial Parkway, Harvath perguntou por Tracy.

— Os médicos do Hospital Americano têm estado em contacto com os cirurgiões de cá — respondeu Lawlor. — Continua sob observação.

— O inchaço desapareceu?

— Não tanto quanto gostariam. Deram-lhe nova medicação.

Harvath não gostou do que ouviu.

— Sabes se tem dores?

Lawlor abanou a cabeça e disse:

— As dores foram a única coisa que eles conseguiram controlar.

— Falaste com ela?

— Eu não, mas falou alguém da embaixada. Está a aguentar-se bem, não diz nada seja a quem for.

Harvath olhou para os barcos à vela e para as outras embarcações que afrontavam o Potomac apesar do céu carregado.

— Como as autoridades francesas a estão a tratar?

— Os tratamentos médicos são da melhor qualidade. Mas com três polícias e uma data de civis mortos e feridos no atentado à bomba, há quem esteja a fazer pressão para que seja interrogada.

— Isso percebe-se — concordou Harvath.

— Quanto mais cedo acabarmos com isto do nosso lado, mais cedo podemos dar elementos aos franceses para ver se a libertam.

— *Para ver se a libertam?*

— Sabes o que quero dizer — cortou Lawlor.

O resto do percurso foi feito em silêncio.

Quarenta minutos mais tarde, Lawlor saiu da estrada e parou diante de uma cancela fechada a cadeado e sem placa de identificação.

274

— Queres fazer as honras da casa? — perguntou com uma chave na mão.

Harvath pegou na chave e saiu do automóvel. Era simultaneamente agradável e triste regressar a casa sem Tracy ao fim de tanto tempo. Abriu o cadeado que fechava a cancela e afastou-a para que Lawlor pudesse entrar com o automóvel.

Ao chegar junto de Harvath, Lawlor abriu a janela e perguntou:

— Entras ou vais a pé?

— Vou a pé.

Viu a tabuleta da empresa de vigilância caída entre as ervas e levantou-a. Depois fechou novamente a cancela.

Ficou a ver Lawlor e Nichols desaparecerem na alameda sinuosa ladeada de árvores, e começou a andar.

Bishop's Gate, como a propriedade se chamava, era uma pequena igreja do século XVIII que se erguia num terreno de vários acres, sobranceiro ao rio Potomac, um pouco a sul de Mount Vernon, a herdade de George Washington. A igreja era gémea de outra situada na Cornualha, a Igreja de St. Enodoc.

Bombardeada durante a Guerra da Independência por ser um covil de espiões ingleses, Bishop's Gate permanecera em ruínas até 1882, quando o ONI, o Centro de Espionagem Naval, a tinha reconstruído em segredo como uma das suas primeiras bases de treino.

Por fim, o ONI abandonou Bishop's Gate, e a elegante igreja com a respectiva reitoria ficou reduzida a um simples arquivo, até ter sido definitivamente desactivada e abandonada.

Como prova da sua gratidão por tudo quanto Harvath fizera em prol da nação, o Presidente Rutledge tinha alugado a propriedade a Scot por um período de noventa e nove anos, com uma renda simbólica de um dólar anual. De Harvath apenas se exigia que mantivesse a propriedade de acordo com o seu estatuto histórico e que abandonasse o local no prazo de vinte e quatro horas quando para tal fosse avisado, com ou sem justa causa, pelo seu proprietário legal, a Marinha dos Estados Unidos.

Havia mais de cinquenta anos que a Marinha não dava outro uso a Bishop's Gate para além de depósito de arquivo morto, mas mesmo assim Harvath ficara entusiasmado com a concessão do Presidente. Sem contar com a garagem, o espaço habitável, que compreendia a igreja propriamente dita e a reitoria anexa, totalizava uns trezentos e setenta metros quadrados. Tudo quanto Harvath tinha de fazer era mandar cortar a relva e pagar a tempo e horas a renda anual de um dólar.

Ao percorrer a alameda que dava acesso à igreja, Harvath recordou a generosidade do Presidente e o muito que tinham passado juntos durante vários anos. Embora ainda nutrisse algum ressentimento pelo modo como fora tratado, perguntava a si próprio se Tracy não teria razão. Talvez fosse chegado o momento de perdoar Jack Rutledge e seguir em frente.

Completada a última curva do caminho, a casa deparou-se diante dos seus olhos. Bishop's Gate era ainda mais bela do que recordava.

Lawlor e Nichols estavam diante da porta de entrada, à espera.

— Tens a chave — disse Harvath quando se aproximou. — O que estão a fazer aqui fora?

— Não me pareceu bem. Afinal de contas, é a tua casa — respondeu Lawlor.

Harvath recebeu a chave das mãos de Lawlor e abriu a pesada porta da frente. Ao entrar, chegou-lhe às narinas o cheiro agradável da pedra e da madeira.

Pendurada no vestíbulo, estava uma magnífica peça de madeira que encontrara no sótão da reitoria, onde os missionários anglicanos haviam gravado o mote TRANSIENS ADIUVANOS — *Vou para além do mar para ajudar.*

Harvath tinha descoberto a peça logo na primeira visita, o que lhe dera a convicção de que ele e Bishop's Gate estavam destinados um ao outro. Uma declaração profética da carreira que havia abraçado.

Por um momento, recordou o que tinha sido a sua vida de combate ao terrorismo, dentro e fora dos Estados Unidos. Veio-lhe também à memória Tracy e como ela, em vez de o obrigar a escolher entre ela e o Presidente, optara por se afastar, num acto de abnegação. Harvath confortou-se com a ideia de que podia conciliar a carreira que escolhera com uma vida em família.

— O que foi que vocês fizeram ao *Bullet?* — perguntou Lawlor, a interromper-lhe os pensamentos.

— Quem é o *Bullet?* — perguntou Nichols, enquanto admirava a magnífica igreja.

— O maior cão que já alguma vez vi, mesmo em cachorro — respondeu Lawlor. — É da raça *Ovcharka*, da Causásia. Os militares russos e os polícias de fronteira da antiga Alemanha Oriental adoravam-nos. Rápido como um raio, esperto e de uma fidelidade a toda a prova. Chegam a pesar mais de noventa quilos e têm mais de um metro de altura.

Nichols soltou um assobio de apreço.

— Ficou com o Finney e o Parker.

— São uns tipos porreiros — comentou Lawlor com uma gargalhada. — O *Dogzila* deve estar a comer-lhes tudo o que têm.

— Onde arranjou um cão desses? — perguntou Nichols.

Harvath olhou para a escada que dava acesso ao quarto onde costumava dormir quando Tracy fora alvejada e respondeu:

— Nem queira saber.

Não estava com disposição para falar no seu antigo relacionamento com um anão chamado Nicholas que ganhava a vida a comprar e a vender informações altamente classificadas e que no mundo da espionagem era conhecido como o *Troll*.

— Meti alguma comida no frigorífico — informou Lawlor. — Vamos beber um café e discutir o que temos a fazer em seguida.

— Parece-me bem — disse o professor.

— Já vou ter convosco — murmurou Harvath, afastando-se.

Antes de falar sobre os passos seguintes, precisava de alguns minutos para pôr os pensamentos em ordem e para se compenetrar de que estava de novo em casa.

Lawlor era um especialista a trabalhar com a máquina francesa de tirar cafés, com a qual Harvath nunca se tinha entendido. Não sabia se era por preguiça, mas preferia ficar a ver Tracy.

Quando chegou à cozinha, Lawlor estava a servir três chávenas de café acabado de fazer. Harvath pegou numa das chávenas e sentou-se à mesa com Nichols e Lawlor.

Nichols foi o primeiro a falar.

— Então, é aqui que vou passar a viver?

— Por enquanto — respondeu Harvath, a sorver um gole de café.

— E o meu material de investigação? Os meus livros? A minha escova de dentes?

— Faça uma lista, que nós arranjamos — disse Lawlor.

Harvath pousou a chávena e ergueu a mão.

— Este Dodd é muito bom, Gary, mesmo muito bom. Não fazemos ideia onde se encontra nem quem trabalha com ele. Tanto quanto sabemos até pode já ter saído de Paris e vir a caminho de cá. O professor Nichols precisa de protecção vinte e quatro horas por dia.

Lawlor assentiu.

— Tens razão. — Voltou-se para Nichols e acrescentou: — O Scot arranja-lhe tudo o que precisar. Você e eu ficamos aqui.

— Precisamos de estabelecer algumas regras — disse Harvath.

— Como, por exemplo? — perguntou Nichols.

— A primeira é que não há telefonemas para ninguém, absolutamente ninguém. Para o correio electrónico, o Gary vai ligá-lo a um servidor seguro. Siga as instruções dele e não se desvie. A segunda regra é que não sai da propriedade seja em que circunstâncias for. Se quiser dar um passeio, eu ou o Gary vamos consigo. Temos de saber onde se encontra a qualquer momento. Compreendido?

Nichols acenou afirmativamente.

— Bom — concluiu Harvath. — Pode trabalhar no meu escritório. O Gary tratará de o instalar. Entretanto — ao dizer isto, inclinou-se para a frente e tirou uma caneta e um bloco de uma gaveta —, vamos fazer uma lista das coisas de que precisa do seu apartamento e do gabinete de Charlottesville. Quanto mais depressa eu lá for, melhor.

Harvath voltou a encher a chávena com café e deixou Nichols na cozinha a fazer a lista, na companhia de Lawlor. Percorreu o estreito corredor de pedra que comunicava com a residência e abriu uma pequena porta de comunicação com a igreja.

Nos seus tempos áureos, Bishop's Gate devia ter sido um paraíso para os espiões, pois graças à sua sólida construção de pedra apresentava inúmeros compartimentos e passagens secretas. Harvath espantava-se que o ONI nunca as tivesse descoberto. Ou talvez tivessem, mas haviam-nas deixado intactas, talvez por respeito. Mas ele compreendera o seu tremendo potencial e aproveitava as melhores passagens e câmaras subterrâneas.

Tinha-as descoberto ao tentar transferir a pia baptismal para o outro extremo da igreja. Na pia estava embutido um complicado mecanismo de fecho que Harvath levou uma semana inteira para reparar. Quando o conseguiu, descobriu que a pedra do altar podia ser afastada num ângulo de quarenta e cinco graus, revelando uma escada em caracol que dava acesso a uma cave, a que passou a referir-se como a «sua cripta».

Harvath encolheu-se para entrar na estreita abertura, recordando o trabalhão que tivera para levar o material lá para baixo. Mas valera a pena. Era aqui que armazenava as ferramentas do seu ofício.

Um sistema de ventilação e desumidificação oculto garantia a renovação do ar seco. A cripta mantinha-se a uma temperatura constante e a energia eléctrica provinha de um conjunto de baterias navais recarregáveis.

Harvath ligou o interruptor e o compartimento ligeiramente rectangular encheu-se de uma luminosidade fluorescente. Nas paredes estavam montadas prateleiras de aço e uma mesa de aço inoxidável ocupava o centro da cave.

Scot Harvath conhecia muita gente, tanto entre a comunidade das operações especiais como entre os que forneciam os mais sofisticados equipamentos necessários aos espiões.

Um companheiro dos SEAL, fundador da Blackhawk Industries, uma das melhores empresas de equipamento táctico de todo o mundo, fez questão de que Harvath tivesse um exemplar de tudo quanto produzia. Harvath tinha apresentado à companhia um jovem e brilhante médico de campanha que desenhara um uniforme de batalha com torniquetes incorporados que iria revolucionar o equipamento de combate dos militares e das forças de segurança. A Blackhawk havia contratado o médico e, agora, nas prateleiras de Harvath, encontravam-se vários pares de calças equipadas com torniquetes, que os peritos militares afirmavam ser o maior invento desde a armadura medieval.

Para lá do equipamento ligeiro «Blackhawk Warrior Wear», do material de demolição, dos aparelhos de comunicações, dos dispositivos de vigilância nocturna, das pistolas e das facas, estava o equipamento pesado.

Ao lado das espingardas caçadeiras de canos curtos *Beretta, Benelli, Remington* e *Mossberg,* viam-se duas carabinas *Robar RC 50,* absolutamente novas, e outras armas mais pesadas.

Em retribuição das muitas sugestões que dera à H&K enquanto fazia parte dos SEAL, Harvath possuía um exemplar de quase todos os modelos de metralhadoras automáticas e semiautomáticas fabricadas pela Heckler & Kock ao longo dos últimos vinte anos. Além de algumas variantes da terrível *Viper M16 Clinic.*

Embora todas fossem de alta qualidade, a arma mais letal e eficaz do arsenal de Harvath provinha de uma oficina sofisticada e discreta em Leander, Texas, chamada LaRue Tactical, que tinha o hábito de gravar em todas as armas *Viver Livre ou Morrer.*

O amigo de Harvath, Bullet Bob Horrigan (o mesmo nome do cão), tinha-o apresentado a Mark LaRue e, por mais extravagantes que fossem os pedidos de Harvath, o pessoal da LaRue Tactical aparecia sempre com algo ainda melhor do que pedira. Para muita gente, Mark era uma versão texana do «Q» de James Bond e, como texano vaidoso que era, o seu nome de código seria BB-Q.

Harvath estendeu a mão e pegou na espingarda de canos curtos *LaRue M4,* feita por encomenda. Parecia uma arma igual às outras, mas não era. Era tão precisa, que a seiscentos metros, com uma mira adequada, Harvath era capaz de colocar grupos de três balas a menos de dois centímetros umas das outras.

Equipada com um sistema Aimpoint CompM4 para uso corrente, um sistema Xiphos NT de raios luminosos e um *laser* FSL Laserlyte, a arma era um dos seus objectos mais preciosos. Em honra dos antepassados nórdicos de Harvath, Mark LaRue tinha-lhe mandado gravar o martelo de Tor, o mítico deus nórdico do trovão.

Para meter no coldre, Harvath escolheu uma *HK,* calibre .45, *USP Tactical;* recolheu munições *Winchester SXT&P,* vários carregadores suplementares e silenciadores *Gemtech* para as duas armas. Desdobrou um tapete de limpeza em cima da mesa metálica e lubrificou as duas armas, para ter a certeza de que funcionariam na perfeição.

Depois de encher vários carregadores de polímero negro com vinte e oito balas *Black Hills Mk262,* meteu a carabina, o silenciador e os carregadores numa caixa especial, enquanto tudo o resto foi guardado num discreto saco de transportar ao ombro, da Blackhawk. Desligou as luzes e saiu da cripta.

Depois de ter reposto a pia baptismal no seu lugar, juntou o material ao pé da porta da frente e dirigiu-se para a cozinha. O professor Nichols estava ao fogão a preparar ovos mexidos enquanto Lawlor, sentado à mesa, verificava a lista manuscrita.

— Está aí tudo? — perguntou Harvath ao entrar.

Lawlor empurrou o papel para a borda da mesa e tirou os óculos:

— Está, está tudo.

— Quer tomar o pequeno-almoço antes de sair? — perguntou Nichols, segurando a frigideira de Tracy por cima da chama.

— Claro! — respondeu Harvath, esperançado em não ter de usar o equipamento que acabava de preparar.

Na dúvida, *antes tê-lo comigo e não me fazer falta,* era uma das máximas preferidas de Harvath. A que preferia realmente era: *Antes ter muito e não precisar de nada,* mas não era disso que se tratava: se acontecesse alguma coisa queria ter a certeza de que estava preparado.

Embora fosse sábado, Harvath não encontrou lugar para estacionar o seu carro desportivo. Como em qualquer *campus* universitário, na Universidade da Virgínia o lugar era do primeiro a chegar. Em consequência disso, viu-se obrigado a estacionar a vários blocos de distância do Departamento Corcoran de História.

Mas não se importou. Depois de conduzir, o que lhe apetecia era esticar as pernas. E como era agradável estar outra vez num *campus* universitário. Surpreendeu-o tanta agitação e bulício, mesmo ao fim-de-semana.

Depois de uma curta caminhada, Harvath chegou diante de um edifício de três pisos chamado Randall Hall. O gabinete de Nichols era no segundo piso e, para entrar usou as chaves que o professor lhe tinha dado. O que encontrou foi uma surpresa. Não estava à espera daquilo.

Em vez de uma decoração académica tradicional, o mobiliário era moderno e elegante. Quadros a óleo representativos dos primeiros tempos da América alternavam com magníficas fotografias a preto e branco. Nichols parecia ser um iconoclasta.

A peça mais importante da divisão era uma magnífica secretária de madeira escura, em estilo Bauhaus, situada diante de uma janela e com uma cadeira de cabedal e pasta de secretária a condizer.

Ao lado de um computador *Apple,* um telefone preto de baquelite, dos anos de 1930, adaptado ao uso moderno. O tampo da secretária era tão finamente polido, que Harvath se viu reflectido como num espelho.

Uma das paredes estava coberta por ficheiros de madeira, a outra por estantes carregadas de livros, onde se incluíam os textos históricos que seria de esperar num estudioso de Jefferson, bem como obras dos principais autores democratas dos últimos anos. Harvath reparou que muitas delas estavam autografadas. Uma colecção impressionante.

Encontrou os dois volumes sobre Jefferson que o professor pedira e meteu-os no saco.

No outro extremo da sala, tal como Nichols havia dito, encontrou o saco de desporto do professor com uma raquete de ténis e uma etiqueta do UVA's Snyder Tennis Center. Embora Nichols afirmasse ser o único a possuir uma chave do gabinete, Harvath interrogou-se sobre a sensatez de esconder a *pen* num equipamento desportivo que chamaria demasiado a atenção dos ladrões.

Harvath correu o fecho do compartimento central do saco, tirou um par de calções e uma *T-shirt* Clinton/Gore e encontrou o que procurava. Tirou a tampa da lata de bolas e despejou o conteúdo na mão. Foi obrigado a reconhecer a manha do professor. Talvez nunca lhe tivesse passado pela cabeça procurar ali. Viu o corte fino na última bola e rasgou-a.

A *pen* estava lá dentro, tão apertada que quem quer que fizesse saltitar a bola nem sequer ouviria um ruído anormal. Harvath tirou a *pen* e guardou-a no bolso. Ainda tinha duas horas de viagem pela frente e, antes disso, precisava de passar por casa de Nichols para recolher algumas roupas e outros objectos. Ao sair do gabinete do professor, fechou a porta e deu a volta à chave.

Já no exterior, encaminhou-se para a zona do *campus* onde havia estacionado o carro, atravessando o imponente refeitório sustentado por colunas, conhecido por Lawn. Ao fundo, erguia-se a Rotunda, o coração funcional e intelectual da UVA, desenhada pelo próprio Jefferson segundo o modelo do Panteão de Roma.

O Panteão trouxe-lhe à memória uma série de recordações. Da última vez que o tinha visto, pouco faltara para morrer.

Sentiu um arrepio percorrer-lhe o corpo e percebeu que a estranha sensação de perigo não tinha nada a ver com o que se passara em Itália alguns anos antes. O perigo estava ali, naquele momento.

Com os pêlos da nuca eriçados, Harvath meteu discretamente a mão no saco e agarrou na coronha da *Heckler & Koch*.

Vinha alguém no seu encalço.

CAPÍTULO

58

Hamza Ayyad e Rafiq Sa'id estavam habituados a matar. Antigos operacionais da espionagem saudita, eram destros em todas as facetas e truques da profissão. Para além de especialistas em tirar vidas, eram também excelentes na perseguição das suas vítimas, aparecendo e desaparecendo quase por artes mágicas. Pelo menos, no Médio Oriente. Nos Estados Unidos, era um pouco diferente.

Embora fossem de estatura média e os seus rostos nada tivessem de especial, a sua aparência árabe tornava-lhes mais difícil esconderem-se entre a multidão, mesmo num espaço tão heterogéneo como o *campus* da Universidade da Virgínia. Além disso, perseguiam um profissional que dava atenção a todos os pormenores.

O fracasso do atentado contra Andrew Salam fora um erro imperdoável. Salam devia ter ficado morto ao lado de Nura Khalifa. Aos olhos do xeque Omar, a única coisa que redimia os dois operacionais sauditas era o trabalho excepcional que haviam levado a cabo ao «plantar» provas de uma relação amorosa entre os dois jovens.

Um erro qualquer pessoa podia cometer, mas não era para isso que Hamza e Rafiq eram pagos. Omar tinha-os trazido para a América para obter resultados, e não reagiria bem a outro falhanço. Mais um motivo para se empenharem.

A vigilância a Randall Hall e ao apartamento do professor Nichols tinha sido uma tarefa monótona, mas Omar insistira. A operação de Paris fora um desastre e o xeque estava furioso.

Al-Din, o assassino americano de Omar, havia enviado ao xeque um *e-mail* com fotografias das câmaras de segurança, onde se viam o homem e a mulher que andavam a ajudar Nichols. Omar deixou bem claro a Hamza e a Rafiq que esperava que interceptassem Nichols ou algum dos seus colaboradores.

Quando o homem apareceu, Hamza estava de vigilância a Randall Hall. Depois de confirmar com a fotografia que recebera de Omar, contactou Rafiq e mandou-o comparecer em Randall Hall o mais depressa possível.

Os dois homens traziam pistolas, mas apenas para se defenderem. Mesmo com silenciador, faziam ruído e chamavam as atenções. Os homicídios que perpetravam eram de um modo geral mais pessoais, só com as mãos ou com recurso a armas silenciosas como navalhas, agulhas e outros objectos do quotidiano.

Pela maneira como o homem procedia e andava por Randall Hall, Hamza percebeu que era um profissional. Era ágil, estava em boa forma física, os seus olhos, cautelosos e alerta. Apesar das roupas, via-se que era bem constituído e que, mesmo contando com o elemento surpresa, não seria fácil de liquidar. Havia muitas coisas que podiam correr mal, e não se podiam dar a esse luxo. Por isso tinha chamado Rafiq. Entre os dois, seriam capazes de acabar com ele sem problemas.

Bruscamente, o homem abandonou o edifício.

Tinha estado lá dentro menos de dez minutos. Hamza seguiu-o a uma distância segura, ao mesmo tempo que ia comunicando com Rafiq pelo sistema Bluetooth.

Vestido com umas calças de ganga, botas e um impermeável por cima de uma camisa também de ganga, Hamza levava consigo uma pequena mochila, para melhor se confundir com a população estudantil. Um aspecto positivo dos atentados de 11 de Setembro é que os americanos, embora suspeitassem de toda a gente que tivesse aspecto de árabe, estavam de tal modo manietados pelo politicamente correcto, que até a polícia do *campus,* com receio de ser acusada de discriminação, pensaria duas vezes antes de interpelar alguém com o aspecto de Rafiq ou de Hamza. Em consequência disso, os dois sauditas tinham podido deambular por todo o *campus* sem serem incomodados.

Agora, o problema era saber como apanhar a vítima. Atacar uma pessoa nas ruas movimentadas de Riade ou de Medina era complicado. Na América, era praticamente impossível. O melhor seria obrigar a vítima a entrar no automóvel ou conduzi-la para um local isolado onde pudesse ser eliminada.

Hamza estudava a possibilidade de se aproximar o suficiente para utilizar a faca, quando o alvo se voltou com brusquidão.

Harvath olhou para trás duas vezes e julgou que andava a imaginar coisas. Ninguém o vinha a seguir. A meio quarteirão de distância do automóvel, olhou mais uma vez para trás e resolveu continuar.

Com o comando da porta numa das mãos e a outra dentro do saco, a agarrar firmemente a coronha da *H&K,* Harvath cobriu rapidamente a distância que lhe faltava para alcançar o *Chevy Trailblazer.* Depois de ter observado as imediações e os passeios em busca de pessoas ou de veículos suspeitos, aproximou-se. Examinou os automóveis parados à frente e atrás do seu. Depois, fingindo que ia atravessar a rua, abriu a porta com o comando e saltou para dentro do carro.

Tão depressa quanto lhe foi possível, meteu a chave na ignição e ligou o motor. Os seus olhos saltaram dos retrovisores para os passeios de um lado e outro. Vinda do fundo do quarteirão, aproximava-se uma furgoneta branca. Não tirou os olhos dela enquanto recuava para sair do estacionamento. Atrás da furgoneta, mas a uma certa distância, um *Nissan* azul fez sinal para a direita, como se o condutor tivesse visto que outro veículo tencionava abandonar o local e quisesse ocupar o lugar.

Harvath esperou que a furgoneta passasse, virou o volante para a esquerda e começou a sair. Mal iniciou a manobra o *Nissan* embateu nele com violência bloqueando-lhe qualquer saída. Pelo lado do passageiro, chegava a correr um homem baixo de pele escura, calças de ganga e um impermeável. Sem deixar de correr, o homem meteu as mãos dentro do blusão.

Harvath baixou a cabeça no preciso momento em que uma chuva de balas estilhaçou o pára-brisas do *Trailblazer*. Os tiros foram disparados um a um, com uma pistola semiautomática, possivelmente pelo condutor do *Nissan*. Aparentemente, os tipos não vinham equipados para caçar ursos. Iam arrepender-se amargamente.

Harvath meteu a mão debaixo do banco levantou a tampa do estojo *Storm* e sacou a *LaRue M4*.

Quando se ergueu, o tipo do impermeável já havia empunhado a pistola e disparava contra o automóvel. Harvath apontou e fez fogo. Com o silenciador montado, a arma quase não fazia ruído, comparada com as dos atacantes. Os tiros de Harvath acertaram no alvo e enfiou dois grupos de balas no peito e na cabeça do homem. Depois apontou a arma para a esquerda.

Com a arma a sair pela janela, Harvath ignorou os tiros que vinham do *Nissan* e premiu o gatilho. Quando gastou a última bala deitou fora o carregador usado e substituiu-o num ápice por outro que trazia preparado.

Olhou em volta, à procura de mais atacantes e disparou mais quinze tiros contra o *Nissan*. Só então abandonou o seu automóvel pela porta do passageiro. Ao dar a volta pela traseira do *Trailblazer*, o coração parecia que lhe saltava no peito. *Observa e respira, observa e respira,* disse para consigo. *Não te deixes apanhar de surpresa.*

Quando saiu de trás do veículo e se aproximou do *Nissan* azul, foi com a arma aperrada e pronta a disparar. Por toda a parte se viam e ouviam os estudantes da UVA, que gritavam e corriam para se abrigarem.

Quando chegou junto do condutor, viu que o homem tinha recebido vários tiros na cabeça e no tronco e estava mais do que morto. Ao longe ouviam-se as sirenes dos carros da polícia que acorriam ao local. Abriu a porta do *Nissan* e puxou o corpo do condutor para o chão. Revistou-lhe as roupas, mas não encontrou qualquer identificação. O mesmo devia acontecer com o tipo que jazia do outro lado.

Harvath olhou para um lado e para o outro e viu um idiota com um telemóvel que tentava tirar uma fotografia. Sem pensar, ergueu a arma e apontou-lha.

— Larga isso! — ordenou.

Aterrado, o estudante obedeceu.

— Desaparece daqui! — gritou-lhe Harvath.

Enquanto o rapaz desaparecia a correr, Harvath baixou-se e apanhou o telemóvel. As sirenes ouviam-se cada vez mais perto. Não tinha muito tempo. Saltou para dentro do *Nissan,* que continuava em ponto morto, recuou para libertar o caminho e, com cuidado para não deixar impressões digitais, vistoriou rapidamente o carro, mas não encontrou nenhum indício que revelasse a identidade dos atacantes.

Pegou na arma do morto e com o telemóvel tirou fotografias ao cadáver e à matrícula. Repetiu o processo com o segundo corpo, que tal como suspeitava não tinha qualquer identificação, e atirou as armas para a traseira do *Trailblazer.*

Com duas toalhas velhas que trazia sempre no carro, tapou as chapas de matrícula, saltou para o volante e arrancou a toda a velocidade com um guinchar de pneus, afastando-se o mais depressa possível da Universidade da Virgínia.

MESQUITA UM AL-QURA
FALLS CHURCH, VIRGÍNIA

— O que está ele cá a fazer? — perguntou Abdul Waleed ao entrar no gabinete do xeque Omar.

Matthew Dodd estava sentado no sofá, com a cara arranhada.

— *As sala'amu alaikum,* irmão — proferiu ele em resposta.

Embora estivesse a usar o colete à prova de bala da agente da CIA quando fora atingido no apartamento, doía-lhe terrivelmente o peito. Custava-lhe falar e até respirar fundo.

Após uma curta hesitação, Waleed respondeu:

— *Walaikum as sala'am.*

— A nossa operação em Paris não teve êxito — declarou Omar. — E há mais problemas.

Os olhos de Waleed fixaram-se em Dodd. Não era o que lhe apetecia ouvir naquele momento. Durante a manhã, fora submetido a um apertado interrogatório do FBI a respeito de Nura Khalifa e de Andrew Salam. Tinha os nervos em franja. Espetou um dedo na direcção de Dodd e gritou:

— Tudo isto é por sua culpa.

— Cale-se! — cortou Omar em tom autoritário, mandando o director da FAIR sentar-se numa cadeira.

O xeque não queria mais nenhuma discussão no seu gabinete. Já ficara apopléctico por causa de Dodd e, quando a tensão arterial apenas regressava à normalidade, aparecia Waleed.

— Quando o que queremos que aconteça não acontece, temos de aprender a querer o que acontece.

Mais provérbios, disse Waleed para consigo.

— Mahmud, o FBI sabe tudo.

— *Tudo?* — perguntou o xeque. — Não me parece. Só sabem o que o Andrew Salam lhes contou, e Salam é um mentiroso e um assassino.

— Mas por vezes até os mentirosos dizem a verdade — respondeu Waleed, a atirar-lhe também com um provérbio. — Estou a dizer-lhe que o FBI acredita no que o Salam lhes diz.

— Como sabe?

— Vejo-lhes na cara. Percebo pela maneira como falam, pelas perguntas que colocam. Sabem o que temos andado a fazer. E o que não sabem imaginam, e o que imaginam está certo!

— Acalme-se — acudiu Omar. — É preciso acreditar no que se vê e pôr de parte o que se ouve.

Waleed abanou a cabeça, transtornado.

— Subestimámos os tipos.

— Não têm provas. O povo americano nunca permitirá uma caça aos muçulmanos. Seria islamofobia, percebe?

— Ouça, Omar. O povo americano não está do nosso lado. Têm medo de nós. Têm ainda mais medo de ser politicamente incorrectos, e temos tirado partido disso. Mas não se engane, há limites para tudo e somos capazes de ter posto a fasquia alta de mais. Se não formos cuidadosos e vigilantes, a maré do politicamente correcto pode voltar-se contra nós.

O xeque soltou uma gargalhada.

— Onde está a piada? — perguntou Waleed.

— Você tem este povo em demasiada boa conta. São gente fraca e estúpida. O politicamente correcto e o multi-culturalismo só existem porque os americanos são demasiado preguiçosos para impor aos outros o que dantes significava ser americano. Esta nação está moribunda e nós não somos o problema, somos a solução. O Islão, o verdadeiro Islão, há-de salvar a América.

— Mas se Paris foi um fracasso já não haverá um verdadeiro e puro Islão. Pelo menos, como nós o conhecemos.

— Paris foi um fracasso porque tentámos ir longe de mais — interveio Dodd, de olhos postos em Omar. — Não volta a acontecer.

A sugestão era clara, e Waleed considerou-a bastante arriscada. Dodd culpava Omar pelo que tinha acontecido em Paris. Olhou para o xeque e perguntou:

— Disse que tínhamos mais problemas? Quais são *esses* problemas?

— A CIA localizou o meu apartamento em Baltimore — respondeu Dodd.

— Como?

— Não sei. E não interessa. O que interessa é que em resultado disso um dos operacionais deles está morto e outro foi ferido. Vai haver uma confusão danada em Langley.

— *O que interessa* — corrigiu Waleed — é o momento em que tudo isto acontece. Essa informação teve de vir do Salam.

— Mas se ele não fazia ideia de quem era o contacto... — interpôs Omar. — Pensava que estava a trabalhar para o FBI.

— O Abdul tem razão — atalhou Dodd, que não parava de pensar. — De alguma maneira, as autoridades estabeleceram uma relação. Teve de vir do Salam.

— Você tem de desaparecer outra vez — declarou Waleed. — Vá para qualquer parte. Saia do país e fique escondido.

Omar levantou a mão.

— Ainda não. Até o trabalho estar feito, não.

— Qual trabalho? O professor que trabalhava com o Marwan Khalifa? Anthony Nichols? — perguntou Waleed.

O xeque assentiu.

— Deixe que os seus operacionais sauditas se encarreguem dele. Não, espere, esqueci-me. É por causa deles que o Salam ainda está vivo.

Omar sentiu que a tensão arterial lhe subia outra vez. Não precisava dos sarcasmos de Waleed. Ia repreendê-lo, quando o telefone da secretária tocou. Omar pegou no aparelho, escutou e desligou. Com o comando da televisão na mão, disse:

— Houve uma cena de tiros na Universidade da Virgínia. Parece que está a passar em todos os noticiários.

CAPÍTULO

61

Sem o pára-brisas e com o carro esburacado pelas balas, Harvath sabia que não podia ir muito longe no *Trailblazer*. Ao fim de alguns minutos, descobriu uma zona densamente arborizada nas imediações do Boar's Head Inn Resort.

Saiu da estrada e penetrou na mata até onde lhe foi possível antes de desligar o motor. A coberto do arvoredo, percorreu a orla do campo de golfe até chegar à pousada. Os criados estavam cheios de trabalho e Harvath não precisou de muito tempo para encontrar o que queria.

Uma fila de automóveis com as chaves na ignição esperavam a sua vez de serem arrumados. Harvath detestava usar a força desde que não fosse preciso. Dirigiu-se para um *Volvo* verde como se fosse o proprietário, entrou e abandonou a pousada.

Precisou de alguns minutos para se orientar e encontrar a estrada de acesso, mas logo que o fez conduziu até ao lugar onde largara o *Trailblazer*.

Tirou as placas de matrícula do carro desportivo, transferiu tudo, incluindo as armas, para a bagageira do *Volvo* e tomou tranquilamente o caminho de casa.

— Vou mandar uma equipa buscar o teu carro e deixar o que pediste emprestado num local onde seja encontrado — disse Lawlor enquanto Harvath retirava do *Volvo* o resto do material. — Também vou ter de falar com a polícia da universidade.

Harvath meteu a mão no bolso e tirou o cartão de memória do telemóvel.

— Há aqui fotografias dos dois homens que matei — disse a Gary, ao mesmo tempo que lhe estendia o cartão. — Está também a matrícula do carro deles.

— O carro deve ser roubado, mas mesmo assim vamos ver. Precisas de mais alguma coisa enquanto estou fora?

Harvath sacudiu a cabeça numa negativa.

— Está bem — disse Gary, entrando no *Volvo*. — Vou requisitar uma viatura para ti e estou de volta pelas sete, de maneira que tens tempo de sobra para ir a Washington.

Harvath ficou a vê-lo afastar-se de Bishop's Gate. Uma visita à Casa Branca era a última coisa que lhe apetecia. Não se encontrava cara-a-cara com Jack Rutledge desde que Tracy fora atingida, e não tinha nenhuma vontade de o voltar a ver. A ideia de Harvath era que Nichols ficasse em Bishop's Gate a trabalhar nos textos alcorânicos em falta. Mas para isso precisava da roda de cifra de Jefferson e dos outros documentos que o Presidente tinha em seu poder. E embora Rutledge os pudesse entregar a Gary para os trazer para Bishop's Gate, o Presidente fizera questão de que Harvath fosse pessoalmente buscá-los. Gostasse ou não, parecia que tinha mesmo de se encontrar com ele.

Depois de falar com Nichols e de lhe entregar a *pen* e os outros objectos que havia trazido do gabinete da UVA,

Harvath dirigiu-se à cozinha. Pôs água a ferver para fazer café, mas mudou de ideias e desligou a máquina.

Estava em tensão havia várias horas. Tinha os nervos à flor da pele e sentia os efeitos da diferença horária. Não precisava de emborcar canecas de café; do que precisava mesmo era de repouso.

Subiu para o primeiro piso, evitou olhar para a fotografia sobre a mesa-de-cabeceira em que estava com Tracy, atirou-se para cima da cama e fechou os olhos. Esforçou-se por acalmar o espírito e afugentar as ideias.

A pouco e pouco, foi-se desligando até que mergulhou num sono profundo e sem sonhos. Ficou assim durante várias horas, até ser acordado pela chegada de Lawlor diante da casa.

Embora o corpo lhe pedisse o contrário, Harvath obrigou-se a levantar-se da cama e a dirigir-se à casa de banho. Tomou um duche quente e prolongado, deixando a água escorrer-lhe pelo pescoço e pelos ombros.

Quando achou suficiente, mudou bruscamente a temperatura para frio e aguentou tanto tempo quanto pôde. O choque foi mais eficaz do que um *espresso* duplo.

Saiu do duche, barbeou-se, secou o cabelo e vestiu um fato. Era sábado, mas ia à Casa Branca encontrar-se com o Presidente e tinha de ir vestido decentemente.

Quando acabou de se vestir, seguiu o cheiro do café até à cozinha. Lawlor estava de novo a trabalhar com a máquina de Tracy.

— Sabes alguma coisa da Tracy?

— Não — respondeu Lawlor ao estender-lhe uma chávena. — Mas os dois tipos que arrumaste na UVA têm um passado interessante.

— E que é...?

— Aparentemente, são sauditas com vários nomes falsos. As informações recolhidas permitem suspeitar que tenham pertencido aos serviços secretos.

— Estavam ao serviço dos sauditas? — perguntou Harvath enquanto beberricava goles de café. — Ou eram *freelancers* como o Dodd?

— Considerando o interesse manifestado pelo príncipe herdeiro naquilo que o Presidente anda a fazer, creio que estavam ao serviço dos sauditas — respondeu Lawlor. — Se queres a minha opinião, os tipos andavam a vigiar o gabinete e o apartamento de Nichols para o caso de alguém aparecer. Não creio que te tenham seguido até à Universidade. Já lá deviam estar.

— Também me parece — concordou Harvath.

Lawlor entregou-lhe um jogo de chaves de automóvel.

— Um *Tahoe* preto. Está lá fora. Mandei tirar o OnStar e o outro GPS.

— Obrigado.

Harvath enfiou as chaves no bolso e dirigiu-se para a igreja, com a chávena de café na mão. Depois de ter feito deslizar a pia baptismal, desceu à cripta e preparou duas pistolas, a carabina e algumas granadas de fragmentação.

Não esperava vir a ter nenhum problema na ida à Casa Branca, mas a verdade é que também não esperara tê-los na universidade.

Mas, ao contrário do que sucedera antes, desta vez esperava trazer consigo um objecto precioso e não queria que ninguém lhe pusesse as mãos em cima, excepto Anthony Nichols.

CAPÍTULO

62

CASA BRANCA

Carolyn Leonard veio receber Harvath à entrada de veículos da esquina da 17ᵗʰ Avenue com a Pennsylvania Avenue. O Presidente tinha dado instruções para que Harvath entrasse sem ser revistado. Conhecendo Harvath e o género de trabalho que desempenhava para o Presidente, Leonard presumiu que devia vir armado, possivelmente muito bem armado.

Assim que baixaram os pilaretes retrácteis, Harvath passou com o automóvel, Leonard sentou-se a seu lado e acompanhou-o a um segundo *checkpoint,* depois do qual estacionaram o carro entre o Departamento do Tesouro e a Ala Oriental do Executivo.

— Devo deixar a ferramenta no carro? — perguntou Harvath com uma ligeira pancada no casaco.

— Se fosse eu a decidir, devia, mas o Presidente deixou bem claro que você tinha livre-trânsito absoluto. É consigo — respondeu ela, saindo do automóvel.

Harvath preferia sempre ter pelo menos uma arma consigo. Não era com receio de que alguém lhe arrombasse o automóvel estacionado no parque da Casa Branca, mas um excesso de precaução não fazia mal a ninguém, pelo que resolveu ficar com a arma.

Pelo rádio, Leonard informou que estavam a entrar, e atravessaram a rua lado a lado.

Voltar à Casa Branca era uma sensação estranha. Harvath tinha ali passado muitas noites quando fazia parte dos serviços secretos adstritos ao Presidente e recordava-se do estranho silêncio que pairava por todo o edifício, quase como numa igreja. Quando entraram no elevador, não havia ninguém à vista e Leonard premiu o botão para o terceiro piso.

— Solário? — arriscou Harvath.

A mulher abanou a cabeça numa negativa.

Quando a porta do elevador se abriu no terceiro piso, Harvath ouviu o choque das bolas de bilhar e percebeu onde estava. Leonard conduziu-o através do átrio principal até à sala de jogos da área residencial.

Ao chegarem mais perto, Harvath observou os agentes destacados para a segurança do Presidente — um homem e uma mulher. Não reconheceu nenhum deles. Mostraram-lhe a mesma consideração que tantas vezes tinha demonstrado para com os visitantes do presidente Rutledge quando trabalhara nos serviços secretos. Todos se regiam pela máxima: *Ser correcto para com todos os visitantes, mas estar preparado para os matar.* Um hábito que Harvath continuava a respeitar.

— Desculpe, senhor Presidente — disse Leonard, batendo à porta do salão de jogos. — Está aqui o Scot Harvath.

De colarinho desapertado e mangas da camisa arregaçadas, Rutledge encostou o taco à mesa Brunswick e respondeu:

— Até que enfim que vejo aqui alguém que consegue rivalizar com os melhores. Como vai isso, Scot?

— Estou bem, *sir* — respondeu Harvath, que foi ao encontro do Presidente para lhe apertar a mão.

— Quer uma cerveja? — perguntou Rutledge, quando Leonard saiu e fechou a porta.

Harvath indicou o quadril, para mostrar que trazia uma arma.

— Anda a cuidar da cintura? — gracejou o Presidente, abrindo um frigorífico pequeno. — E uma *Diet Coke?*

— Isso sim — respondeu Harvath.

Rutledge pegou numa lata de *Diet Coke,* tirou para si uma garrafa de *St. Pauli Girl* e abriu as duas. Estendeu a lata a Harvath e brindou com um toque da garrafa.

— Saúde!

— Saúde! — respondeu Harvath.

— Você sabia que o Presidente Lincoln era um viciado confesso em bilhar? — perguntou o Presidente.

— Não, não fazia ideia — retorquiu Harvath, que já uma vez ou outra jogara bilhar com Rutledge, mas nunca na Casa Branca.

— Pois, Lincoln dizia que era um jogo saudável e científico, óptimo para distrair um espírito avassalado pelo trabalho. Escolha um taco e vamos descontrair um pouco.

Harvath bebeu um trago da *Diet Coke,* tirou o casaco e escolheu um taco. Bateu o Presidente por milímetros e coube-lhe a honra de abrir o jogo.

Deram início a um jogo de oito bolas. Harvath tinha aprendido há muito que o essencial para uma abertura correcta era como bater a primeira bola no golfe. O truque estava na precisão do movimento.

Recuou o taco para dar impulso, desferiu uma pancada seca e três bolas seguiram a girar para dentro dos buracos.

Depois de mais algumas tacadas, Harvath errou e a mesa ficou entregue ao Presidente.

— Há muito tempo que espero por este encontro — disse Rutledge.

Apoiado no taco, Harvath bebeu mais um gole da *Diet Coke*. Embora tivesse decidido pôr uma pedra sobre o passado, a atmosfera estava carregada de tensão.

— Sei que sim, *sir*.

— Scot, preciso de lhe dizer pessoalmente a que ponto lamento o que aconteceu. Se eu soubesse que daí adviria algum mal para si ou para os que lhe são queridos, tê-lo-ia avisado.

— Senhor Presidente... — começou Harvath a dizer.

Mas Rutledge atalhou:

— Fiz um pacto com terroristas e você sofreu por causa disso. Embora tenham violado o acordo eu mantive-o afastado e impedi-o de proteger os seus amigos. Fiz mal, e assumo essa responsabilidade. Você prestou valiosos serviços tanto a esta Administração como a todo o país. Repeti-lhe muitas vezes a consideração em que o tenho, mas mesmo assim quando me vi encostado à parede desprezei o seu auxílio e levei-o a ter de escolher entre defender pessoas que lhe eram queridas e ser apontado como traidor. Peço desculpa por isso.

Depois da conversa telefónica que tivera com o Presidente quando estava em Paris, Harvath não esperava que o assunto viesse de novo à baila. A humildade do Presidente era uma prova da firmeza de carácter que Harvath sempre havia apreciado nele.

Rutledge deu a volta à mesa de bilhar e estendeu de novo a mão a Harvath.

— Espero que aceite as minhas desculpas.

Harvath não precisou de pensar duas vezes, nem de ouvir mais nada. Sem hesitações, apertou a mão do Presidente e perdoou-lhe.

— Bom — disse Rutledge, a preparar a tacada seguinte. — Agora que já resolvemos esse assunto, posso dizer-lhe por que razão o mandei chamar.

Aydin Ozbek estava em casa, sentado e com as luzes apagadas, e por única companhia tinha uma garrafa de *Maker's Mark*. Um dos piores dias da sua vida.

O ferimento de Rasmussen era mais sério do que havia pensado. Sem o torniquete, ter-se-ia esvaído em sangue até à morte. Tinha sorte em estar ainda vivo.

E depois havia o caso de Stephanie Whitcomb. Alguém lhe cortara a garganta de orelha a orelha. Quando Ozbek a encontrara, já estava morta. Nada podia ter feito para a salvar.

Tinha colocado o corpo de Whitcomb na caixa da furgoneta, tapando-o com um cobertor, e transportado Rasmussen ao centro de socorros mais próximo, onde o deixara à entrada do serviço de urgência.

Parecia uma atitude fria, mas era indispensável. Se a situação fosse a inversa, Raz teria feito a mesma coisa. Era preferível que só um dos dois ficasse comprometido e que tivesse de lidar com toda a burocracia inerente a um ferimento de bala. Como também era preferível que o *Denali* com o corpo de Whitcomb não fosse descoberto.

Quando Ozbek lhe telefonara e lhe dissera que precisava de falar com ele em Langley o mais depressa possível, Bruce Selleck, o director do NCS, ficara furioso. Ozbek contou-

-lhe o que se tinha passado e apanhou a maior descompostura de toda a sua vida. Sabia que a merecera, pois havia largamente ultrapassado as suas atribuições. Agora, tinham um operacional morto e outro ferido no hospital, e a operação ameaçava arrasar a Agência.

A CIA estava absolutamente proibida de levar a cabo qualquer operação em território nacional, e o erro cometido por Ozbek era de proporções descomunais. Cabia agora à Agência inventar uma mentira qualquer para o hospital que tratara Rasmussen, para além de cuidar do corpo de Whitcomb. A mulher tinha família e amigos. Não podia desaparecer sem deixar rasto. Além disso, isso não se coadunaria com os parâmetros de actuação da CIA.

Selleck interrogou pessoalmente Ozbek e depois mandou o «inútil» para casa, com ordem de só se apresentar ao serviço quando a Agência resolvesse o que faria com ele. Como se isso não bastasse, ao chegar a casa tinha uma mensagem no atendedor de chamadas. Era o veterinário a comunicar-lhe que *Shelby* havia sucumbido ao cancro. Ozbek ficou de rastos.

Embora não houvesse já nada a fazer pela cadela, a verdade é que gostaria de que ela tivesse morrido ao pé dele. Como fora egoísta em prolongar-lhe o sofrimento! Devia ter tratado do assunto há vários dias, talvez mesmo semanas.

E, mesmo percebendo a mesquinhez de naquelas circunstâncias lamentar a morte da cadela, a verdade é que a dor que sentia não era senão uma antecipação do sofrimento de ter de encarar a morte de Stephanie. Passado o momento do choque, Ozbek não fazia tenção de suportar sozinho o peso da culpa. Era por isso que a garrafa de *Maker's Mark* estava em cima da mesa.

Já passara pela primeira fase — a negação. *Isto não pode estar a acontecer,* era o pensamento que lhe acudia reiteradamente enquanto transportara o corpo de Stephanie Whitcomb de regresso à Virgínia.

Depois, foi a fase da fúria. Mas nessa Ozbek era mestre. Era um poço de raiva que extravasava a seu bel-prazer. Mal dirigida, é certo, e Selleck estivera prestes a pô-lo fora de si ao assumir-se como alvo.

Depois da raiva, Ozbek passara à terceira fase — a da negociação, só que o seu acordo com Deus apresentava uma vertente vingativa. Prometia-Lhe tudo o que Ele quisesse, desde que o deixasse ajustar contas com Matthew Dodd.

Ao terceiro copo, a sua capacidade de argumentação refinou, e interpelava Deus em voz alta, enunciando ponto por ponto por que razão lhe devia ser dada oportunidade de matar um animal como Dodd, quando o telefone tocou.

— Estás com uma voz horrível — disse do outro lado do fio um dos operacionais de Ozbek, um tipo chamado Beard. — Se calhar, acordei-te, não?

— Mais ou menos — resmungou Ozbek. — O que se passa?

— Duas coisas. Como pediste, estamos atentos ao correio electrónico do Marwan Khalifa e acabámos de assinalar um contacto.

Ozbek poisou o copo e perguntou:

— Enviado ou recebido?

— Enviado.

— Então, o tipo está vivo.

Beard fez uma pausa antes de responder.

— Aí entra a segunda coisa. Os italianos identificaram o cadáver do Khalifa através dos registos dentários que lhes mandámos. O homem está morto, disso não têm dúvida.

— Então e o *e-mail*?

— Parece que alguém se está a fazer passar por ele.

— Passar por ele como?

— Parece que o Khalifa tinha um encontro marcado para segunda-feira na Biblioteca do Congresso. Quem se está a fazer passar pelo Khalifa alterou para amanhã, em Annapolis.

— Tens a certeza de que não é uma mensagem que já tinha sido escrita e por qualquer razão só depois foi enviada?

— Não há hipótese. Houve duas mensagens durante a última hora.

— Quem está em contacto com ele? — perguntou Ozbek.

— Anthony Nichols.

Tem de ser o Dodd, pensou Ozbek. Pôs-se de pé tão depressa, que quase deitou a mesa ao chão. *Está a fingir que é o Khalifa para atrair o Nichols.*

— Mais alguém está ao corrente disto?

— Não — respondeu Beard. — Só tu.

— Deixa ficar como está — ordenou Ozbek.

— O que vais fazer?

— Deixa comigo. Mas manda-me imediatamente as cópias.

— Vão já — anuiu Beard.

Ozbek desligou o telefone e enroscou a tampa metálica da garrafa de *Maker's Mark*.

Os caminhos do Senhor não são apenas ínvios, também são rápidos, disse para consigo. *Daria um excelente operacional da CIA.*

CAPÍTULO

64

Ao regressar a Bishop's Gate, Harvath foi encontrar o professor ainda a trabalhar no escritório.

— Ainda está acordado?

— Tenho uma imensidade de coisas para fazer — replicou Nichols, com um aceno de cabeça em direcção ao envelope e ao saco que Harvath trazia.

Harvath aproximou-se da secretária, pousou o envelope, abriu a boca do saco e tirou lá de dentro uma magnífica caixa de madeira, semelhante àquela em que o *Dom Quixote* se encontrava na Mesquita Bilal, em Paris. Feita com o mesmo tipo de madeira e também gravada com as iniciais de Thomas Jefferson. Harvath colocou-a em cima da secretária.

— O Presidente disse que você sabia abrir isto.

— Um dos muitos segredos de Jefferson — respondeu Nichols, a manusear delicadamente a caixa. Reparou no olhar apreciativo de Harvath e perguntou: — É uma maravilha, não é?

— É, sim — concordou Harvath.

— Está familiarizado com este tipo de caixas?

— Quando era miúdo, tinha algumas. Cheguei a ajudar o meu pai a fazer algumas. Mas nada que se compare a esta, é claro.

— Que género de homem era ele? — perguntou Nichols ao abrir com muita cautela um dos lados da caixa dando seguimento ao processo.

— Bastante duro, mas tanto eu como a minha mãe sabíamos o grande amor que nos tinha — replicou Harvath.

— Já morreu?

— Há bastante tempo. Estava eu a acabar o liceu. Era instrutor dos SEAL. Foi um acidente durante um exercício.

O professor levantou os olhos e disse:

— Lamento.

— Eu também.

Alguns instantes depois, Nichols premiu as iniciais e levantou a tampa. No interior da caixa, forrado a veludo, estava a roda de cifra de Jefferson. Nichols retirou o dispositivo e pousou-o quase com reverência ao lado do *Dom Quixote*. Num gesto de quem acaba de se lembrar de uma coisa, estendeu a caixa para que Harvath a examinasse.

Durante vários minutos, nenhum dos dois pronunciou uma palavra. Por fim, Harvath rompeu o silêncio:

— Agora, já tem tudo o que precisa. Daqui em diante, deve ser simples — observou, devolvendo a caixa ao professor.

Nichols soltou uma gargalhada.

— Já adiantei muito, mas com Jefferson nada é simples. Já lhe chamaram a Grande Esfinge Americana. Um dos nomes mais acertados que já ouvi. O mesmo autor também faz um comentário excelente sobre o facto de ele olhar para a esquerda na moeda de níquel. Como democrata, sinto orgulho nisso.

Foi a vez de Harvath soltar uma gargalhada. Se se tivessem conhecido noutras circunstâncias, seria capaz de vir a estabelecer amizade com o professor.

— Alguma novidade acerca da Tracy? — perguntou Nichols.

Harvath sacudiu a cabeça:

— Não.

— Lamento ter-vos arrastado para isto.

— Não teve culpa. Agora o que interessa é que decifre o código da Esfinge — respondeu Harvath com um sorriso. — Se ele realmente descobriu textos que faltam no Alcorão e se esses textos podem ajudar os muçulmanos moderados a reformular o Islão, temos de os encontrar.

— A propósito — interrompeu Nichols —, recebi um *e-mail* do Marwan Khalifa.

Outra vez aquele nome, pensou Harvath. Embora o Presidente se tivesse responsabilizado por ele, Harvath continuava a alimentar reservas.

— O que queria ele?

— Acaba de regressar do estrangeiro, do projecto em que tem trabalhado. Era para nos encontrarmos na segunda-feira na Biblioteca do Congresso para acertarmos ideias, mas o Marwan pensa que encontrou uma coisa importante e prefere encontrar-se comigo amanhã.

— Onde? — perguntou Harvath, apreensivo.

— Aí é que está. Ele tem receio de ser seguido, não quer vir a Washington. Nem sequer a casa dele. Está num hotel e quer que me encontre com ele lá. Conhece o sítio e está à vontade.

— E onde é isso?

— Em Annapolis.

Harvath conhecia perfeitamente Annapolis.

— Qual é exactamente o ponto de encontro?

— Escolheu um local carregado de simbolismo e de ironia. É mesmo coisa dele — respondeu Nichols.

65

ANNAPOLIS, MARYLAND
DOMINGO DE MANHÃ

A Academia Naval dos Estados Unidos ficava nas margens de Chesapeake Bay, do outro lado do rio Severn, defronte do Naval Surface Warfare Center.

Conhecido por algumas pessoas como *The Boat Scholl,* ou *Canoe U,* a Academia, como era mais apropriadamente chamada, era o colégio secundário responsável pela formação dos futuros oficiais da marinha e dos fuzileiros. Para além de ser a sede da equipa de futebol da Marinha.

Embora Harvath tivesse estudado na Universidade da Califórnia do Sul, estivera por mais de uma vez na Academia. Em três dessas ocasiões, comera no Clube Privado dos Oficiais e da Faculdade. No final de cada refeição, havia atravessado a rua em direcção a leste, para admirar o mais antigo monumento militar dos Estados Unidos.

Conhecido como o Tripoli Monument, foi esculpido em 1806 em honra dos heróis da Primeira Guerra contra os piratas berberes. Concebido no estilo alegórico do século XVII, foi construído em mármore de Carrara, como o utilizado por Miguel Ângelo. A peça central é uma coluna em forma de esporão idêntica às que adornavam o Coliseu de

Roma, decorada com as proas dos navios inimigos e encimada por uma majestosa Águia Americana.

No pedestal quadrado, onde assenta a coluna, estão esculpidas várias cabeças de piratas com os seus turbantes. No monumento podem ainda ver-se um anjo alado, representando a Fama, e uma mulher, que simboliza a História, a escrever os feitos dos bravos americanos que combateram contra os muçulmanos. O Comércio presta homenagem ao papel dos heróis na defesa do direito da América de navegar no Mediterrâneo sem ser molestada pelos piratas maometanos, e uma mulher com duas crianças a seus pés simboliza a América.

No monumento, estão gravados os nomes de seis heróis, homenageados pelo Congresso pela coragem demonstrada, que se distinguiram «*nas praias de Trípoli*» contra os piratas muçulmanos até o paxá por fim se render.

Uma homenagem aos americanos corajosos que tinham feito frente aos fundamentalistas islâmicos. Antes de ser transferido para a Academia, o monumento encontrava-se em frente do Congresso. Na opinião de muitas pessoas, entre as quais se contava Harvath, era para lá que devia voltar, para recordar aos representantes eleitos da nação quais eram os verdadeiros inimigos que a pátria afrontava e para que deixassem de pôr a política e o politicamente correcto acima dos princípios.

Por muito optimista que fosse, Harvath sabia que não havia a mais pequena hipótese de o monumento voltar ao Congresso. De facto, havia mesmo um movimento, encabeçado por uma alta patente do Pentágono, um muçulmano de nome Imad Ramadan, que advogava a sua destruição por ser «ofensivo» para os muçulmanos e mais ainda para os marinheiros islâmicos da Marinha dos Estados Unidos. Segundo Ramadan, era impróprio da dignidade dos Estados Unidos denegrir desse modo os fiéis do Islão.

Harvath encontrara Ramadan duas vezes quando trabalhava na Casa Branca e achava-o um imbecil. Tanto quanto se recordava, o homem tinha nascido algures no Médio Oriente, emigrara para os Estados Unidos para estudar, tendo passado vinte anos na Força Aérea antes de ser transferido para o Departamento de Defesa. Embora o cargo que ocupasse implicasse assuntos relacionados com a defesa, os únicos que lhe pareciam verdadeiramente interessar eram os que diziam respeito aos americanos muçulmanos.

Ramadan fizera parte de uma delegação do Pentágono para debater com o Presidente assuntos relacionados com os muçulmanos, mas Rutledge havia-se conservado de forma inteligente à distância dos grupos que Ramadan convidara para tirar fotografias na Sala Oval.

Como a maior parte dos apologistas do Islão, Ramadan manifestava constantemente a sua indignação. Fora na sequência dos seus pudores ofendidos que o especialista na *jihad* islâmica do Departamento de Defesa fora despedido, por se ter atrevido a dizer a verdade sobre a incitação à violência contida no Islão. Comparado com isso, as suas exigências de desmantelamento do monumento não tinham a mínima importância. A maior parte das pessoas envolvidas na luta contra o terrorismo interrogava-se até quando aquele fanático disfarçado de cordeiro ocuparia o lugar que tinha no Pentágono. Circulava mesmo uma piada em que, se Ramadan levasse a sua avante, qualquer dia não se poderia entrar na Sala de Comando sem primeiro lavar os pés.

Harvath tentou afugentar a irritação e olhou para o relógio.

— O seu amigo Marwan está atrasado.

— Deixe, que há-de aparecer — respondeu Nichols.

Ao lado do monumento, nos terrenos cuidadosamente limpos entre o museu da Academia Naval e a bilheteira, Harvath sentia-se um alvo fácil. Os seus olhos saltitavam sem cessar pelas janelas, portas e telhados, em busca de qualquer coisa fora do normal, de qualquer sinal de perigo.

O Clube O&F era famoso pelo menu dos domingos, e o bom tempo atraía inúmeras pessoas que passeavam nos terrenos adjacentes ao monumento.

— Vamos dar-lhe mais dez minutos — disse Harvath. — E é tudo.

Nichols assentiu e fixou a sua atenção no rosto das pessoas que passavam.

De súbito, o auricular de Harvath avisou:

— Atenção — ouviu-se a voz de Lawlor. — Vai um tipo na vossa direcção através do relvado. Do lado sul. Calças de ganga, ténis escuros, *sweatshirt* preta com capuz, com um saco atirado por cima do ombro.

Harvath virou-se e respondeu:

— Já o estou a ver. Continua atento.

— Entendido. Fico à espera.

Harvath olhou para Nichols e disse, quase sem mexer os lábios:

— Ponha-se atrás de mim.

Meteu a mão no interior do casaco e sacou a arma, mas com cuidado para que não ficasse à vista.

Não gostava nada daquilo. O homem da *sweatshirt* trazia o capuz na cabeça de maneira a tapar-lhe a cara. Mas em vez de usar a calçada, cortava caminho através do relvado. Fosse quem fosse, não era um profissional. Um profissional nunca anunciaria assim a sua presença. Mesmo assim, Harvath manteve-se em guarda.

Quando chegou mais perto, o homem levou a mão ao capuz e retirou-o, devagar. Tinha altura média e feições suaves, e usava cabelo curto e óculos. Se tivesse de lhe adivinhar a idade, Harvath diria uns trinta e tal.

— Algum de vocês é Anthony Nichols? — perguntou o homem.

Antes de Harvath ter tempo para o impedir, Nichols respondeu:

— Anthony Nichols sou eu.

Nesse momento, o homem meteu a mão no saco que trazia pendurado ao ombro.

— O que está a fazer? — perguntou Harvath, com o dedo no gatilho.

O homem olhou para ele como se visse um doido.

— Disseram-me para vir aqui, perguntar por Anthony Nichols e dar-lhe este envelope.

Sem perder de vista o homem do saco, Harvath perscrutou os arredores. Ia a perguntar-lhe quem o tinha mandado quando o berro de Lawlor explodiu no auricular:

— Scot! Cuidado!

CAPÍTULO

66

Um segundo homem irrompeu por entre um pequeno grupo de pessoas que visitavam o monumento e Harvath teve apenas tempo para atirar Nichols ao chão antes que a figura abalroasse o homem do saco.

Harvath não fazia ideia do que estava a acontecer. Tudo quanto sabia era que o recém-chegado se escarranchava sobre o peito do homem e lhe apontava ao queixo uma *Beretta* munida de silenciador. Um tipo perigoso.

A sua experiência como agente dos serviços secretos segredava-lhe que levasse Nichols de imediato dali para fora, mas ele precisava de respostas. Sem dar importância aos insistentes pedidos de Lawlor, que queria saber o que se passava, Harvath sacou da pistola que levava escondida debaixo do casaco e apontou-a ao homem da *Beretta*.

— Largue a arma — ordenou Harvath.

O homem da *Beretta* não lhe deu atenção. Com a mão livre, tirou do bolso uma folha de papel, que sacudiu para abrir. De onde estava, Harvath percebeu que era uma espécie de fotografia. O atacante comparou o rosto do homem caído com a imagem.

— Quem o mandou aqui? — perguntou ele, enquanto relanceava os olhos em volta, à procura sabe-se lá de quê.

— Largue a arma — repetiu Harvath.

— Trabalho para um serviço de mensagens — gague-jou o homem do saco. — Disseram-me para vir aqui entre-gar um envelope.

Harvath já estava farto.

— Largue a arma ou disparo — intimou.

O homem abriu os dedos de modo a segurar na arma apenas com o indicador enfiado na protecção do gatilho.

— Agora, ponha-a no chão.

O homem obedeceu.

— Saia de cima desse tipo.

Assim que viram as armas, as pessoas tinham entrado em debandada. Harvath sabia que de um momento para o outro o local estaria cheio de polícias.

— Não está interessado em saber o que ele traz no sa-co? — perguntou o segundo homem.

O tipo é corajoso, pensou Harvath.

— Quero que saia de cima dele e se ajoelhe — respon-deu. — Aí. As mãos atrás da cabeça.

— Sou amigo da Carolyn Leonard — disse o homem.

— Gary — chamou Harvath pelo rádio. — Preciso que chegues aqui.

Harvath virou-se então para o mensageiro encapuçado. Na verdade, estava interessado em saber o que o homem trazia para Nichols. Apontou-lhe a pistola e ordenou:

— Abra o saco devagar, muito devagar.

O mensageiro fez o que lhe mandavam.

— Agora — prosseguiu Harvath —, incline-se para a frente, estenda o saco o mais possível e despeje o conteúdo no chão.

Quando os objectos rolaram pelo chão, na maioria dos casos artigos pessoais do portador, não foi difícil detectar o pequeno envelope almofadado com o nome de Nichols escrito em diagonal, a tinta preta.

— É isto. Sou só um mensageiro. Juro — disse o homem.

Harvath acreditava nele, mas mesmo assim revistou-o e disse-lhe que se sentasse quieto. Depois concentrou-se no segundo homem.

— De onde conhece a Carolyn Leonard?

— Fui eu que lhe disse que o Matthew Dodd andava a persegui-lo em Paris.

— Sabe quem somos?

— Scot Harvath e Anthony Nichols — respondeu o homem. — Mas é melhor continuarmos a conversa longe daqui — acrescentou, quando já se ouviam as sirenes dos carros da polícia. — Não me apetece passar o resto do dia a responder a perguntas da poícia.

— Onde estacionou o seu carro?

— Perto daqui.

Alguns minutos mais tarde, Harvath e Nichols entravam no veículo negro do homem. Quando arrancaram, Harvath sacou do *BlackBerry*. Sem deixar de apontar a pistola ao condutor, marcou o número de Carolyn Leonard. Quando ela respondeu, disse:

— Carolyn, daqui Scot Harvath. Tenho aqui um tipo que diz ser seu amigo.

Olhou para o homem e perguntou:

— Como se chama?

Sempre atento a uma possível perseguição da polícia, o homem respondeu:

— Aydin Ozbek. Trabalho para a CIA.

Harvath não sabia se havia de rir, de admirar a audácia do homem ou de lhe partir os queixos por os ter usado como isco.

— Então você sabia que o Marwan Khalifa tinha morrido e que devia ser o Dodd quem se estava a servir do *e-mail* dele, mas mesmo assim resolveu não nos revelar nada? — perguntou.

— Se o tivesse feito, vocês não teriam comparecido no ponto de encontro — respondeu Ozbek.

— É claro que não! — exclamou Nichols.

Harvath dispensava a ajuda do professor.

— Trate mas é de examinar esse disco — disse em tom seco.

Estavam sentados num pequeno cibercafé na Virgínia. Ao telefone, Leonard dera garantias sobre Ozbek, mas Harvath insistira numa confirmação visual. Como o seu telemóvel não tinha máquina fotográfica, a identificação definitiva tinha-se processado através de uma *webcam* no café. O outro motivo para Harvath ter escolhido o café era o conteúdo do envelope trazido pelo mensageiro, um disco amovível de grande capacidade.

— É o que lhe estou a dizer — disse Ozbek. — Vocês foram vítimas de uma armadilha. Até o próprio mensageiro. Ou acha que foi coincidência o homem ser tão parecido com o Dodd?

— Do sítio onde você estava, talvez, mas para mim era um tipo igual a todos os outros. Penso que exagerou — disse Harvath.

— Ele escolheu aquele tipo para que nos revelássemos.

— *Nos* revelássemos? — admirou-se Harvath. — Eu já estava ali à vista de toda a gente.

— Queria saber se estava mais alguém atrás dele, e quantos eram. O Dodd tem sempre uma razão para tudo o que faz. Pode crer.

— Se isso é verdade, você fez o jogo dele ao atirar-se ao mensageiro, não foi?

Ozbek ignorou o sarcasmo.

— Esse disco é uma armadilha, e você sabe-o. Por que razão insistiu em ficar com ele?

— Não faz mal nenhum saber o que lá está dentro. Pode ser que contenha qualquer coisa destinada a convencer-nos de que era realmente o Khalifa.

— Para quê? Você mesmo disse que ele estava a apalpar o terreno nos *e-mails* que mandou ao professor Nichols, a sondar o que vocês já sabiam. Já lhe disse, esse disco é uma armadilha.

— Ouça — contrapôs Harvath —, concordo consigo, o disco pode ser uma espécie de Cavalo de Tróia. É por isso que estamos a usar um computador público. Se é um dispositivo para se infiltrar e saber o que está no computador, não temos de nos preocupar com isso.

Nichols levantou os olhos do terminal e disse:

— Está tudo em árabe. Não sou capaz de ler isto.

— Deixe-me ver — pediu Ozbek.

Embora falasse fluentemente árabe, Harvath lia bastante mal. Por isso, acedeu ao pedido.

— Faça favor.

Ao fim de algum tempo, Ozbek perguntou:

— O que é a Grande Mesquita de Saná?

— É o projecto em que o Marwan estava a trabalhar no Iémen — respondeu Nichols. — Foi lá que descobriram um esconderijo com documentos que parecem ser dos primeiros exemplares do Alcorão.

— São descrições de imagens digitais e de outros artigos que se diz terem sido «arquivados» ou «preservados». Era nisto que ele estava a trabalhar em Roma?

Ainda em estado de choque por saber que o colega e amigo tinha sido morto, Nichols respondeu com uma tremura na voz:

— Disse-me que era um dos projectos mais excitantes em que já trabalhara, e que o momento parecia ter sido determinado por Deus. Nessa altura, eu estava a uma enorme distância nas minhas pesquisas, mas ele estava confiante em que os nossos dois projectos se viriam a completar no momento certo e que aquilo que havia descoberto em Saná viria a conferir legitimidade ao projecto que eu andava a desenvolver.

— E que projecto é esse em que está envolvido? — perguntou Ozbek. — Percebo as razões que levam um radical islâmico como o Dodd a matar o Marwan Khalifa. Mas, no seu caso, porquê? Porquê dar-se a tanto trabalho para suprimir um especialista em Thomas Jefferson?

Nichols interrogou Harvath com o olhar, sem saber se devia ou não responder.

— Aqui não — foi a resposta.

— Então onde? — quis saber Ozbek.

— Veremos quando lá chegarmos. Entretanto, quero todos esses documentos impressos antes de sairmos. Não vou permitir que esse disco entre em nenhum dos nossos computadores.

CAPÍTULO

68

Ao cabo de várias horas, Ozbek interrompeu a leitura da resma de documentos retirados do misterioso disco e entrou na cozinha.

— Então? — perguntou Harvath.

Estava sentado na cozinha, a analisar algumas informações que Nichols lhe entregara. Lawlor conseguira resolver o incidente da universidade e estava de regresso. Tinha também procurado obter informações do mensageiro, mas o homem parecia não saber nada que tivesse interesse.

Ozbek tirou uma cerveja do frigorífico e Harvath fez sinal a indicar que também queria uma. Sabia que Ozbek atravessava um momento difícil, com um dos seus operacionais morto e outro ferido no hospital. Os Boinas Verdes eram tipos duros, mas não deixavam de ser humanos e nutriam grande afecto pelos que lutavam a seu lado.

— O Khalifa estava no rasto de qualquer coisa importante — comentou Ozbek, numa alusão aos documentos impressos a partir do disco. — O problema é que a informação não está completa. Refere certas passagens do manuscrito, mas não temos exemplos disso.

— Está admirado? — perguntou Harvath, bebendo um gole de cerveja.

— Não propriamente. É uma informação que se destina apenas a aguçar-nos o apetite, mas sem o satisfazer.

— Mais uma jogada abjecta do senhor Dodd e dos seus amigos fundamentalistas.

Ozbek concordou e bebeu também.

— Se considerarmos que os arquivos italianos arderam completamente, tudo quanto nos resta devem ser as cópias que o Khalifa fez dos documentos encontrados em Saná. E se o Dodd tem em seu poder o computador do Khalifa, podemos estar certos de que nenhuma delas verá jamais a luz do dia.

— O que confere ainda mais importância ao trabalho do professor.

— Sabe, toda esta história à volta de Jefferson é muito curiosa — observou Ozbek ao reclinar-se na cadeira para esticar as pernas. — Se for verdadeira, o trabalho do Khalifa nem teria assim tanta importância. Seria um complemento excelente; mas uma revelação suprimida do Alcorão que levou os acólitos de Maomé a assassiná-lo é suficiente para abalar o mundo.

Harvath concordou.

— Se for devidamente usada, pode arruinar o fundamentalismo e levar os moderados a assumir o controlo da religião. Pode ser a vitória na guerra contra o terrorismo.

Ozbek assentiu e bebeu mais um gole de cerveja.

— Por muito confusa e contraditória que ache essa religião, a verdade é que trabalhei com inúmeros muçulmanos que eram uns tipos excelentes. Para falar com franqueza, acho que só uma explosão vinda de dentro poderá eliminar o cancro do islamismo fanático. Espero sinceramente que o professor Nichols encontre o que procura.

— Por falar nisso — rematou Harvath, estendendo-lhe algumas páginas que Nichols lhe tinha entregue —, parece que se está a aproximar. Alguma vez ouviu falar num inventor muçulmano chamado al-Jazari?

CAPÍTULO

69

Harvath pegou numa caixa de fósforos que estava sobre a prateleira do fogão de sala. A noite ia ser fria. Se não acendesse já a lareira, a sala nunca chegaria a aquecer. Era uma das desvantagens, mas também parte do encanto, de viver numa casa tão antiga.

Assim que o fogo pegou, Harvath sentou-se numa cadeira perto da secretária onde o professor trabalhava, pegou na caixa-mistério e perguntou:

— Agora que já conseguiu decifrar alguns dos apontamentos de Jefferson, explique lá: como esse tal al-Jazari entra nesta história?

Nichols procurou em cima da mesa até encontrar a página que queria.

— As obras de al-Jazari eram conhecidas em todo o mundo islâmico e as suas invenções muito apreciadas. À semelhança de Leonardo da Vinci, al-Jazari também dependia de patronos e de encomendas para viver. E, como Da Vinci, era um homem devotado à ciência. Já no século XII, os sábios muçulmanos tinham desconfiado de várias incorrecções no Alcorão, como por exemplo as explicações erradas de Maomé a respeito do funcionamento do corpo humano, da Terra, das estrelas e dos planetas, transmitidas como tendo sido as palavras de Deus. E, é claro, há também os versículos satânicos.

Harvath estava familiarizado com os versículos satânicos. Desesperado por fazer as pazes com a tribo da família, os Quraysh, Maomé dissera que era legítimo que os muçulmanos orassem às três deusas pagãs dos Quraysh como intercessoras junto de Alá.

Contudo, quando se apercebeu das consequências perversas deste compromisso com a sua tribo para o monoteísmo que procurava instituir, Maomé retirou o que tinha dito e afirmou que fora o demónio a pôr aquelas palavras na sua boca. Para os Quraysh, esta reviravolta foi como deitar gasolina em cima do fogo e, ao longo dos tempos, o episódio nunca deixou de ser um tema fascinante, que seduziu, entre outros, Salman Rushdie.

— Ao que parece, e mais uma vez como Da Vinci, al-Jazari também tinha as suas dúvidas sobre a infalibilidade da fé que dominava a sociedade em que vivia. Diz-se que, ao tomar conhecimento da revelação final de Maomé e da sua posterior exclusão do Alcorão, não descansou até a encontrar.

— E encontrou? — perguntou Harvath.

Nichols respirou fundo antes de responder.

— Segundo Thomas Jefferson, sim, encontrou.

Harvath esperou que o professor continuasse.

— A fama de al-Jazari facultava-lhe o acesso a toda a espécie de pessoas do mundo islâmico. Viajou muito e conviveu com chefes de Estado e com ministros, com sábios e cortesãos, com piratas, mercadores e homens de ciência.

»No tempo de al-Jazari, a revelação final de Maomé não passava de um mito para quem ouvira falar dela, mais ficção do que facto concreto. Se realmente existia, por que motivo nunca viera a lume? Al-Jazari deduziu que, se havia de facto uma revelação final de Maomé que tinha levado ao seu assassínio, então haveria dentro do mundo muçulmano pessoas capazes de matar para a conservar oculta. E, se essas forças se apoderassem da revelação, era certo que a destruiriam.

»E, assim, al-Jazari procurou entre as pessoas que tinham mais probabilidades de conhecer essa revelação final e o local onde se encontraria escondida, ou seja, os sábios e os teólogos do seu tempo. E quanto mais procurava, mais se convencia de que o segredo deveria estar escondido algures.

»Levou muitos anos, fez inúmeras viagens, teceu complexas intrigas, mas por fim al-Jazari encontrou o que queria, o original das revelações de Maomé, ditadas ao seu assistente principal e seladas pelo próprio Profeta antes de morrer.

— E onde encontrou ele isso? — perguntou Harvath.

Nichols abanou a cabeça.

— Ainda não decifrei essa parte dos apontamentos de Jefferson. Só cheguei ao momento em que al-Jazari ficou tão impressionado com o que leu, que decidiu certificar-se de que a revelação seria preservada e transmitida aos que tinham sede da verdade. Ora, é bem conhecido o castigo que a tradição islâmica impõe aos blasfemos e aos apóstatas.

— A morte — disse Harvath.

— Exactamente. Existem muitos leigos e muitos especialistas, tanto dentro como fora da comunidade islâmica, que entendem que o islamismo puro e ortodoxo dos fundamentalistas não teria hipóteses de sobreviver fora do seu contexto árabe original do século VII. Quando sujeito ao escrutínio da racionalidade humanista e da ciência do século XXI, está condenado a desmoronar-se. Pensam que é por isso que o Islão tanto tem enfatizado a pena de morte. Quem duvidar, censurar ou renegar o Islão, incorre na pena capital. É um *modus operandi* totalitário, destinado a silenciar a análise e a dissidência, protegendo assim a fé da necessidade de se justificar. Não é para admirar que os que tinham conhecimento da revelação final de Maomé fossem tão cautelosos em não a revelar.

— Mas al-Jazari revelou, não foi? — perguntou Harvath.

— Foi. Mesmo que não viesse a ser amplamente divulgado, al-Jazari queria que os muçulmanos que buscavam a verdade sobre a sua religião e o seu patriarca a pudessem encontrar, ainda que tivessem de lutar arduamente para isso.

— Estou em crer que Jefferson também teve de se esforçar bastante.

— Segundo os diários, a tarefa foi extremamente difícil — replicou Nichols. — Contudo, tinha ao seu dispor um dos melhores recursos do mundo, o Corpo de Fuzileiros dos Estados Unidos.

— «Para as costas de Tripoli» — proferiu Harvath, recordando-se da conversa que haviam tido em Paris.

— Exacto. No seu diário, Jefferson refere como em 1805 enviou o oficial do exército, William Eaton, juntamente com um contingente de fuzileiros sob o comando do tenente Presley O'Bannon, atacar Tripoli e depor o paxá que declarara guerra aos Estados Unidos da América. Foi a primeira batalha travada pelos americanos em solo estrangeiro.

»Eaton conseguiu o apoio de Hamet, irmão do paxá de Tripoli e herdeiro legítimo do trono da Tripolitânia, que estava exilado no Egipto, para instituir uma insignificante mudança de regime ao estilo do século XVIII. O alvo foi a rica e poderosamente fortificada cidade portuária de Derna.

»Ao fim de uma hora de bombardeamento pelos navios de guerra americanos *Nautilus, Hornet* e *Argus,* comandados pelo capitão Isaac Hull, Hamet dirigiu-se para sudoeste com os seus soldados para cortar a estrada de Tripoli enquanto os fuzileiros e o resto das forças mercenárias assaltavam o bastião do porto.

»Uma boa parte da guarnição de Derna atemorizou-se perante os fuzileiros e bateu em retirada deixando para trás os canhões e as espingardas carregadas. Aproveitando a tremenda confusão que se gerou nas ruas da cidade, um pequeno grupo de fuzileiros destacou-se dos restantes para levar a cabo uma missão secreta ordenada pelo Presidente Jefferson. O objectivo era entrar no palácio do governador. Mas houve um contratempo. Apesar da objecção do tenente O'Bannon, Hamet e os seus mercenários árabes tinham identificado o palácio do governador como um segundo objectivo, depois de ocuparem a estrada de Tripoli. O contingente de fuzileiros comandado por O'Bannon recebeu ordem de entrar e sair antes da chegada de Hamet e dos seus homens. A missão de que estavam encarregados era de se apoderarem de um objecto importante para o Presidente.

— Deixe-me adivinhar — cortou Harvath. — Esse objecto importante estava de algum modo relacionado com al-Jazari.

Nichols assentiu.

— Os fuzileiros abriram caminho a tiro e em combates corpo-a-corpo até ao palácio do governador. Tal como os outros camaradas que combatiam no porto, a sua bravura não teve igual e desde então passou a servir de modelo para todo o corpo de fuzileiros. Uma hora e quinze minutos depois do início do assalto, o tenente O'Bannon hasteou a bandeira americana no bastião do porto. Foi a primeira vez que o nosso pavilhão flutuou sobre os muros de uma fortaleza além do Atlântico. Pouco depois, a unidade secretamente enviada por O'Bannon regressou, já cumprida a missão que lhe tinha sido confiada.

»De posse da cidade e depois de ter repelido um contra-ataque, Eaton queria atacar Tripoli, mas foi contido por Jefferson, que preferiu negociar um tratado de paz e garantir a libertação de todos os americanos presos em Tripoli, especialmente a tripulação do USS *Philadelphia,* que encalhara no porto dezoito meses antes.

»Embora Eaton, como sucedeu com O'Bannon e os seus fuzileiros, tenha sido recebido na América como um herói, guardou sempre um ressentimento em relação a Jefferson por achar que este o traíra. Nunca teve conhecimento da operação secreta nem da verdadeira razão para atacar Derna.

»Um pormenor curioso é que, depois da vitória, o príncipe Hamet ofereceu ao tenente O'Bannon uma cimitarra usada pelos mamelucos da sua tribo como recompensa pela coragem evidenciada por ele e pelos seus fuzileiros. O sabre que os fuzileiros usam ainda hoje tem essa cimitarra por modelo.

Harvath levantou-se, colocou a caixa-mistério em cima da secretária e dirigiu-se à lareira para pôr mais uma acha.

— Mesmo sendo um homem da Marinha, tenho de admitir que os fuzileiros têm antepassados impressionantes. Mas o mais curioso é que nunca ninguém tenha ouvido falar da operação secreta empreendida em Derna.

— Ninguém — confirmou Nichols. — Nem mesmo o Congresso. Acabei de decifrar o que Jefferson escreveu a esse respeito. Respeitando as ordens recebidas, os fuzileiros foram para o túmulo sem nunca revelarem o segredo.

— Então e o objecto que foram buscar ao palácio do governador de Derna? O que lhe aconteceu?

O professor rebuscou nas suas folhas de apontamentos e por fim respondeu:

— É esse o mistério que temos de deslindar.

— Agora sabemos que o que estava no palácio do governador era um invento de al-Jazari relacionado com a revelação final de Maomé, e já lá devia estar quando Cervantes esteve preso em Argel, que fica perto. Sabemos também que os fuzileiros de O'Bannon tiveram êxito na busca empreendida e que trouxeram o objecto para Thomas Jefferson. Mas o que era concretamente e qual o destino que teve, isso não sabemos — prosseguiu Nichols.

O professor olhou para a secretária atravancada de livros e de papelada.

— A resposta deve estar algures por aqui. Espero eu.

Harvath sorriu.

— Há-de encontrá-la. Entretanto, esta noite quem cozinha sou eu. Janta connosco na cozinha, ou prefere comer aqui?

O professor pensou antes de responder:

— Vou continuar a trabalhar.

— Muito bem. Trago-lhe cá o jantar.

— E café também, se faz favor — acrescentou Nichols para Harvath, já de saída.

Quando Harvath entrou na cozinha, encontrou Lawlor sentado à mesa com Aydin Ozbek.

— Não me importo nada de contar com mais um par de mãos experientes, mas o que esta operação realmente precisa é de um advogado.

— Aquele sarilho na universidade, não é? — interpôs Harvath, que se dirigiu ao frigorífico e começou a tirar coisas lá de dentro.

— Nada que se compare com Paris, mas mesmo assim bastante mau. Os polícias estavam fulos.

— Há notícias da Tracy?

— Está uma pessoa da embaixada no quarto com ela.

— Porquê? Passou-se alguma coisa?

— Nada de especial, só que os franceses estavam a ser demasiado zelosos na vontade de a interrogar. Há quem pense que teve tempo suficiente para descansar e para tomar os medicamentos e que não há razão para não falar. Mas os médicos não gostam. Não querem que a submetam a qualquer tensão antes de porem cobro ao inchaço do cérebro. As autoridades começaram a mostrar-se impertinentes e os médicos proibiram-nas de entrar no quarto. Quando isso aconteceu, os franceses ameaçaram transferi-la do Hospital Americano para outro que fosse mais complacente. Os médicos da Tracy entraram em contacto com a embaixada e agora fica lá alguém vinte e quatro horas por dia, a servir de tampão.

— Achas que vai resultar? — perguntou Harvath, nitidamente preocupado.

— Para já, sim.

Harvath não perguntou o que aconteceria depois. A única coisa que queria era ter Tracy de novo em casa. Pegou no *iPod* que tinha antes de Tracy lhe comprar a versão mais recente, que deixara no quarto do hotel, em Paris, e ligou-o à estereofonia que estava perto do fogão.

Tracy adorava ouvir o *Cânone em Ré Maior,* de Pachelbel, enquanto cozinhava. Esteve tentado a pô-lo a tocar, mas não seria uma grande ajuda para o seu estado de espírito. Precisava de outra coisa mais animada.

Percorreu a lista de artistas, escolheu a Zapp Band, e quando os primeiros acordes de *More Bounce to the Ounce* se fizeram ouvir, começou a cozinhar e tentou esquecer por algum tempo os problemas que o apoquentavam.

Mais tarde, quando o jantar já acabara e os pratos estavam lavados e arrumados, Harvath abordou um último tema de trabalho para o serão. Depois de tudo quanto tinha ouvido a respeito de Matthew Dodd, achava que fazia sentido alguém ficar de vigia. Lawlor e Ozbek concordaram e Harvath dividiu os turnos. Primeiro seria ele, depois Ozbek e, por fim, Lawlor.

Quando o assunto ficou resolvido, Lawlor acompanhou Ozbek ao andar de cima para se instalar, enquanto Harvath dava início à ronda. Correu os cortinados do escritório e obrigou Nichols a contentar-se com um candeeiro de secretária.

Depois passou em revista a reitoria e a igreja, a certificar-se de que todas as janelas estavam fechadas, ligou o alarme e preparou-se para o seu turno de vigilância. Havia uma imensidade de coisas que gostaria de fazer no computador portátil, mas não queria perturbar a sua visão nocturna. Tinha de ser capaz de ver no escuro e a luminosidade do ecrã do computador, além de lhe dificultar a visão, torná-lo-ia um alvo fácil. Não seria uma atitude inteligente.

Em vez disso, sentou-se discretamente na sombra com a *LaRue M4* no colo, cismando em tudo o que havia acontecido.

Quando o turno acabou, acordou Ozbek e passou-lhe o testemunho simbólico. Indicou-lhe como funcionava o sistema de alarme e foi ver Nichols. O professor já tinha bebido várias chávenas do café que Lawlor lhe preparara e não dava mostras de querer largar o trabalho. *E ainda falam do* jet lag, pensou Harvath ao subir a escada para o quarto.

Depois de escovar os dentes, com a casa de banho iluminada apenas por uma lâmpada de presença, espreitou uma última vez pela janela antes de se meter na cama.

Não se apercebeu minimamente de um par de olhos que o observavam a partir das trevas que envolviam a casa.

Embora soubesse que não podia ser visto, Matthew não mexia nem um músculo, nem sequer respirava. Com o óculo de visão nocturna assestado, observou Scot Harvath até este se afastar da janela e desaparecer do seu campo de visão.

Dodd baixou o óculo e consultou o seu *Omega*. Passava exactamente da uma hora. Parecia que, os homens que estavam dentro de casa faziam a vigilância por turnos. Tudo bem. Podia esperar.

Encostado a uma árvore, na orla da propriedade de Scot Harvath, Dodd retirou uma garrafa de água da bolsa da mochila e bebeu um longo trago, enquanto reproduzia mentalmente a conversa que tinha tido com o xeque Omar. Apesar das garantias que anteriormente lhe dera, de que o deixaria ocupar-se dos assuntos como melhor entendesse, Omar voltara a tentar assumir o controlo. Queria que Nichols fosse morto e, se isso significava matar também o homem que o protegia e quaisquer civis que se metessem de permeio, tanto pior. Delicadeza e elegância não faziam parte do seu vocabulário.

Dodd bem tentara explicar que a morte de Nichols nada adiantaria para a resolução do problema, pois Jack Rutledge arranjaria com facilidade outra pessoa para fazer o trabalho. Precisavam de obter mais informações. Todos sabiam qual o alegado conteúdo da revelação perdida de Maomé e todos estavam cientes de que a sua divulgação seria o fim do verdadeiro Islão.

O que interessava na verdade era saber em que pé se encontravam as pesquisas de Nichols sobre a revelação final do Profeta. Graças às investigações que já tinha empreendido, o assassino sabia que sem o *Dom Quixote* Nichols não teria a menor esperança de êxito. Agora, o professor tinha o livro consigo e estava a usá-lo para finalizar o seu trabalho.

Fosse como fosse, através dos *e-mails* trocados com Nichols em nome de Khalifa, Dodd tinha-se apercebido de que o livro não fornecera respostas imediatas. O professor ainda tentava encontrar o fio à meada. No entanto, e apesar da franqueza com que falara, Dodd percebeu que o professor lhe escondia qualquer coisa. Fora então que lhe ocorrera a ideia do disco amovível.

O disco estava infectado por um Cavalo de Tróia praticamente impossível de detectar, chamado *Programa Eco*, que assim que o disco fosse ligado ao computador do professor se teria infiltrado de imediato. Da próxima vez que o professor se ligasse à rede, independentemente de o disco continuar ligado ou não, o conteúdo do seu computador seria comprimido e transferido para Dodd.

Sempre que Nichols entrasse em rede, o *Programa Eco* continuaria a fornecer dados importantes, tais como teclas-chave, pesquisas na Internet e novos ficheiros guardados, para além de proporcionar ao assassino o acesso remoto ao computador do professor e a capacidade de controlar e instalar periféricos, como uma câmara de vídeo ou um microfone.

Infelizmente, o disco fora activado apenas uma vez, num cibercafé em Annapolis. Dodd atribuía este desaire ao operacional da CIA que estivera no seu apartamento duas noites antes.

O assassino havia esperado que o disco fosse novamente activado, mas em vão. Mas não tinha importância, pois o agente da CIA cometera um erro em Annapolis que facultava ao assassino um plano alternativo.

Dodd não se tinha limitado a enviar um mensageiro à Academia Naval. Ele próprio estivera no local, a ver tudo. O professor contava com a colaboração de dois homens — um deles era o mesmo que ele já vira no Grand Palais e na Mesquita Bilal, o outro era um tipo mais velho que procurara manter-se longe das vistas, mas que Dodd havia referenciado. Observara-o depois a mostrar credenciais à polícia, a assumir o comando das operações no local e a sair no assento da frente de um dos seus veículos. Contudo, Dodd não fazia ideia de quem seria.

Havia ainda o agente da CIA. Dodd não o tinha visto até ele saltar do meio de um grupo de pessoas para derrubar o mensageiro, mas sempre desconfiara de que andaria por perto, pois já havia visto o *GMC Denali* preto, o mesmo que vira estacionado duas noites antes em Baltimore sobre o pavimento molhado. O homem nem se tinha dado ao trabalho de mudar as chapas de matrícula. Deviam ter pensado que Dodd nem sequer reparara no veículo em que tinham chegado, nem que se deixara ficar a assistir à entrada do agente ferido para o banco do passageiro nem à colocação do corpo sem vida da agente na traseira do veículo.

Descobrir o automóvel do agente da CIA nas imediações da Academia Naval fora uma bênção e ele levava consigo um pequeno transmissor para o caso de encontrar o automóvel de Nichols. Mas o *Denali* também dava jeito.

Dodd funcionava segundo a norma da CIA em que a acção deve resultar em informação. O seu plano era deitar a mão a Nichols para lhe arrancar tudo o que sabia. Segui-lo até ao local onde se encontrava era a cereja em cima do bolo. Agora, bastava-lhe escolher o momento mais oportuno para penetrar na casa.

CAPÍTULO

72

O assassino viu como o homem do Grand Palais se encarregou do primeiro turno de vigilância e o agente da CIA do segundo. O terceiro turno caberia ao homem mais velho. Era aí que Dodd contava entrar em acção.

Considerando a placa erguida no caminho de acesso, não era difícil saber quem tinha instalado o alarme da casa. O assassino demorou uma hora a digitar no computador até criar um número de telefone intermédio entre a casa e a empresa de segurança.

Quando o segundo turno terminou, Dodd acompanhou pelo óculo nocturno a substituição do agente da CIA pelo homem mais velho. O homem entrou na cozinha, pôs café a fazer e andou de sala em sala com uma carabina nas mãos, a confirmar se tudo estava em ordem.

Quando voltou à cozinha, colocou a arma sobre a mesa e ficou imóvel.

O assassino retirou da mochila uma barra de chocolate, abriu-a e deu-lhe uma dentada. Sem deixar de observar o homem que se encontrava dentro de casa, o pensamento fugiu-lhe para a mulher e para o filho mortos. Fora avisado de que as imagens constantes do relatório da polícia sobre o acidente seriam chocantes, mas como não estivera presente nos funerais precisava de se certificar. Quando se lembrava deles, era sobretudo da massa informe de aço em que o automóvel ficara transformado e dos corpos sem vida de dois seres que para ele significavam mais do que qualquer outra coisa no mundo.

Uma por uma, as fotografias do acidente desfilaram pela sua memória numa sucessão infernal e interminável. Quando procurava recordar, nada mais lhe vinha à memória. Já nem conseguia lembrar-se de como eram, de quem ele próprio era, antes do acidente. Até isso lhe era negado.

Mas naquele momento não queria pensar mais no assunto e afugentou as recordações. Tinha de se concentrar no que estava a fazer.

Meia hora depois, o homem voltou a levantar-se para fazer uma ronda pela casa e regressar à cozinha. Dodd não saiu do seu lugar, sempre atento. Mais meia hora e o processo repetiu-se. Era evidente que o homem faria uma ronda pela casa de meia em meia hora.

Dodd abandonou o esconderijo e arrastou-se silenciosamente até onde tinha o computador. O calcanhar de Aquiles da maior parte dos sistemas de vigilância doméstica era o alarme. Poucas eram as pessoas que conseguiam sistemas impenetráveis. Até os operacionais mais sofisticados se viam coagidos pelos seus orçamentos a contentar-se com artigos correntes no mercado, como *Brinks* e *ADT*.

Dodd já penetrara nos melhores serviços de segurança do mundo e, embora este fosse bastante difícil, não era de todo impossível. Digitou várias séries de códigos e ficou a olhar para o ecrã do computador portátil, enquanto o alarme era silenciosamente desactivado. Para quem vigiasse o sistema na empresa de segurança ou dentro de casa, tudo pareceria na mesma. Era chegado o momento de actuar.

O assassino tinha estudado a casa o suficiente para saber que o perímetro estava equipado com sensores de movimento que funcionavam independentes do alarme principal. Ao serem interceptados, deviam accionar luzes exteriores e possivelmente um aviso sonoro no interior.

Dodd regressou ao esconderijo e observou a casa durante mais alguns minutos, para se certificar da continuidade da rotina. Seguro de que tudo estava como queria, retirou do bolso duas latas e avançou agachado.

Quando achou prudente não se aproximar mais, o assassino rodou a cabeça devagar para um lado e para o outro, tentando detectar a existência de alguma brisa.

Nada se movia. Olhou para o relógio. Era chegada a hora. Arrancou a cápsula da primeira lata e lançou-a para a extremidade mais distante da reitoria. Fez o mesmo com a segunda lata, memorizou a sua posição relativa e esperou.

Um fumo espesso, especialmente designado para anular os sensores de movimento e as imagens térmicas, começou a envolver o velho edifício de pedra e os terrenos circundantes.

Dada a proximidade da baía de Chesapeake, o nevoeiro não era invulgar. Como cobertura, era perfeito, permitindo ao assassino aproximar-se da porta da frente. Localizou o puxador, removeu a parte frontal e começou a trabalhar nos fechos. Assim que o último cedeu, sacou uma *Walther P99* munida de silenciador e esgueirou-se para o interior.

Lá dentro, cheirava a café e a lenha queimada. Dodd verificou o painel do alarme e sorriu. Tudo perfeito. Relanceou os olhos pelo relógio e aguardou um som que lhe revelasse a presença do homem de vigia. Nada. Devia estar na igreja, ou possivelmente a voltar de lá. Depois de se certificar de que não provinha qualquer som do piso superior, Dodd deslizou sem ruído até à cozinha para esperar o regresso do homem mais velho.

Não teve de esperar muito tempo. Quando ele entrou, o assassino agiu sem hesitação.

Harvath acordou com o ruído do puxador da porta a mexer-se muito devagar. Agarrou na pistola que estava sobre a mesa-de-cabeceira, saltou da cama e de um pulo ficou encostado à parede, ao lado da porta.

Espalmado contra a parede, viu o puxador deixar de girar e a porta começar lentamente a abrir-se. Encolheu-se quanto pôde, com a pistola à altura do peito e a mão esquerda adiante.

Assim que um vulto se recortou no vão da porta, Harvath deitou a mão à camisa do homem, encostou-lhe a arma à cara e obrigou-o a dar meia-volta. A cabeça do homem bateu com violência contra a parede. Só nesse momento percebeu de quem se tratava.

— Você é doido? — invectivou Harvath. — Proibi-lhe expressamente de fazer estas coisas. Podia tê-lo morto.

O professor estava a ver estrelas, mas mesmo assim conseguiu articular num sussurro em que transparecia o pânico:

— Apanharam o Gary.

O cérebro de Harvath entrou de imediato em estado de alerta máximo.

— Onde está ele?

— Na cozinha. Há sangue por todo o lado.

Harvath ia a responder quando ouviu o estalito de uma tábua do soalho da sala exterior. Levou o indicador aos lábios a recomendar silêncio e fez sinal a Nichols para que não se mexesse. O professor assentiu e espalmou-se contra a parede.

Outra tábua rangeu, desta vez mais perto. Harvath ergueu a pistola e preparou-se para fazer fogo.

Uma fracção de segundo depois, Ozbek irrompeu pelo quarto de pistola em riste, pronta a disparar. Ao ver Harvath, baixou a arma.

— Que se passa? — perguntou.

— O Gary foi apanhado na cozinha — respondeu Harvath.

Ozbek deu um passo atrás, para que Harvath pudesse passar.

— Vamos.

Harvath ordenou a Nichols que ficasse quieto e trancasse a porta. Com Ozbek atrás, dirigiu-se para a escada. Veio-lhe à memória o ataque de que Tracy fora vítima e esforçou-se por afastar da cabeça a imagem dela deitada numa poça de sangue. Dentro de casa havia um perigo iminente e, se não se mantivesse frio, seria morto.

Harvath correu uma cortina de ferro mental e concentrou-se no que tinha de fazer.

Desceram as escadas, cobrindo-se alternadamente. No vestíbulo, Harvath notou que a porta da frente estava escancarada, mas que o painel do alarme indicava tudo normal e em perfeitas condições, o que como era óbvio não era verdade.

Fez sinal a Ozbek e avançaram em silêncio pelo corredor estreito que dava acesso à cozinha. Ainda antes de entrar,

Harvath viu os sapatos e as dobras das calças de Lawlor. Com o máximo cuidado, os dois homens aproximaram-se da cozinha escrutinando todos os possíveis esconderijos antes de se darem por satisfeitos. Ozbek ficou de guarda enquanto Harvath correu para Lawlor.

Por baixo da cabeça de Lawlor, uma poça de sangue alastrava. Harvath sentiu que a garganta se lhe apertava ao estender os dedos para apalpar as carótidas, na esperança de ainda encontrar pulsação.

Para seu grande alívio, percebeu que ainda tinha. Baixou a cabeça e ouviu um resquício de respiração. Com o máximo cuidado, Harvath examinou-lhe a cara e o pescoço, em busca de um orifício de entrada ou de saída. Nada. Pegou na toalha de cozinha que estava na porta do fogão e meteu-a com delicadeza por baixo da cabeça de Lawlor. Antes de deitar a mão a quem quer que estivesse dentro de casa, nada mais podia fazer pelo amigo.

Ao erguer-se, Harvath viu a carabina sobre o balcão. O carregador fora retirado e colocado ao lado, bem como a bala que estava na câmara. *Muito estranho.*

Pegou na bala e guardou o carregador no bolso traseiro das calças, de modo a evitar que a arma pudesse ser usada contra eles. Depois reuniu-se a Ozbek e os dois vistoriaram o resto da casa.

Assim que chegou ao escritório, Harvath percebeu que quem quer que tivesse entrado há muito que se fora embora. A secretária onde Nichols tinha estado a trabalhar estava praticamente limpa. Toda a papelada, o computador portátil de Nichols, os seus apontamentos e a caixa-mistério de Jefferson com a roda de cifra tinham desaparecido. A única coisa que restava era uma pilha de livros de carácter geral sobre Jefferson.

Harvath não precisou de ver mais nada para perceber o que acontecera: Matthew Dodd descobrira onde morava. A única coisa que o intrigava era *como*.

Mas isso teria de esperar. Deixando Gary com Ozbek e Nichols, pegou numa lanterna e saiu. Os materiais roubados não tinham preço. Embora tivesse a certeza de que Dodd há muito saíra, podia ser que tivesse deixado alguma pista. Com tudo o que estava em jogo, Harvath não podia permitir que ele pura e simplesmente se evaporasse.

Inspeccionou o terreno até encontrar um local onde as ervas estavam amachucadas junto a uns arbustos, onde o assassino se devia ter ocultado. O local estava limpo e não encontrou nada que lhe pudesse ser útil.

Percorreu em sentido contrário o caminho para a estrada principal, onde o assassino devia ter interceptado o sistema de alarme. Embora pudesse encarregar alguém de obter impressões digitais, duvidava que Dodd fosse descuidado ao ponto de deixar algumas. Além de que não precisava que nenhum técnico lhe dissesse o que já sabia. Que Matthew Dodd lhe tinha assaltado a casa, isso era certo. O que lhe interessava era saber para onde fora ele depois disso.

Continuou as buscas até à chegada da ambulância para levar Gary Lawlor, mas não encontrou mais nada. Dodd tinha simplesmente sumido.

Com o desaparecimento de toda a documentação, Harvath e os seus companheiros, para não falar na própria América, acabavam de sofrer um gravíssimo revés.

MESQUITA UM AL-QURA
FALLS CHURCH, VIRGÍNIA

Dodd teve de se esforçar para explicar ao xeque Omar que um assassino profissional não mata indiscriminadamente, só quando é necessário. Mas tudo foi inútil. Embora Omar fosse um homem atento e dotado de grande inteligência, era impermeável a essas subtilezas.

Acima de tudo, o xeque e Waleed odiavam os infiéis — onde incluíam os muçulmanos que não seguiam a mesma interpretação purista do Alcorão. Os infiéis eram *kuffar* e mereciam a morte.

Waleed era mais pragmático e percebeu os riscos inerentes a penetrar numa casa desconhecida às escuras para matar todos os que lá se encontravam. O que nenhum dos dois seria capaz de compreender era o motivo que levara Dodd a agredir o homem na nuca com a coronha da pistola em vez de o matar. Por isso, Dodd viu-se obrigado a mentir.

O xeque Omar estava sentado à secretária, fazendo girar os discos da roda de cifra de Jefferson, pousada em cima do *Dom Quixote*.

— E os outros que estavam dentro da casa? Estão mortos?

— Não era possível, com o tempo de que dispunha — respondeu o assassino.

Waleed parou de folhear os documentos e disse:

— Teve toda a noite.

— Até podiam ter sido duas. Seria sempre um problema.

Omar ergueu o sobrolho e perguntou:

— Porquê?

— Sejam quem forem, esses homens são profissionais bem treinados.

— Mesmo assim... — atalhou Waleed.

Dodd levantou a voz e invectivou-o:

— Não esperava que percebesse em que consiste uma avaliação de situação.

— Não faziam ideia de que você estava lá. Você mesmo o disse.

O assassino nunca gostara de Abdul Waleed. Nada lhe daria mais prazer do que esmagar-lhe a traqueia.

— Matar um profissional exige muito mais cuidado e atenção aos pormenores, especialmente quando se pretende actuar no terreno dele. Há muitas coisas que podem correr mal quando não se faz a preparação necessária.

— Então, o que me está a dizer é que é *impossível* — declarou triunfante Waleed, como se acabasse de apresentar um argumento irrefutável.

Dodd voltou-se para Omar.

— Agora, temos tudo em nosso poder. Eles não têm nada. Foi o que me mandaram fazer, e está feito.

— Não — interrompeu Waleed do sofá —, a sua missão era...

— Esteja calado — ordenou Omar, levantando a mão.

Os seus olhos saltaram da roda de cifra para Dodd.

— Os cães ladram, mas a caravana passa.

O assassino olhou para ele e perguntou:

— Isso quer dizer o quê?

— Quer dizer que não é possível retirar da cabeça deles aquilo que já sabem. Não tenha a presunção de que, lá por lhes termos tirado o material, também lhes tirámos a vontade. Hão-de continuar.

Dodd fez menção de falar, mas Omar calou-o com um gesto.

— Como sabe se ainda precisavam disto? Pode ser que já saibam o necessário para encontrar a revelação final!

O assassino não precisou de olhar para Waleed para saber que este rejubilava.

— Temos de saber, para além de qualquer dúvida, que a ameaça foi por completo neutralizada — declarou Omar.

— O que quer que se faça?

Omar estendeu-lhe as duas mãos, com os artigos roubados em Bishop's Gate, e disse:

— Você tem de resolver este enigma e certificar-se de que a revelação final nunca será descoberta.

Quando Dodd se preparava para pegar nos objectos, Omar reteve-os um momento mais antes de concluir:

— Veja se desta vez não comete nenhum erro — concluiu, e entregou-lhe o material.

— Explique-me por que razão Jefferson não revelou nada disto nem disse onde essa coisa se encontrava escondida — perguntou Ozbek enquanto se dirigiam para sul, para um encontro com a última pessoa que os poderia ajudar.

Nichols não respondeu, pois ainda estava em estado de choque. Sobre os joelhos estava o processo que na noite anterior tinha levado para o quarto. Lá dentro estavam documentos com dois séculos de existência, tudo o que restava das suas pesquisas. Um deles parecia um projecto arquitectónico, o outro era um esquema de um dispositivo mecânico. O texto que figurava em qualquer deles estava apenas parcialmente decifrado. Se o professor os tivesse deixado no escritório junto com a roda de cifra e o *Dom Quixote,* também teriam desaparecido e não lhes restaria nada.

Pela cabeça do professor perpassavam as imagens de quando regressara ao escritório depois de duas horas de sono para encontrar Lawlor na cozinha, caído num charco de sangue. Ozbek teve de reformular a pergunta mais duas vezes antes de atrair a sua atenção.

— Desculpe?

— Por que motivo Jefferson não pôs tudo cá para fora? Porque se deu a todo este trabalho?

— Porque tinha muitos inimigos.

— Para além do Congresso — acrescentou Harvath —, que retomou as suas políticas de apaziguamento e voltou a pagar aos muçulmanos assim que Jefferson abandonou a presidência.

— Qual foi a última frase que decifrou? — perguntou Ozbek.

Nichols abriu a pasta com os documentos e procurou dominar o enjoo que o afligia sempre que tentava ler dentro de um automóvel em andamento.

— Diz que a revelação final do Profeta ficou em poder do escriba.

— *O* escriba — repetiu Harvath do banco da frente, em tom desiludido. — Não é com o escriba *dele*?

Nichols respondeu com um encolher de ombros:

— O que diz aqui é *o* escriba.

— E o que significa isso? — perguntou Ozbek. — Seria uma maneira de Jefferson dizer que o segredo tinha morrido com o escriba de Maomé?

— Sem a roda de cifra e o resto dos meus apontamentos, pode querer dizer tudo — respondeu Nichols.

— Mas o que pensa?

— Com base nos poucos elementos que possuímos, não posso ter a certeza.

— Aquilo de que temos a certeza é que o Dodd não vai levar muito tempo a adivinhar para onde vamos. Já têm tudo em poder deles, o seu computador, os seus apontamentos, a roda de cifra, tudo.

— Se é que isto significa qualquer coisa... — replicou Nichols, a levantar a pasta com os documentos.

Mas Harvath não lhe prestava atenção. O seu pensamento fugiu para Gary. Com a ajuda de Ozbek, tinha-lhe feito um apoio para o pescoço e rolado o corpo para detectar mais ferimentos. As feridas na cabeça costumavam sangrar muito, mas ao verificar que não havia ferimentos de bala, apenas uma pancada, Harvath ficara intrigado. Por que motivo Dodd não o liquidara sabendo-se como não hesitava em matar pessoas?

Gary recuperara a consciência pouco antes da chegada da ambulância a Bishop's Gate. Nem sequer lhe passou pela cabeça que se devia dar por feliz por não estar morto. A única coisa que fez foi mostrar-se envergonhado por se ter deixado apanhar assim. Não queria que o considerassem velho. No mundo da luta contra o terrorismo, os operacionais tinham de estar em perfeita forma física e mental.

Qualquer sugestão de não estar à altura numa ou noutra área era motivo para preocupação, e Gary bem o sabia.

Pouco tempo depois de acordar, já queria assumir o controlo. Embora Harvath e Ozbek lhe dissessem que tinha uma fractura do crânio, empurrara-os para se tentar levantar. Era nas situações difíceis que se sentia melhor.

Exigiu que lhe relatassem os acontecimentos e Harvath achou que o melhor seria aceder à exigência. Logo que lhe relataram o que pensavam ter acontecido, Lawlor apercebeu-se do risco em que a operação se encontrava e começou a dar ordens. A primeira foi que Harvath não o acompanhasse ao hospital. Todo o tempo era pouco.

Harvath sabia que ele tinha razão. A única questão que se punha era qual seria o próximo passo. Assim que descobriu o pequeno emissor instalado no *Denali,* Ozbek sugeriu raptar o xeque Omar e Abdul Waleed, tapar-lhes a cabeça com um carapuço, trazê-los para casa de Harvath e espremê-los até revelarem o que sabiam.

Harvath teve de admitir que a ideia não lhe desagradava de todo, mas só teriam uma possibilidade de confrontar os dois homens. Preferia relegar o rapto para uma segunda opção. Em termos imediatos, o mais importante era chegar ao alvo antes de Dodd. Deitar a mão a Omar e a Waleed seria conceder a Dodd o tempo de alcançar a revelação final de Maomé, e quando isso acontecesse, por mais importantes que fossem as informações que arrancassem de Omar e de Waleed, o mais provável seria que Dodd desaparecesse de circulação, e com ele a revelação.

Com um movimento brusco do volante, Harvath desviou-se da traseira do carro mais lento que seguia à frente e pisou o acelerador a fundo.

Susan Ferguson, a conservadora da casa de Thomas Jefferson em Monticello, veio recebê-los a quatrocentos metros da propriedade, na rotunda do Centro Internacional de Estudos Jeffersonianos. Era uma morena alta e atraente, na casa dos quarenta anos, vestida desportivamente com calças de ganga e um casaco de pele, e com um *walkie-talkie* preso à cintura.

Quando o professor saiu da furgoneta, cumprimentaram-se com um abraço efusivo.

— Como é bom ver-te, Anthony! — disse Ferguson.

— E a ti também — respondeu o professor. — Obrigado por teres vindo no teu dia de folga.

— Bem, disseste que era urgente. — A voz de Ferguson perdeu o entusiasmo inicial ao ver os dois homens corpulentos que viajavam com Nichols e que naquele momento abandonavam o veículo. Era como se tivessem escrito na testa *polícia* ou *militar,* ou qualquer coisa do género. Não viu arma nenhuma, mas teve a certeza de que as traziam consigo.

— O que se passa? — perguntou.

Nichols apontou para os companheiros e fez as apresentações:

— Scot Harvath e Aydin Ozbek.

— Muito prazer em conhecê-la — disse Harvath.

Ozbek conservou-se a certa distância e cumprimentou-a com um movimento da cabeça.

Ferguson olhou para Nichols, obviamente à espera de mais explicações.

— É uma história comprida — disse este, a adivinhar o pedido. — Podemos falar enquanto vamos entrando?

A mulher hesitou durante um segundo, mas acedeu. Enquanto caminhavam, Nichols despejou-lhe a versão que ensaiara com Harvath no automóvel sobre o trabalho que estava a fazer para um milionário obcecado com questões de segurança. Quando chegaram à biblioteca, a mulher já parecia menos tensa em relação aos homens armados que escoltavam o seu colega e amigo.

Harvath adiantou-se e abriu a porta para todos entrarem.

A ala principal da Biblioteca Jefferson era constituída por dois pisos onde se alinhavam filas de estantes brilhantes, separadas por arcadas da mesma madeira que atravessavam o tecto. No extremo oposto apresentava uma enorme parede de vidro.

Ferguson fez sinal em direcção a uma das várias mesas de trabalho e disse:

— Muito bem, vamos ver o que aí tens.

Nichols pegou na pasta que trazia debaixo do braço e extraiu dois documentos amarelados. A conservadora puxou uma das cadeiras, sentou-se e tirou do bolso um par de óculos.

— Tens a certeza absoluta de que são realmente de Jefferson? — perguntou, colocando os óculos.

— Absoluta — replicou Nichols.

Ferguson olhou para os documentos e disse:

— Isto não faz sentido nenhum.

— Está em cifra.

— Já conseguiste decifrar alguma coisa? — perguntou ela.

O professor abanou a cabeça e respondeu:

— Só uma parte.

— Interessante. Muito interessante. Onde o teu cliente arranjou isto?

— Há muitos anos que colecciona objectos que pertenceram a Jefferson — respondeu Nichols. — E os seus recursos são praticamente ilimitados.

— Isso deve ser uma maravilha — observou Ferguson, pondo-se de pé. — Já volto.

— Onde vais?

— Preciso de reunir algum material de pesquisa. Há nesses desenhos qualquer coisa que não me é estranha.

A conservadora desapareceu para regressar alguns momentos mais tarde com uma pilha de livros e uma série de outros objectos, incluindo uma enorme lupa. Colocou tudo sobre a mesa e retomou a observação dos documentos, desta vez com o auxílio da lente.

Harvath mantinha-se atento à conservadora e ao professor, enquanto Ozbek vigiava a porta de entrada.

Ferguson foi tomando notas num pequeno bloco à medida que ia consultando os índices que trouxera consigo. De vez em quando, parava para perguntar qualquer coisa a Nichols e retomava depois o estudo dos documentos. Passou-se assim mais de meia hora, até que tirou os óculos e os colocou em cima da mesa.

Nichols interrompeu os passos nervosos de um lado para o outro e acercou-se da mesa, ansioso:

— Então? O que te parece?

A conservadora puxou uma madeixa de cabelos soltos para trás da orelha e olhou para ele:

— Este primeiro conjunto de desenhos é de um dispositivo mecânico. É um diagrama de qualquer coisa.

— Também foi o que pensei. Fazes ideia para que servirá?

Ferguson sorriu e respondeu:

— Com Jefferson, pode ser qualquer coisa. O tipo estava constantemente a inventar. A letra e as técnicas de desenho parecem ser dele, mas a primeira página é muito curiosa.

— Curiosa como? — perguntou o professor.

— É um modelo em corte que parece centrar-se num esquema de engrenagens único. Nunca vi engrenagens como estas nos projectos mecânicos de Jefferson. Além de que, por norma, as engrenagens não costumam estar à vista. E estas são curiosamente estilizadas e decoradas. E o esquema parece mais um conjunto de instruções para pôr em marcha um mecanismo. Faz algum sentido para ti?

Nichols abanou a cabeça, numa negativa:

— De facto, não.

— Mas ainda há outra coisa — prosseguiu Ferguson, entregando a lupa ao professor. — Se olhares com atenção para esta engrenagem aqui, vês que é diferente das que estão por cima.

— É?! — perguntou Nichols, a examinar a peça em questão com a lupa. — Pareceram-me todas iguais.

A conservadora abanou a cabeça.

— Na maioria dos casos, são, mas nesta a decoração altera-se ligeiramente e o formato também é um pouco diferente das outras.

— Pois é, tens razão — confirmou o professor.

Harvath, que tinha ouvido a troca de palavras, aproximou-se da mesa e perguntou:

— Posso?

Nichols entregou-lhe a lupa.

Harvath só vira aqueles documentos algumas horas antes, e, mesmo assim, na sequência do assalto, preocupado com Gary e com a resolução de ir a Monticello, não os tinha observado atentamente, e muito menos com uma lupa.

Depois de ter examinado as engrenagens durante alguns segundos, chamou Ozbek.

— Dê uma olhadela a isto — e estendeu-lhe a lupa. — O que lhe parece? — perguntou, enquanto Ozbek examinava o desenho e a engrenagem em questão. — Não é uma transcrição do *Basmala*?

Susan Ferguson não fazia ideia de quem eram Harvath e Ozbek, mas era evidente que não se tratava de simples guarda-costas. A observação despertou-lhe a curiosidade.

— O que é isso, o *Basmala*?

— Todos os capítulos do Alcorão, excepto o nono, começam com a frase «Em nome de Alá, o Clemente, o Misericordioso». Em árabe, esta frase é conhecida como o *Basmala,* e pode ser representada artisticamente de várias maneiras diferentes.

— E é isso que se vê na engrenagem?

Harvath olhou para Ozbek, que confirmou.

— Disse que o capítulo nono não começa com «Em nome de Alá, o Clemente, o Misericordioso». Porquê? — perguntou Ferguson.

— É a penúltima revelação conhecida de Maomé e contém as passagens mais violentas do Alcorão. As passagens anteriores, que os muçulmanos apontam como prova da natureza pacífica e tolerante da sua religião, provêm dos primeiros tempos do Profeta e são revogadas pela sura número nove.

— Então, Jefferson desenhou um conjunto de engrenagens para disfarçar um texto em árabe? — perguntou a conservadora, falando quase consigo mesma.

— Sabes se Jefferson possuía alguns instrumentos ou objectos árabes ou islâmicos? — perguntou Nichols.

— Só o Alcorão que está na Biblioteca do Congresso — respondeu Ferguson.

— Tens conhecimento de que ele recebeu qualquer objecto trazido pelos fuzileiros, mais propriamente pelo tenente Presley O'Bannon, depois da Primeira Guerra da Berbéria?

— Não, não sei nada disso.

— Sabe se alguma vez Jefferson se referiu a um inventor da Idade de Ouro do Islão, um homem de nome al-Jazari? — perguntou Harvath.

— Mas afinal tudo isto é a propósito de quê? — perguntou Ferguson, após uma curta pausa.

O silêncio estabeleceu-se em redor da mesa.

— A menos que respondam à pergunta, não vos ajudo em mais nada.

Foi a vez de Harvath olhar para Nichols em busca de orientação. Sabia que ela e o professor tinham uma longa história, mas não sabia se podia confiar em Susan Ferguson.

Quando o professor concordou com um aceno de cabeça, Harvath começou a falar.

Scot forneceu a Susan Ferguson todos os pormenores que se atreveu a revelar. A conservadora de Monticello escutou-o, siderada.

Quando ele acabou, Ferguson tinha naturalmente um milhão de perguntas para fazer, mas não se dispersou.

— Então, aquilo que procuram é um dispositivo mecânico que usa engrenagens, desenhado por esse tal al-Jazari, e que os fuzileiros que tomaram parte na Batalha de Derna, em 1805, trouxeram a Jefferson, não é?

Todos concordaram, e a conservadora pegou no outro documento.

— Temos também um outro desenho que parece um projecto arquitectónico.

— Uma estrutura de madeira? — aventou Harvath.

— É sem dúvida um trabalho de carpintaria.

— Há qualquer coisa que reconheças? — perguntou Nichols.

Ferguson examinou o documento à lupa.

— Monticello era um paraíso para um carpinteiro ou marceneiro. Jefferson desenhou os frisos, as cornijas, os frontões. Estão por toda a parte.

— Mas não reconhece isto, pois não?

A conservadora pegou num livro intitulado *Les Édifices Antiques de Rome* e abriu-o na página cinquenta.

— Isto é um pormenor do templo coríntio de Antonino e Faustina, em Roma. Jefferson baseou o friso do átrio de entrada neste desenho.

Harvath colocou o livro e o documento com o desenho de Jefferson lado a lado.

— São quase iguais.

Ferguson concordou.

— Não disse que o inventor árabe era famoso pelos seus relógios?

— Sim — concordou Harvath. — Porquê?

— Porque é no átrio de entrada que se encontra o Grande Relógio de Jefferson — explicou Nichols.

— Que nunca saiu de Monticello desde que foi montado, em 1805 — concluiu Ferguson.

— Temos de ver esse relógio — disse Harvath.

— Mas quem o construiu não foi um muçulmano, foi um relojoeiro de Filadélfia chamado Peter Spruck.

Nichols pegou num livro sobre Monticello, que estava em cima da mesa, e folheou-o até encontrar a secção relativa ao Grande Relógio.

— Pode ter sido construído por Spruck, mas foi Jefferson quem o desenhou, até à dimensão das engrenagens e ao número de dentes de cada uma.

— Em que ano foi construído? — perguntou Harvath.

Nichols procurou a informação e respondeu:

— Em 1792. Três anos depois de regressar de Paris.

Harvath olhou para Susan Ferguson e insistiu:

— Precisamos de ver esse relógio.

A conservadora viu as horas e disse:

— Monticello abre ao público dentro de uma hora. Temos de nos despachar.

CAPÍTULO
78

Embora Harvath tivesse trabalhado na Virgínia, no Naval Special Warfare Development Group, nunca estivera em Monticello. Em criança, habituara-se a vê-lo no reverso da moeda de cinco cêntimos e, até meados da década de 1970, também na nota de dois dólares. Uma magnífica peça da história da América que lamentava nunca ter visitado.

Outrora uma plantação de dois mil hectares a uma altitude de duzentos e cinquenta metros nas imediações de Charlottesville, o nome Monticello vinha da palavra italiana para «pequeno monte». Inteiramente planeada por Thomas Jefferson, a casa era a única residência privada nos Estados Unidos classificada como Património Mundial.

Graças a um telefonema de Susan Ferguson, quando chegaram, menos de cinco minutos depois, foram autorizados a levar o veículo até ao edifício principal.

Harvath estacionou tão perto quanto pôde e saíram do automóvel a correr. Sob o Pórtico Nordeste, lá estava o Grande Relógio, montado por cima de uma porta francesa coroada por uma luneta.

Durante o caminho, Ferguson explicou que o relógio tinha dois mostradores, um exterior, que só indicava as horas, e outro interior, com indicação das horas, dos minutos

e dos segundos. O que não tinha dito é que estava montado a mais de quatro metros e meio de altura. Fosse como
fosse, o que chamou a atenção de Harvath foi o ponteiro
das horas, com uma ponta em forma de coração e a outra
em forma de crescente. Se representava ou não o Islão,
Harvath não sabia, mas era demasiada coincidência para
não levar em consideração. Quando olhou para Nichols,
percebeu que o professor havia pensado no mesmo.

— Vamos precisar de uma escada — observou, de cabeça levantada a olhar para o relógio.

— O senhor Jefferson também tratou disso — disse
Ferguson, tirando um molho de chaves do bolso e abrindo
a porta.

O átrio de entrada tinha uma altura de dois pisos, com
um balcão superior onde se acedia por uma escada de cada
lado. O chão estava pintado de verde cor de relva e o conjunto dava a ideia de um pequeno museu com os seus mapas, cabeças de alce, quadros, ossos, bustos, fósseis, peles de
animais, artefactos dos nativos americanos e outros objectos
que haviam merecido a atenção de Jefferson.

Quando todos já estavam do lado de dentro, voltaram-
-se e olharam para o mostrador interior do relógio, cercado
por uma caixa de madeira. O mostrador era negro e os pon-
teiros, os números e os ornamentos em latão dourado. Por
cima, um frontão clássico e, por trás, um friso semelhante
ao do desenho de Nichols.

Uma série de pesos semelhantes a balas de canhão pen-
diam de cabos que subiam e desciam através de buracos no
chão, a fim de permitir a medição exacta do tempo, incluindo os dias da semana, assinalados por pequenos sinais colo-
cados nos pesos do lado sul do átrio.

Num canto à sua direita, Harvath descobriu uma escada de madeira que quase alcançava o tecto.

— Uma vez por semana, é preciso dar corda ao relógio com uma chave especial — esclareceu Ferguson. — É o que ainda hoje fazemos, mas não com a escada que está em exposição.

Harvath levantou a cabeça para o relógio e reparou que a extremidade do ponteiro dos segundos também era em forma de um crescente.

Ozbek ajudou a transportar a escada, que encostou à parede com todo o cuidado.

— Bom — disse a conservadora quando a escada ficou no sítio. — Quem sobe para ver mais de perto?

Harvath deu um passo em frente e subiu, enquanto Ozbek segurava a escada. Quando chegou à altura do relógio, reparou que as horas estavam assinaladas em numeração romana e os minutos em dígitos árabes.

Depois de um exame rápido ao exterior, começou a retirar a caixa de madeira.

— Por favor, tenha cuidado — recomendou Ferguson.

Harvath precisou de vários minutos para conseguir o que queria e desceu para entregar a caixa a Ozbek, que a colocou cuidadosamente no chão e voltou a segurar a escada. Agora, todo o mecanismo do Grande Relógio de Jefferson estava à vista.

— Está a ver a engrenagem? — perguntou Nichols. — Consegue?

O que não faltava eram engrenagens, mas nenhuma que se parecesse com a do desenho. Harvath olhou para baixo e perguntou à conservadora:

— Há maneira de parar isto por um minuto?

Ferguson olhou para o relógio de pulso e depois espreitou pela janela, para os visitantes que começavam a juntar-se à entrada do pórtico.

— Susan? — insistiu Harvath. — Preciso de parar o relógio durante um minuto.

A conservadora respirou fundo e disse:

— Está bem. Vou explicar-lhe como se faz.

Assim que o movimento cessou, Harvath pôde meter a mão dentro do mecanismo e ver melhor.

Mas não teve sorte. Pediu a Nichols que lhe passasse o esquema e verificou as engrenagens uma por uma, a compará-las com o desenho. Depois pediu o esboço da estrutura de madeira e comparou-o com o que estava à volta do relógio e com o entablamento ao longo da parede. Era parecido, mas não igual. *Tudo parecia perfeito, mas faltava-lhes alguma coisa.*

— Abrimos dentro de dois minutos — avisou Ferguson. — Conseguiu ver alguma coisa?

— Nada — respondeu Harvath, devolvendo os diagramas a Nichols.

Seguindo as instruções de Ferguson, Harvath pôs o relógio de novo em funcionamento e repôs a caixa no lugar. Desceu a escada e pendurou-a na parede lateral.

— Não percebo — desabafou Nichols. — Parecia perfeito.

Harvath pegou outra vez no plano arquitectónico e olhou para Ferguson.

— Talvez este diagrama seja a pista de que precisamos. Se foi de facto Jefferson quem o desenhou, fê-lo para aqui, não? Então, que devemos fazer? Verificar divisão por divisão? Sei que o segundo e o terceiro pisos não estão abertos ao público. Podíamos começar por lá.

— Ou pelo pavilhão dos canteiros — sugeriu Nichols.

— Não há lá nenhuma estrutura de madeira como esta — observou Ferguson, mordiscando o interior da boca enquanto pensava.

Tirou o *walkie-talkie* do cinto, mudou de canal e perguntou:

— John, aqui Susan. Estás a ouvir-me?

Poucos segundos depois, ouviu-se uma voz de homem:

— O que é, Susan?

— O Paul Gilbertson faz parte da lista de guias de hoje?

— Quem é o Paul Gilbertson? — perguntou Nichols.

Com um gesto, Ferguson fez-lhe sinal para esperar.

Um momento mais tarde, a voz respondeu:

— Faz. Vai guiar as visitas de arquitectura.

— Podes pedir-lhe que venha ter comigo já ao edifício principal? Diz-lhe que é urgente, está bem?

Paul Gilbertson era um homem grande, na casa dos setenta anos, com ar de Pai Natal e uns óculos pendurados ao pescoço por um cordão. Tinha umas mãos ásperas e os dedos pareciam pedaços de corda grossa. No cinto trazia pendurada uma ferramenta metida num estojo de plástico.

Pegou no esquema arquitectónico que Nichols lhe entregou, pôs os óculos e foi estudando o projecto enquanto sugava ruidosamente a ponta da língua entalada entre os dentes. Deu várias voltas ao papel e disse:

— Mesmo sem saber o que querem dizer as palavras cifradas, parece ser trabalho de Jefferson. Há Palladio por todo o lado.

Harvath olhou para Ferguson e inquiriu:

— Que é isso, Palladio?

— Andrea Palladio foi um arquitecto do Renascimento. Thomas Jefferson era um autodidacta em matéria de arquitectura e, para ele, os quatro livros de Palladio eram como uma Bíblia.

Gilbertson começou a afastar-se, como se fosse puxado pelos desenhos. O resto do grupo seguiu atrás dele. Entraram na sala de jantar e viram como Gilbertson esquadrinhava as cercaduras de madeira das portas e das janelas. Entretanto, Harvath descobriu uma curiosa porta de serviço. Parecia igual às outras, mas não tinha dobradiças e rodava sobre dois eixos fixados ao centro, em cima e em baixo. A comida era colocada nas prateleiras que ficavam do lado de fora e a porta girava para que os pratos chegassem à sala sem a presença de um criado.

Quando Harvath fez girar a porta para a posição inicial, Gilbertson abanou a cabeça e disse:

— Este diagrama não é de nenhuma moldura de porta ou de janela.

— Então, o que é? — perguntou Nichols.

O guia afastou-se da janela e dirigiu-se a uma parede.

— De uma destas.

— Uma lareira? — perguntou Harvath.

O homem concordou.

— Parece-me o desenho de uma cornija de fogão.

— Tem a certeza? — perguntou Nichols.

— Para ter a certeza absoluta, precisava do desenho completo, não apenas de uma secção. Mas com um desenho completo seria impossível alguém perceber o que tinha à frente.

— Porque pensa que se trata de uma prateleira de fogão de sala? — quis saber Harvath.

— Porque os diagramas referem peças muito específicas que exigem encaixes perfeitos — respondeu Gilbertson, fazendo-lhe sinal para o acompanhar.

Chegado ao pé da lareira, disse:

— Fez-me lembrar esta.

— Porquê?

— Olhe.

Gilbertson abriu um dos painéis laterais da lareira e revelou um compartimento oculto. Lá dentro, estavam uma roldana e uma corda.

— O que é isto?

Gilbertson sorriu.

— É um criado-mudo para vinho. Há um de cada lado. Foram desenhados por Jefferson. A adega fica mesmo por baixo de nós. Quando era preciso mais vinho, um escravo que estava lá em baixo metia uma garrafa na caixa, puxava a corda e mandava-a para cima.

— Então, acha que estes desenhos se referem a um elevador de lareira?

— Parece ter um dispositivo para passar uma corda e um sistema de roldana semelhante ao desta lareira, mas é difícil ter a certeza — respondeu o guia. — Se me pusesse a adivinhar, diria que o que aqui temos é uma secção de uma prateleira de fogão de sala, que tem algum objectivo secundário.

— Por falar nisso — atalhou Nichols —, quando aqui entrámos, você não nos encaminhou directamente para a lareira. Examinou primeiro as portas, as janelas e o tecto. Porquê?

Gilbertson ergueu o documento.

— O friso que Jefferson desenhou aqui é muito parecido com o do templo coríntio de Antonino e Faustina, em Roma. A Susan teve razão em começar por vos levar ao átrio de entrada. O que me fez pensar nesta sala foi este pequeno desenho ao fundo da página. Olhem para o entablamento em volta do tecto — prosseguiu, a apontar para cima. — Jefferson usou rosetas e cabeças de touro.

Todos olharam para cima.

Harvath foi o primeiro a regressar ao desenho.

— Mas isso não se parece com o desenho. Aqui é uma cara de mulher.

— E o que está ao lado?

Harvath aproximou os olhos.

— Folhas de videira?

— Flores — corrigiu Gilbertson. — É a extremidade de um *bucranium*; cabeças de touro entrelaçadas com guirlandas de flores eram um motivo decorativo muito usado nos altares de Roma. Também foram bastante utilizadas no Renascimento.

— Jefferson utilizou-o aqui em Monticello?

— Sim. Nesta divisão e na sala de visitas — respondeu Gilbertson —, mas não com rostos. O único local onde aparecem rostos semelhantes a este é no friso da Piazza Noroeste. É inspirado num friso das Termas de Diocleciano, em Roma.

— Posso ver isso outra vez? — pediu Ferguson.

O guia entregou-lhe o desenho.

Nichols ia a dizer qualquer coisa quando reparou no olhar subitamente atento da colega ao analisar o documento.

— Pode ser que em qualquer altura tenha havido um desenho assim em Monticello, mas eu nunca o vi — continuou Gilbertson. — O que não quer dizer que não tenha existido. Talvez fosse melhor falar com um dos bibliotecários sobre os apontamentos e as cartas de Jefferson. Podem ser fontes excelentes. Na verdade...

— Não, Paul, você tem razão — interrompeu Ferguson. — Este motivo não foi desenhado para Monticello.

O guia surpreendeu-se com a afirmação peremptória.

— Não foi?

— Não. Jefferson desenhou-o para a outra plantação, Poplar Forest.

— Como sabe?

— Alguns entablamentos de lá também se basearam nas Termas de Diocleciano. Tinham rostos humanos separados por barras verticais, mas Jefferson resolveu acrescentar-lhes um capricho e mandou incluir cabeças de touro.

— E as cornijas das lareiras? — perguntou Harvath.

— Em Poplar Forest, há quinze — respondeu Ferguson.

— Então, tem de ser lá — concluiu Harvath com um sorriso nos lábios.

— O único problema é que Poplar Forest foi destruído pelo fogo em 1845 — contrapôs Gilbertson. — Só as paredes, as colunas, as chaminés e as lareiras são originais.

Poplar Forest ficava no condado de Bedford, a sudoeste da cidade de Lynchburg, na Virgínia. Mesmo com o acelerador a fundo, Harvath precisou de perto de uma hora no tráfego pouco intenso para percorrer os cento e trinta quilómetros.

Durante o percurso, Nichols foi transmitindo os seus conhecimentos sobre Poplar Forest.

— Jefferson referia-se a Poplar Forest como o seu «bem mais precioso» e começou a construir lá uma casa em 1806, pouco depois da Primeira Guerra da Berbéria. Era neste retiro que se dedicava às suas actividades preferidas, a meditação, o estudo e a leitura. A sala de visitas, que também lhe servia de gabinete de trabalho, albergava mais de seiscentos livros em diversas línguas, de autores como Esopo, Homero, Platão, Virgílio, Shakespeare e Molière.

»A casa de Poplar Forest era considerada a obra-prima do génio arquitectónico de Jefferson. Com base nos princípios enunciados por Andrea Palladio, Jefferson construiu a casa inteiramente de tijolo e em forma de um octógono perfeito, em homenagem ao amor que tinha pela matemática. Por dentro, dividia-se em quatro salas octogonais em torno de uma sala de jantar quadrada.

»As janelas iam do chão ao tecto e apresentavam três caixilhos, e no centro do tecto rasgava-se uma clarabóia de perto de cinco metros de diâmetro. Toda a casa era amplamente iluminada. E embora a ideia fosse criar um retiro campestre simples e informal, a verdade é que todo o edifício era uma obra de arte, incluindo a própria cozinha.

O facto de Poplar Forest estar encerrado às segundas-feiras não teria impedido Harvath de arranjar maneira de lá entrar, mas Susan Ferguson telefonou ao director, Jonathan Moss, que concordou em vir da sua casa em Roanoke para se encontrar com os três homens.

Ao sair da Bateman Bridge Road, Harvath virou à direita, à entrada de Poplar Forest, e continuou durante quilómetro e meio até estacionar diante da casa. Não se encontrava lá mais nenhum veículo.

— Parece que somos os primeiros a chegar — observou Nichols. — Vamos dar uma vista de olhos?

Os três homens saíram do veículo, distenderam os membros e começaram a andar. À medida que rodeavam a casa e a ala de serviços reconstruída, o professor foi informando os seus companheiros sobre mais pormenores acerca de Poplar Forest. Referiu em especial a degradação significativa sofrida pelo edifício até 1983, data em que tinha sido formada uma entidade com fins não lucrativos para comprar a casa e os duzentos hectares da propriedade. Ao longo dos vinte e cinco anos seguintes, a fundação estudara minuciosamente a casa de campo, que restituíra à sua condição original.

Ao fim de uns quinze minutos, ouviram bater a porta de um automóvel. O director de Poplar Forest acabava de chegar. Harvath deu meia-volta e voltou para trás, seguido por Nichols e Ozbek.

Jonathan Moss era um tipo esquelético como Harvath jamais tinha visto alguém. Com cerca de um metro e oitenta de altura, cabelos escuros e uma maçã-de-adão saliente, aparentava uns cinquenta anos e trouxe à memória de Harvath a figura de Ichabod Crane, personagem de Washington Irving.

Moss tirou um monte de papéis da mala do carro, bateu com a tampa e dirigiu-se para a entrada norte, onde Anthony Nichols se apresentou, bem como aos seus companheiros.

Depois dos apertos de mão formais, Moss entregou a cada um dos visitantes um conjunto de folhetos informativos.

— Espero que a viagem não tenha sido uma perda de tempo — observou ao conduzi-los à porta da frente, construída em madeira de pinho e pintada de modo a imitar o mogno original dos tempos de Jefferson. — Penso que já vos terão dito que grande parte da casa foi destruída pelo fogo no século XIX. Fizemos uma obra de restauro notável, mas não sei até que ponto vos poderá ser útil. Todas as madeiras de origem arderam, incluindo as prateleiras dos fogões de sala.

Moss abriu as portas e, quando todos entraram, mandou que o seguissem por um corredor estreito que dava acesso à sala de jantar, no centro da casa. Harvath levantou a cabeça, para a luz que penetrava a jorros pelas vidraças da clarabóia. O entablamento estava decorado com cabeças de touro e uma variedade de rostos humanos, mas nada que se parecesse com o desenho.

O professor colocou os documentos em cima da mesa para que Moss os pudesse ver, ao mesmo tempo que lhe dirigia o mesmo género de perguntas que tinha formulado a Susan Ferguson em Monticello.

— Não vos posso dizer nada sobre as engrenagens — respondeu Moss. — Temos alguns dispositivos mecânicos desenhados por Jefferson, como o polígrafo para fazer cópias das suas cartas, mas nada que se assemelhe a esta complexidade.

— E aparelhos islâmicos, como relógios e outros mecanismos do mundo árabe? — insistiu Nichols.

O director abanou a cabeça.

— Não.

Moss continuou a responder negativamente às perguntas sobre o tenente O'Bannon, al-Jazari e tudo quanto se relacionava com a Primeira Guerra da Berbéria.

Tal como Gilbertson já havia sugerido, Moss aventou a hipótese de encontrarem respostas nos mais de vinte mil exemplares de correspondência acumulados por Jefferson ao longo de toda a vida.

Mas Nichols já esgotara as pesquisas na correspondência de Jefferson, para além de ter tido acesso a coisas que Moss nunca vira, nem veria. Se de facto havia uma resposta, tinha de estar ali.

— E os esboços arquitectónicos?

Moss colocou a folha à sua frente e, ao fim de alguns minutos perguntou:

— A Susan disse que um dos guias pensou que pudesse ser o corte esquemático de uma prateleira de fogão de sala, não foi?

— Foi.

— Durante o restauro, reconstruímos catorze das quinze lareiras da casa.

— E a outra?

— Era a única que não precisava.

— Onde está? — perguntou Harvath.

Com o esboço na mão, Moss respondeu:

— Na mesma sala onde o entablamento tem representações de cabeças de touro e da deusa da sabedoria, Minerva.

Apontou para a porta que estava em frente e concluiu:

— Ali, na sala de visitas.

Quando Moss lhes franqueou a entrada na sala de visitas, que também servira a Jefferson como gabinete de trabalho e biblioteca, as primeiras coisas em que Harvath reparou foram as cabeças de touro e as efígies de Minerva na sanca que corria junto ao tecto.

Olhando para o mobiliário da época, perguntou:

— Na construção original, o que ficava por debaixo desta sala?

— A adega — respondeu Moss.

Paul Gilbertson tinha chamado a atenção para o desenho, onde parecia haver uma peça para prender uma corda e uma roldana, semelhante à que encontraram no elevador da adega de Monticello.

O mesmo desenho encaminhava-os agora para Poplar Forest e para outra sala por cima de uma adega, onde se encontrava a única lareira da casa que não havia precisado de restauro.

Mas não tinha precisado porquê? Talvez a construção fosse deliberadamente diferente das outras, mais resistente, mais sólida por qualquer motivo. Talvez o segredo que procuravam não estivesse escondido na cornija do fogão de sala, talvez esta fosse apenas uma protecção, um guia.

Pela cabeça de Harvath perpassou de súbito a ideia de que o desenho representasse o dispositivo de uma caixa-

-mistério, um diagrama a indicar como mover as peças para abrir um painel e revelar o que Thomas Jefferson escondera.

Moss apontou para a lareira na parede oriental da sala e disse:

— É aquela.

Os três homens aproximaram-se e examinaram a prateleira.

O professor não estava muito entusiasmado.

— Se lá estava alguma coisa, já desapareceu.

— Talvez não — respondeu Harvath, que perguntou a Moss: — Havia nesta sala algum elevador para fazer subir o vinho da adega?

O director de Poplar Forest abanou a cabeça.

— Creio que não.

— Nunca viu buracos no chão, aqui ou noutra parte da casa, para fazer passar uma corda sobre uma roldana, mesmo que fizessem parte de um jogo de contrapesos para um relógio?

— Nada. Substituímos o soalho de todas as dependências. Se houvesse buracos desses, tê-los-íamos visto.

Harvath concentrou-se na zona da prateleira que se embebia na parede.

— Em que está a pensar? — quis saber Nichols.

— Estou a pensar numa pia baptismal de uma igreja que conheço — respondeu Harvath, empurrando a peça com o ombro.

— O que uma igreja tem a ver com aquilo que procuramos? — perguntou por sua vez Ozbek.

Harvath pediu o esboço ao professor e colocou-o por cima da prateleira do fogão de sala.

— Em Monticello, o Paul Gilbertson disse que isto lhe parecia o corte esquemático da prateleira de um fogão de sala, não foi?

— Foi.

— E se fosse mais do que isso? Se os encaixes da madeira fossem um fecho secreto?

— Como a caixa-mistério! — exclamou Nichols, a vibrar de excitação.

— Qual caixa-mistério? — perguntou Ozbek.

Com as mãos, o professor esboçou um gesto que pretendia representar a pequena caixa.

— São caixas de que Jefferson gostava muito, dotadas de peças móveis que têm de ser movimentadas numa certa ordem para as abrir. A roda de cifra estava numa dessas caixas.

— E o *Dom Quixote* que encontrámos em Paris também — rematou Harvath.

— E que diferença faz isso agora, se a prateleira original desapareceu? — perguntou Ozbek.

— Mas a lareira, não — replicou Harvath, a apontar para o desenho. — O Gilbertson disse que isto parecia um encaixe para uma corda e uma roldana.

— Mas aqui não havia um criado-mudo!

— Nem buracos no chão — acrescentou Nichols.

— E se não se destinasse a um elevador de carga? Se fosse outra coisa muito diferente?

— Como, por exemplo?

— Já vos digo, assim que arrancar daqui a prateleira.

CAPÍTULO

82

Os olhos de Moss quase lhe saltaram das órbitas até à maçã-de-adão quando ouviu Harvath.

— Desculpe, mas a Corporação de Poplar Forest nunca o permitirá.

Nichols meteu a mão no bolso do casaco e tirou a carteira.

— E se eu estiver disposto a pagar todas as despesas para que tudo volte a ficar como está?

— Peço desculpa, professor, mas não podemos permitir que arranque uma das nossas peças.

— E também farei um donativo — acrescentou Nichols.

Moss esticou os lábios, pensativo. Olhou para o esboço arquitectónico que o professor tinha na mão e perguntou:

— E isso?

— E isto o quê?

— Uma vez que está tão intimamente associado a Poplar Forest, qual é a possibilidade de vir a integrar a nossa colecção?

— Penso que conseguirei convencer o proprietário a cedê-lo a longo prazo.

— E o outro documento? — insistiu o director. — Aquele que tem os caracteres árabes?

— Depende da sua cooperação.

— Pois bem — suspirou Moss. — Mas é importante que a peça seja retirada com o máximo cuidado. Estamos entendidos?

— Claro.

— Vamos precisar de algumas ferramentas — disse Harvath.

— É o que não falta por aí. Venham comigo — disse Moss.

Meia hora depois de Moss desistir de se queixar dos estragos que Harvath e Ozbek causavam à prateleira do fogão de sala e ao estuque em volta, a peça tinha sido retirada e estava encostada à parede.

Nichols e Harvath esquadrinharam a estrutura de tijolo da lareira.

— Deixe-me ver outra vez o diagrama — pediu Harvath.

O professor entregou-lhe o desenho e Harvath passou o dedo por cima de um furo nos tijolos, tapado com argamassa.

— O que será isto?

— Talvez um ponto de encaixe para a prateleira, não? — respondeu Nichols, encolhendo os ombros.

— Esses estão aqui — respondeu Harvath, a apontar para os dois lados da câmara de combustão.

Harvath dirigiu-se para onde estavam as ferramentas, pegou num berbequim sem fios e montou uma fina broca de alvenaria.

— O que combinámos foi retirar a prateleira — protestou Moss. — Nunca se falou em fazer furos nas paredes.

Harvath olhou para Ozbek, de pé ao lado de Moss. O antigo militar das Forças Especiais pousou a mão no ombro do director e disse:

— Tem de lhe dar um certo desconto, está bem?

Harvath começou a furar a argamassa. Levou uns bons dez minutos e, quando acabou, duas coisas eram evidentes: não só não era um ponto de encaixe para a prateleira, como o buraco era fundo, muito fundo.

Mandou Ozbek na companhia de Moss buscar um objecto sólido que pudessem meter no buraco para sondar a profundidade. Cinco minutos depois, regressaram com um varão de madeira de carvalho com pouco mais de um centímetro de diâmetro.

Harvath introduziu o varão no furo e empurrou até não entrar mais. Forçou com as duas mãos, mas o varão continuou a não progredir. Ozbek foi à caixa das ferramentas, pegou num martelo e deu-o a Harvath, que bateu na extremidade do varão. Quando nada aconteceu, desferiu mais uma pancada, depois outra e mais outra, sempre com mais força, mas sem resultado.

— O que estão a... — ia Moss a perguntar, mas Nichols mandou-o calar com um gesto.

Harvath levantou outra vez o martelo e desferiu uma pancada fortíssima.

Ouviu-se um estalo quando o martelo partiu o varão, mas também se ouviu outro som, o de tijolo a roçar em tijolo, e a parte central da lareira rodou sobre um eixo, tal como a porta que Harvath vira em Monticello.

— A prateleira original devia estar de algum modo ligada a um sistema de roldana que desapareceu no incêndio — observou Nichols.

— Daí o buraco, que alguém tapou com argamassa sem saber para que servia — respondeu Harvath, que se agachou para entrar na lareira.

A parede era de tijolo sólido e foi preciso fazer bastante força para abrir um espaço suficiente. Harvath tirou uma lanterna do bolso e iluminou o interior do compartimento secreto. No centro, estava uma arca de porão, desgastada pelo tempo.

Harvath estendeu o braço, pegou na argola mais próxima e arrastou a arca para a sala. Sacudiu a poeira que cobria a tampa e pôs a descoberto uma placa com a gravação *Capitão Isaac Hull, Marinha dos Estados Unidos*. Era o comandante do *Argus* e um dos estrategas do ataque à cidade de Derna na Primeira Guerra da Berbéria.

A arca não estava fechada. Harvath levantou cuidadosamente a tampa. Atrás de si, Nichols, Ozbek e Moss aguardavam com ansiedade. No interior da arca estava um objecto mais ou menos do formato e dimensões de uma caixa de chapéus, mais elevado ao centro, embrulhado num oleado.

Harvath meteu as mãos dentro da arca e removeu o objecto. Era sólido e bastante pesado. Para não partir a tampa da arca, que poderia não aguentar o peso, Harvath levou o objecto para a mesa da sala e começou a desembrulhá-lo.

Era um objecto extraordinário. Sentada num pedestal perfeitamente circular com uns vinte e cinco centímetros de altura, estava uma figurinha que não devia ter dez centímetros. Um escriba barbudo, sentado de pernas cruzadas, de turbante, manto sobre os ombros e uma pena na mão direita estendida. A figura, pintada com uma tinta de esmalte, parecia estranhamente pujante de vida.

Aos seus pés, estavam gravadas em círculo o que pareciam ser as horas do dia. Todos ficaram sem fala.

Moss foi o primeiro a quebrar o silêncio.

— Al-Jazari?

Nichols assentiu.

— É um relógio? — perguntou Ozbek.

— Penso que sim — respondeu Harvath, examinando o objecto.

Esquadrinhou todos os ângulos, mas não encontrou maneira de aceder ao mecanismo interior. Tentou mover o escriba e constatou que estava montado sobre uma dobradiça e que se podia mover num ângulo de quarenta e cinco graus, mas sem que percebessem para quê. Quando tentou de novo rodar a figura, sem êxito, resolveu empurrá-la ligeiramente para baixo, como a tampa de segurança de um frasco de comprimidos. Ouviu-se um clique e a parte superior do relógio soltou-se.

Nichols segurou a lanterna, enquanto Harvath removia a peça e espreitava lá para dentro.

A elegância e o requinte do trabalho eram assombrosos. Harvath nem queria acreditar que estava a ver uma peça fabricada e montada há mais de oitocentos anos.

— Como funciona? — perguntou Moss.

— Deve ser movido a água — respondeu Nichols —, pelo menos no que respeita à medição do tempo.

— Há qualquer coisa que me diz que esta engenhoca tem outra função além de medir o tempo — observou Harvath, que olhou para o interior da tampa e encontrou um pequeno compartimento.

Meteu os dedos lá dentro e retirou uma pequena engrenagem, igual à do desenho. Fez incidir a lâmpada sobre ela e encontrou o *Basmala*.

Sem que ninguém lhe pedisse, Nichols pegou no diagrama e colocou-o em cima da mesa, ao lado do dispositivo. Harvath respirou fundo e recomendou a si próprio avançar com cautela. Tinha de se concentrar para não danificar nada e, ao mesmo tempo, memorizar os movimentos que fazia para o caso de ter de voltar atrás e repetir a operação.

Como gostaria que Tracy ali estivesse. Apesar do que lhe acontecera no Iraque, era excepcional a lidar com aquele género de situações. As mãos de Harvath não eram apropriadas para aqueles trabalhos, mas mesmo assim não deixaria que mais ninguém na sala o fizesse por ele.

Nichols segurava a lanterna enquanto Harvath tentava colocar as engrenagens na posição indicada por Jefferson no diagrama. Não fazia ideia em que metal ou liga tinham sido feitas, mas a verdade é que após várias centenas de anos continuavam surpreendentemente limpas e isentas de ferrugem.

Precisou de vinte minutos e, assim que colocou a engrenagem do *Basmala* em posição, sentiu-se dominado por um sentimento de triunfo. Mas durou pouco.

Ao colocar a engrenagem no seu lugar, qualquer coisa se soltou no mecanismo e o conjunto, que se apoiava numa espécie de pequenas pernas, descaiu quase um centímetro. Uma das engrenagens, acerada como uma lâmina, espetou-se no polegar de Harvath.

Harvath soltou uma imprecação e retirou a mão. Já estava a sangrar.

— Sente-se bem? — perguntou Nichols.

— Estou bem, estou — respondeu Harvath, puxando a camisa para fora das calças e apertando o dedo com a fralda para estancar o sangue.

Ozbek foi até à caixa de ferramentas e voltou com um tubo de cola rápida.

— Tome, ponha isto.

Harvath desenroscou a tampa com os dentes, aplicou parte do conteúdo sobre a ferida e apertou. Ao voltar a sua atenção para o engenho, reparou que, ao descair, o mecanismo tinha feito abrir uma pequena porta de onde emergia uma manivela, como num brinquedo.

— Parece que já percebi como se põe isto a funcionar — observou.

CAPÍTULO

84

Assim que Harvath rodou a manivela, o escriba girou em círculo e deslizou sobre o tambor. O movimento era grácil e fluido, mas ninguém percebeu qual a finalidade.

— Quantas são as letras do alfabeto árabe? — perguntou Nichols, tirando da pasta uma folha de papel.

— Os caracteres principais são vinte e oito — respondeu Ozbek. — Porquê?

— Parece uma espécie de código. Scot, você está a dar à manivela depressa de mais. Vá mais devagar para vermos o que o escriba faz em relação aos marcadores de horas — recomendou Nichols.

— Mas esses são só vinte e quatro.

— Nada perdemos em experimentar.

Harvath achou que ele era capaz de ter razão e começou a rodar a manivela mais devagar. Sempre que o escriba parecia apontar para um único número, Nichols tomava nota. Mas, quanto mais observava, mais Harvath desconfiava que aquilo nada tinha a ver com números.

Ao voltar a enfiar a camisa nas calças, reparou no sangue e isso deu-lhe uma ideia.

— Passe-me aí a folha de papel — pediu a Nichols, enquanto despejava em cima da mesa os prospectos sobre Poplar Forest.

Agachou-se para que os olhos ficassem ao nível do aparelho e foi empilhando os prospectos até estes preencherem o espaço por baixo da pena do escriba. Colocou por cima a folha de papel e repôs a figura na posição inicial. Humedeceu com saliva o dedo que tinha picado e puxou a cola com os dentes.

Depois de molhar com sangue a pena do escriba, Harvath inclinou a figura de novo para a frente e começou a dar à manivela. À medida que a figura se movimentava, o papel ia-se enchendo de caracteres árabes.

— Meu Deus! — exclamou Nichols.

— Quer dizer Alá, não é? — gracejou Ozbek, enquanto dava uma palmada nas costas de Harvath. — Bom trabalho!

Harvath sorriu e perguntou, dirigindo-se a Jonathan Moss:

— Não há por aí um frasco de tinta?

Moss estava de tal modo espantado, que levou algum tempo a reagir ao pedido.

— Há, sim. Vou buscar.

Quando Moss saiu, Harvath voltou a limpar o dedo na fralda da camisa.

— Não sei se sabe — disse Ozbek —, mas Saddam Hussein tinha um Alcorão inteiro escrito com o seu próprio sangue. Sempre pensei que os SEAL eram uns gajos duros.

— Vá-se lixar — foi a resposta bem-humorada de Harvath, abrindo o tubo da cola para colar de novo a ferida.

— Eu nem acredito — desabafou Nichols, a olhar para o escriba.

— Pois devia acreditar — replicou Harvath, enquanto tirava a folha de papel e abria novamente a tampa do mecanismo para espreitar lá para dentro. — Quando Moss vier com o tinteiro, coloco-o na posição inicial para que escreva a mensagem desde o princípio.

— Como eu gostaria que o Marwan estivesse aqui a ver isto!

— Eu sei — confortou Harvath, com a mão no ombro do professor. Ambos admiravam a maquineta e pensavam no tremendo impacto que teria.

Cinco minutos mais tarde, o director de Poplar Forest voltou a entrar na sala. A primeira coisa em que Harvath reparou é que vinha de mãos vazias e que tinha ar de quem vira o diabo em pessoa. Ia a perguntar-lhe o que tinha acontecido quando se apercebeu que vinha alguém atrás dele.

No vão da porta destacou-se a figura de Susan Ferguson, a soluçar, seguida por Matthew Dodd, que lhe apontava uma arma à cabeça.

Harvath e Ozbek sacaram das pistolas.

— Calma, cavalheiros — disse Dodd com um sorriso. — Atirem as armas para o chão e empurrem-nas com o pé para este lado.

Quando viu a hesitação dos dois homens, Dodd fez pontaria e disparou contra o ombro esquerdo de Jonathan Moss. O director de Poplar Forest soltou um grito de dor.

— Ponham as armas no chão e empurrem-nas para aqui. Já — berrou Dodd.

Harvath e Ozbek obedeceram, relutantes. Nenhum deles tinha hipótese de um tiro bem-sucedido. Se tivessem, aproveitariam, mas Dodd escudava-se com o corpo de Susan e com a ombreira da porta.

— Muito bem — disse Dodd, que logo em seguida gritou a Moss: — Venha cá e pegue nessas armas.

Mas o homem chorava e entrava com rapidez em estado de choque. A sua mão direita agarrava freneticamente o ombro, onde o sangue começava a alastrar.

Dodd repetiu a ordem, que sublinhou com um tiro para o chão, junto aos pés de Moss. O director avançou aos tropeções até às duas pistolas e apanhou-as. Sem levantar a cabeça, entregou-as uma por uma a Dodd.

— Agora traga-me o relógio e todos os papéis que estão em cima da mesa — ordenou o assassino.

Harvath estava diante do engenho, com a parte de trás das pernas encostadas à mesa. Quando Moss se aproximou dele, Dodd acenou-lhe rapidamente com a arma para que se afastasse.

Harvath sabia que não era conveniente provocar Dodd. Baixou as mãos e fez sinal a Nichols para se afastar para a esquerda, para mais perto de Ozbek. Assim que Nichols obedeceu, Harvath acompanhou o movimento.

— Traga-o cá — ordenou Dodd ao director, que tinha fechado a tampa e se esforçava por levantar o aparelho.

Com o braço bom, Moss agarrou o relógio de al-Jazari contra o peito, pegou nos papéis e dirigiu-se devagar para o assassino. Quando chegou ao pé dele, Dodd fez-lhe sinal para que se pusesse atrás de si. Quando Moss já havia passado, Dodd fitou Harvath e Ozbek.

— Já tenho o que queria. Se hoje morrer mais alguém, a culpa é vossa.

— Não estamos quites, Dodd. Nem por sombras — atirou-lhe Ozbek.

— Quer ajustar contas já? — perguntou o assassino, apontando a pistola à cabeça do operacional da CIA.

Nichols fez menção de dizer qualquer coisa, mas Harvath pisou-lhe o pé para que ficasse calado.

— Vamos andando — disse Dodd, enquanto recuava com a pistola outra vez encostada à cabeça de Ferguson.

— E eles? — perguntou Harvath, a referir-se aos dois reféns. — Não precisa de os levar consigo.

— Não, não preciso, mas é o que vou fazer — respondeu Dodd.

— O tipo precisa de assistência médica.

O assassino olhou para Harvath e disse:

— Há-de sobreviver, desde que ninguém tente seguir-me.

— Ninguém vai segui-lo — garantiu Harvath.

Dodd agarrou Susan com força, fez um sinal com a cabeça para que Moss o seguisse e começou a recuar lentamente.

Mal desapareceu de vista e ouviram a porta da frente a fechar-se, Ozbek disse:

— Vamos!

— Ele tem dois reféns — observou Harvath.

— Eu sei, mas vamos deixá-lo desaparecer assim com o aparelho?

— Não lhe vai servir de nada.

— O que quer dizer com isso? Tudo o que tem a fazer é meter papel e tinta e dar à manivela! — contrapôs Ozbek.

— Sem isto não trabalha — respondeu Harvath, mostrando a engrenagem *Basmala*. Tinha os dedos em sangue por tê-la tirado às cegas quando estava de costas e a atenção de Dodd se concentrava em recolher as duas armas.

— Mas continua a ter a Susan e o Jonathan. Vai matá-los! — protestou Nichols.

— Não me parece — respondeu Harvath, a limpar mais uma vez os dedos à fralda da camisa.

— Porque diz isso? Por ele não ter morto o Gary? — perguntou Ozbek.

Harvath olhou para ele e respondeu:

— Exactamente por isso. Se o deixarmos ir, o Moss e a Ferguson têm muito mais hipóteses de escapar, você bem o sabe. Também quero deitar a mão ao tipo, mas temos de ser espertos.

— Que se lixe a esperteza. Estamos a perder tempo.

Harvath sabia que, por causa de Dodd, Ozbek perdera um membro da equipa e outro estava no hospital, mas mais mortes não remediavam nada.

— Ouça. Não deixe que a vontade de o fazer pagar pelo que fez lhe embote o raciocínio.

Ozbek percebeu que o outro tinha razão, o que ainda mais o irritava. Pegou no martelo e atirou-o contra a lareira.

Nichols ia a dizer qualquer coisa quando a porta se escancarou e Moss entrou na sala, a gritar por socorro.

Correram os três ao mesmo tempo para a porta, onde Moss sangrava à entrada.

— Preciso de um médico — gritava ele.

— O que aconteceu? Para onde foram? — perguntou Harvath.

— Não sei. O homem mandou-me virar e desapareceu!

Ozbek estendeu a mão para ele e disse:

— Dê-me as chaves do carro.

— Não, Aydin — ainda gritou Harvath, mas demasiado tarde.

Ozbek sacou as chaves do bolso do colete de Moss e correu para o parque de estacionamento.

Não valia a pena tentar detê-lo. Harvath deu a Nichols o telemóvel de Moss e mandou-o ligar para o 112 enquanto rasgava a camisa do homem para improvisar uma ligadura que retardasse o fluxo de sangue.

Segundos mais tarde, Ozbek reapareceu.

— O seu carro e o do Moss foram inutilizados. Têm os pneus cortados.

CAPÍTULO

85

WASHINGTON, D. C.
DOIS DIAS MAIS TARDE

Harvath resolveu que seria melhor manter-se longe de Bishop's Gate enquanto não fosse instalado um sistema de segurança mais fiável. Voltou lá só para recolher algumas coisas de que precisava e instalou-se em Fairfax, em casa de Gary Lawlor.

Embora ainda continuasse na UCI com uma fractura de crânio, Gary obrigou Harvath a contar-lhe tudo o que se tinha passado e a apresentar-lhe um relatório escrito. Harvath sabia que se destinava ao Presidente, mas não voltou a pensar no assunto até receber um telefonema de Rutledge a convocá-lo para a Casa Branca o mais depressa possível.

Harvath tinha esperança de que não fossem más notícias e, em caso afirmativo, que não tivessem nada a ver com Tracy. Contudo, sabia por experiência própria que quando o Presidente convocava alguém para se apresentar imediatamente não era para lhe comunicar que tinha sido premiado na lotaria.

Carolyn Leonard veio receber Harvath ao Portão Sudoeste e acompanhou-o até à Ala Ocidental.

— É a segunda visita em menos de uma semana. Quer dizer que o vamos ver mais vezes por aqui? — perguntou enquanto caminhavam.

— Talvez — respondeu Harvath, mais conformado com a ideia do que alguns dias antes.

Na Sala Oval, Leonard trocou algumas palavras com o secretário pessoal de Rutledge e depois bateu à porta. Quando o Presidente respondeu, ela abriu a porta para Harvath entrar e fechou-a atrás dele.

Rutledge levantou-se da cadeira onde trabalhava à secretária para receber o visitante no centro da sala.

— Obrigado por ter vindo, Scot — disse, a apertar-lhe a mão.

Com um gesto, indicou os sofás.

Quando se sentaram, Rutledge comentou:

— Têm sido uns dias difíceis!

Era óbvio que o Presidente ainda não se sentia seguro da relação reatada e procurava amenizar as coisas.

Embora Harvath não pedisse aquele trabalho, a verdade é que o aceitara e, bem-sucedido ou não, a responsabilidade era sua.

— Lamento, *sir,* mas *difíceis* não é o termo adequado. Falhei e peço desculpa por isso.

Rutledge inclinou-se para a mesa de café e pegou numa pasta de couro.

— Li o seu relatório. Tem consigo a engrenagem *Basmala*?

Harvath meteu a mão no bolso interior do casaco e tirou um envelope, que entregou ao Presidente.

O Presidente abriu-o, pegou na engrenagem e levantou-a diante dos olhos, para a ver bem.

— É extraordinário. E esteve este tempo todo em Poplar Forest.

— Gostaria de ter conseguido decifrar a revelação final — observou Harvath.

O Presidente pousou a pequena roda dentada em cima da mesa.

— Dada a natureza privada do diário presidencial, o Anthony Nichols nunca o pôde ver na totalidade. Mas posso dizer-lhe que as pesquisas de Jefferson o levaram a crer que a última revelação de Maomé terá sido a única que lhe chegou directamente de Deus, sem a intermediação do Anjo Gabriel. Foi numa casca de noz, desde que se acredite, que Maomé recebeu a mensagem de que a guerra e a conquista não eram soluções. Foi-lhe dito que desse repouso à espada e que vivesse em paz com os povos de outras religiões. Jefferson comentou que era algo semelhante à conversão de Paulo, embora Maomé não tenha trocado o Islão pelo Cristianismo. Tratava-se apenas de pôr de lado a espada e de convencer os seus seguidores a fazerem o mesmo.

Harvath ficou atónito.

— Uma revelação altamente significativa, não lhe parece? — perguntou o Presidente.

— Se é. Mas considerando que uma parte muito substancial da riqueza dos muçulmanos provinha do saque e da pilhagem, além do dinheiro que extorquiam aos judeus e aos cristãos que não se convertiam, significaria pôr cobro à mais profícua fonte de rendimento da sua economia. Não se teriam aguentado muito tempo. Não é para admirar que o tenham querido matar.

— Sem a engrenagem *Basmala,* o relógio de al-Jazari só lhes vai servir para ver as horas — replicou Rutledge. — Se é que não o destruíram já.

— Então e o Mahmud Omar e o Abdul Waleed? Não se conseguiu nada do interrogatório?

— O Aydin Ozbek é um bom operacional, mas agiu à margem da lei. Não nos podemos servir das informações que obteve contra eles — respondeu Rutledge.

Harvath detestava a ideia, mas achou que tinha de fazer a proposta.

— Não estava propriamente a sugerir uma abordagem delicada, à marquês de Queensberry.

— Compreendo, e estou de acordo consigo — respondeu o Presidente. — Os dois cavalheiros em causa estão sob vigilância apertada e também estamos a investigar os contactos que mantêm com a Arábia Saudita, mas tanto quanto sabemos o mecanismo de al-Jazari ainda não está em poder deles.

— O que quer dizer que o Dodd ainda o tem.

— Já lá vamos — disse o Presidente. — Quanto aos dois sauditas mortos na Universidade da Virgínia, pelos quais o príncipe herdeiro terá de responder, conseguimos associá-los ao assassínio da Nura Khalifa e à tentativa de homicídio contra o Andrew Salam pela análise do ADN recolhido no automóvel, confrontado com outros indícios deixados no monumento a Jefferson. O senhor Salam foi libertado a noite passada e continua a cooperar com o FBI e com a polícia.

Harvath já sabia que Susan Ferguson fora encontrada amordaçada e algemada numa casa de banho pública dos arredores de Washington, por isso concentrou-se noutro assunto:

— Como está o colega do Ozbek, Rasmussen?

— Vai ficar bem. No final da semana, já deve ter alta do hospital.

— E o Ozbek?

O Presidente fez uma pausa antes de responder.

— Como já disse, é um bom operacional, mas morreu uma pessoa sob o seu comando durante uma operação não autorizada. Pelo que me disseram, é um elemento a não perder, e foi essa a opinião que transmiti a Vaile, do DCI.

— Então, ele ainda está com a CIA? Não o deixaram sair?

— Não, não deixaram. Oficialmente, está suspenso sem vencimento até à conclusão do processo disciplinar. Oficiosamente, continua a vigiar o Omar e o Waleed; mas agora falemos da Tracy.

Para Harvath, este era o assunto mais delicado, que o deixava apreensivo. Sentia que as notícias não eram boas.

— Os franceses estão a apertar a sério — disse Rutledge. — Para ser franco, se a situação fosse a inversa, provavelmente faria o mesmo. Já perceberam que sabemos mais do que admitimos saber. A única maneira de cooperarem connosco é numa base de retribuição. Estão dispostos a entregar-nos a Tracy desde que lhes dêmos qualquer coisa de valor equivalente.

— Por exemplo...?

Harvath deixou a pergunta no ar.

— Matthew Dodd.

— Mas se nem sequer sabemos onde ele está!

— Talvez não seja bem assim.

Harvath inclinou-se para a frente. Era a primeira notícia agradável que ouvia naquele dia.

— Acabámos de saber que usou um telefone-satélite para contactar o Omar. Foi esperto, pois fez uma chamada curta para não ser localizado.

— Mas conseguiram, não foi?

— Ficámos a saber que telefonou de fora dos Estados Unidos.

— Só isso?

O Presidente levantou a mão.

— O Departamento de Defesa tem um novo programa de satélite que começámos a usar no Iraque e no Afeganistão para localizar chamadas curtas feitas por suspeitos importantes. O secretário da Defesa tem os seus melhores técnicos a trabalhar no caso. Se o Dodd voltar a usar o telefone, conseguiremos saber onde se encontra, por muito breve que seja a chamada.

— E agora, faço o quê?

— Tenho um avião pronto para descolar na base de Andrews. Quero que se meta nele assim que descobrirmos onde está o Dodd. Autorizo-o a fazer tudo o que for preciso para recuperar o mecanismo de al-Jazari. Assim que concluir o serviço, pode tratar do caso da Tracy. Alguma pergunta?

Harvath abanou a cabeça e levantou-se.

Quando já estava perto da porta, o Presidente deteve-o:

— A propósito, diz no relatório que antes de o Dodd se ter apossado do aparelho você conseguiu que ele escrevesse qualquer coisa.

— É verdade, *sir*. Mas foi só uma palavra.

— Qual foi?

Harvath relanceou o olhar pela Sala Oval e disse:

— Paz.

CAPÍTULO

86

VIRGIN GORDA
ILHAS VIRGENS BRITÂNICAS

No estreito norte da pequena ilha Virgin Gorda, encontrava-se um dos segredos mais bem guardados do mundo. Acessível só por mar, o Bitter End Yacht Club era o posto insular mais avançado antes de se entrar em pleno Atlântico.

Tinha sido lá que Matthew Dodd passara a lua-de-mel com Lisa, e era para lá que agora voltava.

Desembarcado no aeroporto da ilha de Tortola Beef, percorrera trezentos metros até Trellis Bay, onde se encontrava ancorado o barco que alugara. Embora tivesse podido tomar o *ferry* rápido para Bitter End, Dodd não quisera misturar-se com as outras pessoas. A sua intenção era estar sozinho.

Depois de abandonar Poplar Forest, havia chegado a uma dolorosa conclusão. Da mesma maneira que tinha enganado Andrew Salam, também ele próprio fora ludibriado. Estivera ao serviço de loucos impreparados para implementar os objectivos do Islão. A religião fora subvertida por homens desejosos de impor a supremacia islâmica a todo o custo. Não só não eram dignos da lealdade que Dodd lhes tinha jurado, como não estavam à altura das posições que ocupavam, de porta-vozes da fé islâmica na América. Sob o disfarce do Islão, o que pretendiam era poder. Apóstatas.

Dodd chegou à conclusão de que afinal naquela luta não havia um lado «justo» pelo qual tomasse partido. Talvez só os actos fossem justos.

O assassino chegou à recepção só com uma mochila pendurada displicentemente num ombro. A cabana, sobranceira à praia e com vista para as águas límpidas e azuladas do mar das Caraíbas, correspondia por completo às suas recordações. Nada tinha mudado. A recordar tempos mais felizes, Dodd desembalou as poucas coisas que trazia consigo.

Recordou a paixão de Lisa pelo mergulho sem garrafa e como se deliciava a observar os cardumes de bodiões e de peixes-papagaio que abundavam nas águas de Bitter End. Sorriu ao recordar as horas que ela passava à beira-mar, entre as esponjas coloridas e os corais.

O assassino despiu-se, vestiu uns calções de banho e desceu até à praia. Nos últimos anos, tinha-se fartado de areia — areia no cabelo, areia nos olhos, areia na comida, areia nas armas, mas não entre os dedos dos pés, que era onde realmente devia estar. Sentiu um calor agradável subir-lhe pelo corpo.

Dodd chegou à areia molhada e deixou que as minúsculas ondas lhe viessem morrer aos pés. Foi avançando lentamente até que a água lhe chegou à cintura.

Olhou para o relógio, mergulhou e começou a nadar em vigorosas braçadas. Nadou durante meia hora. Quando regressou à praia, vinha ofegante e o coração batia-lhe apressadamente. Mas todos os seus sentidos estavam alerta.

À entrada da cabana, limpou a areia dos pés, abriu a porta de postigo e entrou.

Tirou os calções e tomou um duche quente. Com o cabelo molhado puxado para trás e uma toalha enrolada à cintura, pegou na mochila e num copo e dirigiu-se para a varanda.

Colocou tudo em cima da mesa, sentou-se e ligou o telefone-satélite. Enquanto o aparelho procurava o sinal, Dodd abriu uma das garrafas de rum *Arundel* que comprara no aeroporto de Tortola e despejou três dedos da bebida no copo. Durante a lua-de-mel, ele e Lisa tinham bebido pelo menos duas garrafas.

Sentiu o ardor do líquido a descer. Havia anos que não tomava uma bebida alcoólica e a sensação e o sabor eram tão agradáveis como um regresso a casa.

Não era justo que o Alcorão estivesse ali, ao lado de uma garrafa de álcool. Sabia-o muito bem, como também sabia que não devia beber. O álcool só havia aprofundado o abismo de desespero em que caíra ao perder a mulher e o filho, mas ali estava ele, com o seu Alcorão.

Tinha orado sem cessar, a pedir uma luz, mas nenhuma havia surgido. Depois de ter recuperado o engenho de al--Jazari, reflectira profundamente e tomara uma decisão.

O assassino olhou para o copo que tinha na mão e soltou uma risada. Embora não estivesse totalmente desprecavido, a verdade é que tinha descurado a autodisciplina.

O Islão *era* a solução para a América. Estava mais certo disso do que nunca. Só não fazia a menor ideia de como implementar essa mudança.

O que sabia de certeza era que Omar, com as suas mesquitas que destilavam ódio, e Waleed, com a sua corrupta Fundação Islâmica para as Relações Internacionais, se atravessavam no caminho da boa obra que o verdadeiro Islão poderia levar a cabo na América. Não faziam parte da solução, eram aberrações que faziam parte do problema.

Dodd serviu-se de uma nova bebida, que foi sorvendo lentamente, enquanto observava o movimento do ponteiro dos minutos do seu relógio.

À hora exacta, pegou no telefone e marcou o número secreto do xeque Omar.

O xeque atendeu ao primeiro toque.

— É você, Majd?

— Sou — respondeu o assassino.

— Alá seja louvado. Temos estado preocupados consigo desde a sua última chamada. Mal tivemos tempo para falar. Encontrou-o? O engenho de al-Jazari?

— Encontrei.

— Deus é grande, meu irmão. Deus é grande. — O xeque não podia estar mais excitado. — A obra de Alá, a nossa obra, está agora garantida. Deus é grande!

— Está sentado à secretária? — perguntou Dodd.

— É claro que estou. Você ligou para o número secreto.

— E o Abdul está aí consigo?

— Está sentado à minha frente — respondeu Omar. — Tal como pediu. Quando nos pode trazer o aparelho?

Dodd não tinha intenção de manter a ligação por mais tempo do que o necessário.

— Deixem-se estar onde estão, não saiam daí. Volto a ligar dentro de trinta segundos.

Embora se sentisse frustrado, Omar respeitava as regras da segurança. Além disso, estava tão satisfeito com o assassino, que teria concedido tudo o que o homem lhe pedisse naquele momento.

— Compreendo. Ficamos aqui à espera. *Allahu Akbar! Allahu Akbar!*

Quando Dodd desligou, as palavras *Allahu Akbar,* «Deus é Grande», ficaram a ressoar-lhe nos ouvidos.

Fiel à palavra dada, o assassino começou quase imediatamente a marcar um número, só que não era o número secreto do xeque. Era o número de um telemóvel ligado a um poderoso explosivo, escondido por detrás da secretária de Omar.

BITTER END YACHT CLUB
FINAL DA TARDE DO DIA SEGUINTE

À luz dos derradeiros raios do Sol poente, Scot Harvath viu Matthew Dodd despejar as últimas gotas da garrafa e entrar em casa a cambalear.

Depois de o ver embriagar-se daquela maneira, Harvath achou que as suas hipóteses tinham aumentado. Não queria dizer que o homem não continuasse a ser perigoso, mas os seus reflexos e percepção da situação estariam consideravelmente diminuídos.

Harvath poisou os binóculos e estendeu a mão para o saco impermeável, satisfeito por finalmente poder subir ao convés. Embora tivesse alugado um barco à vela de dimensões razoáveis, estar enjaulado lá em baixo sem uma brisa durante a maior parte da tarde não era a ideia que fazia de umas férias nas Caraíbas.

Mas, é claro, estava ali em serviço, não em férias. Um iate de luxo conseguia ser pior que todos os esconderijos infestados de cobras, de escorpiões e de percevejos por onde passara na sua carreira. A vida era uma questão de perspectiva, em especial a boa vida, recordou Harvath, inspeccionando os preparativos que fizera na cabina para receber Matthew Dodd.

O crepúsculo avançava depressa quando Harvath subiu ao convés e respirou fundo. Como era agradável sentir a brisa fresca no corpo empapado de suor. Lavou-se apressadamente com água fresca e atirou o equipamento para o barco *Zodiac RIB,* amarrado do lado oculto do veleiro.

Soltou a embarcação, ligou o motor e aproou à praia. O ruído do motor era apenas um entre os muitos que naquele momento deixavam as águas profundas de Bitter End com destino aos *cocktails* e ao jantar.

Harvath atracou o barco num lugar que não podia ser visto da cabana de Dodd, pegou no saco impermeável e numa pequena toalha de praia. A pistola *Glock,* de calibre .40 e com silenciador, que lhe fora entregue para a missão, devia ser um último recurso. O plano A era um novo *taser* à prova de água, aperfeiçoado para as equipas SEAL, e uma poderosa mistura de drogas que poria Dodd a dormir como um bebé até o levar para bordo e para o largo, onde daria início ao interrogatório.

Ao aproximar-se da cabana, Harvath parou, atento a qualquer indício do que se passava lá dentro. A última vez que tinha visto Dodd, o agente renegado da CIA voltara para a varanda com outra garrafa e já havia encetado a segunda olimpíada de copos.

Continua assim, amigo, pensou Harvath. *Estás a facilitar-me a vida.* As cabanas eram do género palafita, com uma escada de madeira de cada lado da varanda. Considerando a posição assumida por Dodd para contemplar a baía, Harvath decidiu subir pelo lado sul, para o apanhar de costas.

No começo da escada, Harvath parou outra vez para ouvir. Houve um tilintar de vidro, quando Dodd encheu mais um copo. Depois, silêncio.

Com a toalha de praia no braço, a esconder a pistola, Harvath trepou sem ruído os degraus esbranquiçados pelo sol. Ao chegar à varanda, encostou-se à parede e continuou a andar em silêncio. Chegou às primeiras janelas, onde as cortinas esvoaçavam para dentro e para fora, ao sabor da brisa ligeira. Ao espreitar para dentro do quarto, entreviu a silhueta de Dodd do outro lado da cabana, recortada na porta aberta pela luz da tarde moribunda.

O assassino estava de costas. Era chegado o momento.

Harvath deu a volta agachado sob as janelas e levantou-se quando chegou ao outro lado. Na esquina da cabana, deteve-se para escutar; como não ouviu nada, ergueu a arma e avançou, surgindo bruscamente atrás de Dodd.

Nesse momento, Dodd saltou como se fosse impelido por uma mola, mas a sua reacção nada teve a ver com a presença de Harvath.

Harvath não conteve a surpresa ao ver no outro extremo da varanda uma das mais elevadas patentes do Pentágono, Imad Ramadan, que empunhava uma pistola *Sig Sauer* munida de silenciador.

Ramadan era um homem de tronco largo, altura mediana, na casa dos cinquenta anos, de olhos escuros e uma barbicha grisalha.

— Está muito longe de Washington, Imad — observou Harvath com a *Glock* apontada e pronta a fazer fogo.

Ao ouvir a voz atrás dele, Dodd voltou-se tão depressa que ia caindo. Só não o fez porque se agarrou à mesa. Mesmo agarrado, estava tão bêbedo que não se aguentava direito.

— Seja você quem for, isto não lhe diz respeito — respondeu Ramadan.

— Porquê? Agora, é um caso oficial do Departamento da Defesa? — perguntou Harvath a fazer pontaria.

Era impressionante como os fundamentalistas se tinham conseguido infiltrar nos níveis mais elevados do governo e a maneira como cooperavam entre si. Mas, se fosse necessário, Harvath não hesitaria em matá-lo. Até podia acontecer que a Marinha lhe desse uma medalha.

— Estou em crer — prosseguiu Harvath perante o silêncio de Ramadan — que o Departamento de Defesa não faz a menor ideia do seu paradeiro. Conseguiu puxar os cordelinhos e descobrir o paradeiro do senhor Dodd. Onde o secretário da Defesa pensa que está? Em casa, doente?

— Cale-se! — gritou Ramadan.

À lista dos seus feitos enquanto apologista do Islão e da lealdade à religião acima de tudo, os Estados Unidos podiam agora acrescentar *traição*. Harvath tinha vontade de esganá-lo com as próprias mãos.

Olhou de relance para Dodd e viu que este ainda mal se equilibrava.

— Onde está o aparelho que nos roubou em Poplar Forest?

Dodd levou algum tempo a responder.

— Encarreguei-me dele.

— O que quer dizer com isso? — inquiriu Ramadan.

— Fiz o que estava certo.

— Certo para quem?

— Para a minha religião.

— *A sua* religião! — explodiu Ramadan. — De que está a falar?

— O que fez ao aparelho? — cortou Harvath, que sabia muito bem que aquilo não era maneira de conduzir um interrogatório. — Onde está?

— Quem se rala com isso? — perguntou Dodd em voz entaramelada.

Muito mais gente do que imaginas, pensou Harvath, mas não queria discutir com ele. O que queria eram respostas, por isso mudou de abordagem.

— E o *Dom Quixote* e tudo o resto que levou de minha casa?

— Foi-se.

Era exactamente o que o Presidente receava e, para dizer a verdade, Harvath também. Tanto Dodd como a sua coorte de extremistas não tinham o menor interesse em conservar objectos que constituíam uma ameaça para eles. Fosse como fosse, Harvath precisava de ter a certeza absoluta de que o assassino dizia a verdade e, para isso, tinha de o levar para um local tranquilo e discreto, de preferência o veleiro. Antes disso, porém, tinha de se haver com Ramadan.

— Ponha a arma no chão, Imad! Já! — ordenou.

O oficial do Pentágono ignorou a ordem. Em vez disso, perguntou a Dodd:

— Sabe que o Abdul Waleed e o xeque Omar morreram ontem numa explosão?

— Sei — resmungou Dodd entre dentes, de olhos vítreos.

— Foi o que pensei — respondeu Ramadan, segurando a pistola com mais firmeza.

— Imad, não vou avisar segunda vez — disse Harvath. — Deixe cair a arma ou acabo consigo!

Mais uma vez, Ramadan fez como se não o tivesse ouvido e dirigiu-se novamente a Dodd, desta vez interpelando-o pelo seu nome islâmico.

— Majd — disse em voz meiga, como se falasse a uma criança —, o aparelho de al-Jazari foi devidamente tratado?

Os balanços de Dodd pioraram. Harvath percebeu que, se em parte se deviam ao álcool que tinha ingerido, havia outra razão para isso. Muitos muçulmanos balançam-se para trás e para a frente enquanto rezam. Harvath já os vira muitas vezes nas mesquitas e o mesmo acontecia com os bombistas suicidas antes de deflagrarem os explosivos.

A atenção de Harvath voltou a centrar-se em Ramadan.

— Como soube do aparelho de al-Jazari? Como você se encaixa em tudo isto?

— Pensava que o xeque Omar e o Abdul Waleed trabalhavam sozinhos? Isto é muito maior do que jamais poderá imaginar.

Harvath não duvidava, mas estava atento sobretudo aos olhos de Ramadan. Haviam mudado, e a sua expressão era agora mais resoluta. Estava decidido a matar Dodd, mesmo sabendo que seria morto em seguida. Harvath não tinha alternativa senão agir, e depressa.

Ia a premir o gatilho quando Dodd deu um balanço maior e saltou subitamente para a frente, numa explosão de movimento. A mesa de madeira que tinha à sua frente voou.

Ramadan mal teve tempo de disparar antes que Dodd e a mesa lhe caíssem em cima.

Harvath também fez fogo, mas tarde de mais. Dodd estava morto. A bala disparada pela arma de Ramadan abrira--lhe um buraco no nariz e saíra-lhe pela nuca. O tiro de Harvath também foi certeiro. O corpo sem vida de Imad Ramadan jazia no chão da varanda e o sangue começava a tingir de vermelho as tábuas do soalho, esbranquiçadas pelo sol.

ST. MARTIN

Harvath levou menos de um dia a cobrir a distância entre Bitter End e St. Martin, a possessão francesa mais próxima. Durante o percurso, entrou em contacto com o Presidente para o pôr ao corrente do que acontecera e para gizarem a estratégia a seguir. Quer gostassem quer não, o mecanismo de al-Jazari estava perdido, com todo o seu potencial. O que era preciso era pensar no que fazer a seguir.

Embora Rutledge não lhe tivesse expressamente pedido que se desembaraçasse do corpo de Ramadan, Harvath sabia ler nas entrelinhas. O Presidente não estava interessado em que o pouco tempo que restava à sua Administração fosse afectado por um escândalo. O oficial do Pentágono era um traidor à pátria e agora estava morto. Tanto para o Presidente como para Harvath, havia-se feito justiça.

Fazia sentido que o corpo de Imad Ramadan tivesse o mesmo destino que o aparelho de al-Jazari, pensou Harvath, embora duvidasse que este tivesse sido despedaçado pelos tubarões dos recifes das Caraíbas.

Ao chegar a St. Martin, o seu homólogo da DST, a Direction de Surveillance du Territoire, o ramo da polícia francesa adstrito à contra-espionagem e à luta contra o terrorismo, ficou desapontado por receber apenas o cadáver de Matthew Dodd.

Depois do atentado e da morte de três polícias, os franceses tinham boas razões para se indignarem.

O operacional da DST, um tipo desembaraçado e cheio de energia, mais ou menos da mesma idade de Harvath, perguntou como raio iam levar um cadáver a tribunal. Harvath compreendeu a fúria dele e conteve a sua para não tornar as coisas piores.

Sabia que aquilo cheirava mal. Os mortos não falam, e o ex-operacional da CIA fora abatido pelos americanos antes de ser entregue às autoridades francesas. O homem da DST tinha todos os motivos para desconfiar.

O agente estava cada vez mais furioso. Aquilo não só punha em causa o acordo previamente estabelecido, como ainda se levantava a questão de deter Harvath, e não se coibiu de dizer que estava armado. Harvath também estava, mas optou por não dizer nada.

Ofereceu-lhe a única coisa que tinha. Por processos que a CIA nunca viria a divulgar, e que Harvath suspeitava que teriam feito parte das acções clandestinas de Ozbek, a Agência tinha deitado a mão a uma lista de extremistas muçulmanos que haviam colaborado com Dodd na explosão do automóvel em Paris.

O operacional da DST perguntou se lhes davam o exclusivo da lista, isto é, se a DST poderia arrogar-se de ter descoberto os nomes sem que a CIA se manifestasse. Harvath garantiu-lhe que sim. Só restava um problema.

O francês que havia subido a bordo assumira a responsabilidade de telefonar ao Presidente da França assim que tivesse Dodd em seu poder. O facto de ele estar morto, e sobretudo de ter sido liquidado pelos americanos, não era propriamente uma ajuda. Tornou-se aparente que a maior preocupação do homem era a reputação do Presidente francês de descarregar a sua ira sobre os mensageiros.

Harvath meteu a mão por baixo do beliche onde jazia o corpo de Dodd e tirou a pistola de Ramadan, que entregou ao operacional da DST.

— Se você não fosse tão rápido, teria dado cabo de nós dois — disse, e não acrescentou nem mais uma palavra.

O operacional considerou as diversas perspectivas da situação.

— Tenho de fazer uns telefonemas, mas creio que seremos capazes de resolver isto.

Harvath imaginou-lhe as engrenagens do cérebro a elaborar a lista de pessoas que iria convidar para a cerimónia da condecoração com a Legião de Honra.

Encontraram-se quarenta e cinco minutos depois numa praia próxima, onde Harvath descarregou o corpo para o automóvel do operacional francês.

Quando o homem se preparava para partir, Harvath pôs a mão no puxador da porta e disse:

— Ainda preciso de outra coisa.

— É ela — disse Harvath, quando Tracy Hastings saiu do automóvel do operacional da DST e começou a andar devagar pelos tabuões da doca. Era a segunda entrega que o agente da DST fazia naquele dia.

Harvath agradeceu ao Presidente, desligou a chamada e pousou o telefone-satélite codificado. Saltou para o cais e encaminhou-se para ela. Apesar de tudo o que tinha passado, Tracy recebeu-o com um sorriso no rosto que lhe penetrou na alma. Continuava a ser a mulher mais bela que já vira.

Mandou à fava o decoro e desatou a correr.

Quando se encontraram a meio da doca, estreitaram-se num abraço tão apertado que ele teve medo de a sufocar.

— Nunca mais voltes a deixar-me assim — disse ele.

Tracy desembaraçou-se dos braços dele e acariciou-lhe o rosto com as duas mãos.

— Amo-te.

— Eu também te amo. Mas nunca ma...

O beijo de Tracy impediu-o de terminar a frase.

Ao fim de alguns segundos, Harvath desfez o amplexo e perguntou:

— Como te sentes? Estás bem? O voo foi bom?

— O voo foi óptimo. Estou bem. O inchaço desapareceu. Tenho de fazer os possíveis por não me enervar.

Harvath sorriu e abraçou-a de novo.

— Achas que consegues aguentar-te a bordo?

— Que raio de pergunta é essa para fazer a um oficial da Marinha dos Estados Unidos?

— O *Harvath* é um navio seguro. Sou muito exigente quanto à tripulação. Só embarco na companhia dos melhores.

Tracy soltou uma gargalhada e lançou um olhar conspirativo por cima do ombro.

— Não vejo muita gente a fazer fila para o lugar.

— O resto da tripulação já está a bordo — replicou Harvath.

— *O resto da tripulação?*

Harvath voltou-se para o barco, meteu dois dedos à boca e soltou um assobio estridente.

Passado um segundo, *Bullet* apareceu a correr vindo dos compartimentos inferiores.

— Temos duas semanas até o Presidente me querer de regresso a Washington. Onde queres ir?

— Não me interessa — respondeu Tracy, segurando o queixo para dar ênfase às palavras —, desde que *sejamos... só... nós.*

EPÍLOGO

WASHINGTON, D. C.

Andrew Salam e o cão entraram em casa encharcados pela chuva. Andrew tirou do cabide da entrada a toalha velha que costumava usar para limpar as patas do animal. Acabado o trabalho, descalçou os sapatos de corrida e seguiu o cão em direcção à cozinha para lhe encher as tigelas de comida e água fresca.

Tirou do frigorífico uma garrafa de *Évian,* sacou a cápsula e engoliu metade. Como era bom estar de regresso a casa, e ainda mais agora, que a vida regressava à normalidade.

O FBI convidava-o para trabalhar, mas Salam não se sentia vocacionado. Pelo menos, naquela altura não lhe apetecia.

Pegou no controlo remoto, ligou a televisão da cozinha e sintonizou um canal de notícias. Um político qualquer falava na necessidade de «mudança» e das eleições presidenciais que se avizinhavam. Salam não deu importância. Só tinha a televisão porque lhe fazia companhia.

Pegou na garrafa de água e sentou-se à mesa da cozinha. Havia uma pilha de correspondência acumulada por abrir. Na maior parte dos casos era lixo, mas também devia haver algumas contas para pagar e Salam fazia questão de saldar as suas dívidas em devido tempo.

Um envelope diferente dos outros despertou-lhe a atenção. O endereço do remetente era um hotel de que nunca tinha ouvido falar e o carimbo era das Ilhas Virgens Britânicas.

Com cuidado, Salam abriu o sobrescrito e tirou uma folha de papel. Colada no centro, estava a chave de um cacifo. Por baixo, duas linhas. A letra era-lhe familiar, mas quando leu a mensagem o coração deu-lhe um salto no peito.

Andrew, sei que fará com isto o que tem de ser feito.
Matthew Dodd (aliás, Sean Riley)

NOTA DO AUTOR

Pode dizer-se que a ideia para este livro tem muitos progenitores. Em parte, foi inspirada por um artigo escrito por Toby Lester no *Atlantic Monthly* com o título «O que é o Alcorão?». Encontrei o artigo quando estava a escrever outra obra e guardei-o para um momento oportuno. Quando descobri um artigo da autoria de Gerald W. Gawalt, que anteriormente fez parte da Biblioteca do Congresso, intitulado «A América e os Piratas Berberes: Uma Batalha Internacional contra Um Inimigo Não Convencional», dei por mim a congeminar numa forma de articular a importância histórica do Alcorão e a experiência vivida por Jefferson com os piratas da Berbéria, para criar um romance de acção cujo tema fosse actual.

Este livro é um trabalho de ficção em grande parte baseado em factos. Dito isto, devo esclarecer quais os aspectos em que dei curso à liberdade criativa.

A última revelação de Maomé e a sua preservação por al-Jazari são pura ficção. A conjura para que Maomé fosse assassinado pelos seus acólitos também é invenção minha (embora existam provas de que Maomé foi assassinado). O conceito de ab-rogação é verdadeiro, como tudo o resto que diz respeito ao Alcorão.

O texto cifrado encontrado por Jefferson numa primeira edição do *Dom Quixote* é inteiramente ficcional. No entanto, é verdade que Cervantes padeceu grandes tormentos durante o cativeiro e que as experiências desagradáveis que viveu nas masmorras de Argel exerceram profunda influência na sua obra.

Thomas Jefferson ocupou de facto alguns aposentos do Convento dos Cartuxos em Paris enquanto foi ministro dos Estados Unidos em França, e foi nessa época que inventou a roda de cifra.

É verdade que uma das quinze lareiras de Poplar Forest não foi mexida durante as obras de renovação, mas pertencia à divisão usada pelas netas de Jefferson, não à saleta/escritório. Alguns pormenores do entablamento, assim como o horário de Poplar Forest, foram por mim intencionalmente alterados para se adpatarem à narrativa.

As armas e outros equipamentos utilizados por Scot Harvath, Aydin Ozbek e outros, incluindo o revolucionário sistema de roupa com torniquete, são reais.

AGRADECIMENTOS

Mais do que em qualquer outra circunstância, quero agradecer à minha linda mulher, Trish, por todo o amor, apoio e auxílio que me prestou enquanto escrevi este livro. É a minha musa e a minha melhor amiga, e uma das pessoas mais extraordinárias que alguma vez conheci. Sem ela, nada disto teria sido possível. Obrigado, meu amor.

Também não sei o que seria de mim sem **os meus leitores**. Obrigado pelos *e-mails* maravilhosos, por comparecerem às minhas sessões de autógrafos e por tudo quanto têm dito acerca dos meus livros. Se o meu trabalho tem crescido em popularidade, é graças a vós.

O meu grande amigo **Scott F.,** doutorado em Filosofia, foi mais uma vez precioso na elaboração deste livro. O seu espírito perspicaz só tem rival na sua amizade e profundo patriotismo. Obrigado por tudo.

James Ryan (o nome não é verdadeiro) trabalha num dos recantos mais sinistros e perigosos deste mundo. As coisas que partilhou comigo durante a elaboração deste livro instilaram-me uma enorme dívida de gratidão para com os homens e as mulheres de carácter, integridade e coragem que se dispõem aos mais incríveis sacrifícios por este país. Se James Ryan alguma vez vos bater à porta, ou é o melhor dia da vossa vida ou é o último. Obrigado, meu amigo, por tudo quanto tens feito por mim, dentro e fora do terreno de acção.

Uma parte substancial deste livro foi influenciada pela escrita erudita, pelos comentários e pela coragem de **Robert Spencer**, que generosamente me ajudou nas minhas pesquisas. Sinto-me honrado em chamar-lhe amigo. Bombardeei-o todas as semanas com telefonemas e *e-mails,* e as suas respostas foram sempre brilhantes e bem-humoradas. Obrigado, Robert.

Uma das grandes recompensas da minha carreira tem sido conhecer pessoas que admiro e respeito. À medida que os anos vão passando, percebo que fora do contexto militar, policial e de espionagem há muitas outras pessoas que pensam e agem. **Glenn Beck** é sem dúvida uma dessas pessoas. Quando se tem um amigo cujos padrões de exigência são tão elevados, é difícil não fazer o mesmo. Obrigado por tudo, meu amigo, tens sido um exemplo para mim.

Tenho a sorte incrível de conhecer um grupo de combatentes com quem não só troco abertamente ideias como partilho amizade. Sem eles, os meus livros não seriam os mesmos. Inspiram e servem de exemplo ao meu trabalho, não só pelo que dizem como pelo que fazem. Cada um deles contribuiu de diversas formas para que todas possam ser referidas. São eles: **Tom Baker, Steven Bronson, Jeff Chudwin, Rodney Cox, Thomas Foreman, Chuck Fretwell, Frank Gallagher, Steve Hoffa, Mike Janich, Cynthia Longo, Ronald Moore, Mike Noell, Chad Norberg, Gary Penrith, Rob Pincus** e **Mitch Shore** — além dos outros companheiros e companheiras que pediram para não ser identificados neste livro por razões de segurança. Obrigado a todos.

Como já disse antes, sem as excelentes **livrarias, reta-lhistas** *online* e o **pessoal do Departamento de Vendas** da **Atria/Pocket**, este livro não estaria agora nas suas mãos. Os meus sinceros agradecimentos a todas as pessoas que tanto têm trabalhado para que eu seja um autor conhecido e que se esforçam para que cada livro seja um êxito mais retumbante que o anterior. É um trabalho de equipa, e não podia ter encontrado colaboradores mais inteligentes e criativos no campo da publicação editorial do que **Jeanne Lee,** o **Departamento de Arte e Produção da Atria/Pocket** e a **comunidade áudio da Simon & Schuster.**

Daniel Pipes aconselhou-me desde o início deste livro e estou-lhe grato pelo saber, generosidade e competência que demonstrou.

O **doutor Rusty Shackleford e a sua equipa** são um grupo a ter em conta. Embora pouca gente saiba quem realmente são, há muitos que conhecem o trabalho perigoso e importante que todos os dias levam a cabo. Obrigado por tudo.

Os meus agradecimentos também para **Anna Berkes**, investigadora na Biblioteca de Thomas Jefferson, em Monticello; a **Anna McAlpine,** directora de Relações Públicas e *Marketing* em Poplar Forest; e a **Clark Evans**, da Biblioteca do Congresso.

Agradeço a colaboração prestada em Washington, D. C., pelos meus amigos **David Vennett, Patrick Doak** e o meu «agente infiltrado», **Tim Holland.**

Os meus agradecimentos também para **Richard e Anne Levy,** pela ajuda que me deram, bem como a da nossa «espia» internacional, **Alice.**

O meu reconhecimento a dois excelentes atiradores, **Tom e Geri Whowell.**

Agradeço também a **Danielle Boudreau,** da Bombardier Business Aircraft, ao **United States Park Service** e ao **Departamento de Polícia de Washington, D. C**.

Tenho a sorte de estar integrado numa poderosa empresa editora e rodeado por pessoas inteligentes. Essa equipa é chefiada por **Carolyn Reidy**. À medida que o nosso relacionamento profissional se foi intensificando, nasceu uma amizade. Carolyn, trabalhar contigo é uma honra e um prazer.

Judith Curr e **Louise Burke** são duas das mais brilhantes figuras do mundo editorial. Não só tenho a sorte de dizer que são minhas editoras como também minhas amigas. Cada trabalho com Louise e Judith é mais agradável que o anterior. Obrigado às duas por tudo o que têm feito por mim.

Emily Bestler foi uma guia preciosa que me auxiliou em cada passo deste livro para que fizesse melhor. Emily, estou mais agradecido que o que podes imaginar. Obrigado por tudo.

Heide Lange, a minha agente literária, continua a desempenhar um papel crucial na minha carreira. Obrigado, Heide, pela tua inteligência, sabedoria e criatividade, para além da amizade sincera.

Gary Urda, Lisa Keim e **Michael Selleck** são três elementos excepcionais da família Simon & Schuster, cuja perspicácia e dedicação se sente em cada página deste livro. Obrigado.

David Brown é o meu agente de publicidade, que continua a espantar-me pela maneira como ultrapassa obstáculos inacessíveis e faz com que tudo pareça fácil. David, foste sempre o número um, e é com muito agrado que te tenho na equipa.

Laura Stern, Sarah Branham, Mellony Torres, Karen Fink e todo o restante pessoal da S&S são credores da minha gratidão pelo muito trabalho que têm com cada livro que publicamos. Mais uma vez, é um trabalho de equipa, e é com orgulho que me incluo na família Atria & Pocket.

Quero também agradecer a todos os colaboradores da **Stanford J. Greenburger Associates** por tudo quanto fizeram por mim ao longo do ano, entre eles a excepcional **Teri Tobias** e o dinâmico par **Alex Cannon/Jennifer Linnan.**

No campo de batalha que é Hollywood, é bom ter um advogado que saiba movimentar-se. Se além disso for um negociador incrível e um companheiro formidável, então é um *jackpot*. **Scott Schwimer** é isso tudo e não só: é um dos meus melhores amigos. Obrigado, Scottie.

ÍNDICE

LIVROS NA COLECÇÃO

039 | 002 Eça de Queirós
Os Maias

040 | 001 Mario Puzo
O Padrinho

041 | 004 Nora Roberts
As Jóias do Sol

042 | 001 Douglas Preston
Relíquia

043 | 001 Camilo Castelo Branco
Novelas do Minho

044 | 001 Julie Garwood
Sem Perdão

045 | 005 Nora Roberts
Lágrimas da Lua

046 | 003 Dan Brown
O Código Da Vinci

047 | 001 Francisco José Viegas
Morte no Estádio

048 | 001 Michael Robotham
O Suspeito

049 | 001 Tess Gerritsen
O Aprendiz

050 | 001 Almeida Garrett
Frei Luís de Sousa e *Falar Verdade a Mentir*

051 | 003 Simon Scarrow
As Garras da Águia

052 | 002 Juliette Benzoni
O Rei do Mercado (O Segredo de Estado – II)

053 | 001 Sun Tzu
A Arte da Guerra

054 | 001 Tami Hoag
Antecedentes Perigosos

055 | 001 Patricia Macdonald
Imperdoável

056 | 001 Fernando Pessoa
A Mensagem

057 | 001 Danielle Steel
Estrela

058 | 006 Nora Roberts
Coração do Mar

059 | 001 Janet Wallach
Seraglio

060 | 007 Nora Roberts
A Chave da Luz

061 | 001 Osho
Meditação

062 | 001 Cesário Verde
O Livro de Cesário Verde

063 | 003 Daniel Silva
Morte em Viena

064 | 001 Paulo Coelho
O Alquimista

065 | 002 Paulo Coelho
Veronika Decide Morrer

066 | 001 Anne Bishop
A Filha do Sangue

067 | 001 Robert Harris
Pompeia

068 | 001 Lawrence C. Katz
e Manning Rubin
Mantenha o Seu Cérebro Activo

069 | 003 Juliette Benzoni
O Prisioneiro da Máscara de Veludo (O Segredo de Estado – III)

070 | 001 Louise L. Hay
Pode Curar a Sua Vida

071 | 008 Nora Roberts
A Chave do Saber

072 | 001 Arthur Conan Doyle
As Aventuras de Sherlock Holmes

073 | 004 Danielle Steel
O Preço da Felicidade

074 | 004 Dan Brown
A Conspiração

075 | 001 Oscar Wilde
O Retrato de Dorian Gray

076 | 002 Maria Helena Ventura
Onde Vais Isabel?

077 | 002 Anne Bishop
Herdeira das Sombras

078 | 001 Ildefonso Falcones
A Catedral do Mar

079 | 002 Mario Puzo
O Último dos Padrinhos

080 | 001 Júlio Verne
A Volta ao Mundo em 80 Dias

081 | 001 Jed Rubenfeld
A Interpretação do Crime

082 | 001 Gerard de Villiers
A Revolução dos Cravos de Sangue

083 | 001 H. P. Lovecraft
Nas Montanhas da Loucura

084 | 001 Lewis Carroll
Alice no País das Maravilhas

085 | 001 Ken Follett
O Homem de Sampetersburgo

086 | 001 Eckhart Tole
O Poder do Agora

087 | 009 Nora Roberts
A Chave da Coragem

088 | 001 Julie Powell
Julie & Julia

089 | 001 Margaret George
A Paixão de Maria Madalena – Vol. I

090 | 003 Anne Bishop
Rainha das Trevas

091 | 004 Daniel Silva
O Criado Secreto

092 | 005 Danielle Steel
Uma Vez na Vida

093 | 003 Eça de Queirós
A Cidade e as Serras

094 | 005 Juliet Marillier
O Espelho Negro
(As Crónicas de Bridei – I)

095 | 003 Guillaume Musso
Estarás Aí?

096 | 002 Margaret George
A Paixão de Maria Madalena – Vol. II

097 | 001 Richard Doetsch
O Ladrão do Céu

098 | 001 Steven Saylor
Sangue Romano

099 | 002 Tami Hoag
Prazer de Matar

100 | 001 Mark Twain
As Aventuras de Tom Sawyer

101 | 002 Almeida Garrett
Viagens na Minha Terra

102 | 001 Elizabeth Berg
Segredo de Família

103 | 001 James Runcie
O Segredo do Chocolate

104 | 001 Pauk J. Mcauley
A Invenção de Leonardo

105 | 003 Mary Higgins Clark
Duas Meninas Vestidas de Azul

106 | 003 Mario Puzo
O Siciliano

107 | 002 Júlio Verne
Viagem ao Centro da Terra

108 | 010 Nora Roberts
A Dália Azul

109 | 001 Amanda Smyth
Onde Crescem Limas não Nascem Laranjas

110 | 002 Osho
O Livro da Cura – Da Medicação à Meditação

111 | 006 Danielle Steel
Um Longo Caminho para Casa

112 | 005 Daniel Silva
O Assassino Inglês

113 | 001 Guillermo Cabrera Infante
A Ninfa Inconstante

114 | 006 Juliet Marillier
A Espada de Fortriu

115 | 001 Vários Autores
Histórias de Fantasmas

116 | 011 Nora Roberts
A Rosa Negra

117 | 002 Stephen King
Turno da Noite

118 | 003 Maria Helena Ventura
A Musa de Camões

119 | 001 William M. Valtos
A Mão de Rasputine

120 | 002 Gérard de Villiers
Angola a Ferro e Fogo

121 | 001 Jill Mansell
A Felicidade Mora ao Lado

122 | 003 Paulo Coelho
O Demónio e a Senhorita Prym

123 | 004 Paulo Coelho
Diário de Um Mago

124 | 001 Brad Thor
O Último Patriota

125 | 002 Arthur Conan Doyle
O Cão dos Baskervilles

126 | 003 Bill Bryson
Breve História de Quase Tudo

Rua Professor Jorge da Silva Horta, n.º 1 | 1500-499 Lisboa
Telefone: 217 626 000 | Fax: 217 626 150
e-mail: editora@bertrand.pt